Varianti

Andrea Tarabbia

MADRIGALE SENZA SUONO

MORTE DI CARLO GESUALDO, PRINCIPE DI VENOSA

Romanzo

Bollati Boringhieri

Prima edizione febbraio 2019

Pubblicato in accordo con The Italian Literary Agency

Torino, corso Vittorio Emanuele II, 86
Gruppo editoriale Mauri Spagnol
ISBN 978-88-339-3132-6

www.bollatiboringhieri.it

Stampato in Italia da Grafica Veneta S.p.A. di Trebaseleghe (PD)

Anno				Edizione
2022	2021	2020	2019	4 5 6 7

Madrigale senza suono

A Laura e Lorenzo

«FIGLIO: "Mamma si muore nella notte o nell'alba?"
MADRE: "Nella notte o nell'alba, figlio,
secondo che noi avremo vissuto nella notte o nell'alba"»
Giovanni Testori, *La Morte*

«Ogni uomo [...] per un istante è Dio. Dio davvero, non a parole. Poi ricade».
Nikos Kazantzakis, *La seconda crocifissione di Cristo*

«Certo che Lucifero aveva musica».
Igor' Stravinskij, *Ricordi e commenti*

Igor tentato dal demonio
Una lettera

Al professor Glenn E. Watkins,
UNC *College of Arts & Sciences*
Department of Music
CB# 3320; Hill Hall
Chapel Hill, NC 27599-3320
USA

Los Angeles, gennaio 1960

Caro signore,
mi perdonerà se comincio con una scimmia, ma è da molte ore che sto seduto al tavolo con l'intento di scriverle e ogni tentativo, finora, è andato fallito. Accumulo incipit e cartacce, come se non riuscissi a trovare un modo per iniziare davvero. Ho da raccontarle alcune cose piuttosto stravaganti che mi sono capitate negli ultimi tempi e che, forse, desteranno il suo interesse o almeno la sua curiosità. Non si faccia l'idea che mi siano capitati avvenimenti molto strabilianti: tutto è sempre dentro un ordine che definirei quasi naturale. Ci sono

con me Vera, qualche domestico e Ol'ga, un'infermiera di lontane origini ucraine – tanto lontane che quasi non mi capisce se mi rivolgo a lei in russo. Si occupa della mia salute, il che vuol dire che, quando sono in casa, mi costringe a prendere delle medicine e, se sono chiuso nel mio studio da troppe ore, si sente libera di impormi dei momenti di riposo. Ha un marito messicano che, una volta la settimana, sistema il nostro giardino, e con cui parla un curioso miscuglio di spagnolo e inglese, interrotto da alcune espressioni odessite che non sono sicuro l'uomo comprenda fino in fondo.

Ieri pomeriggio, domenica, ero in una di quelle mezz'ore che, come le dicevo, Ol'ga mi impone, e stavo affacciato alla finestra dello studio: da lì (da qui, perché è qui che mi trovo ora mentre provo a scriverle questa strana e lunga lettera) si domina tutto il giardino, che a dire il vero non è molto grande, ma contiene una veranda dove d'estate trascorriamo le ore meno calde e una piccola piscina. Quando ci siamo trasferiti qui, ormai quasi vent'anni fa, vi ho fatto trasportare i pianoforti, altri strumenti che mi servono per il mio lavoro, gli spartiti, le carte da musica, il divano per il mio riposo e qualche libro che sono riuscito a farmi spedire dall'Europa. I domestici e Ol'ga la chiamano la «stanza della musica», e vedo nei loro volti un certo stupore ogni volta che, dopo aver trascorso un certo numero di ore chiuso qui dentro senza che un suono provenga da nessuno strumento, io scendo nella sala da pranzo stanco per il lavoro.

Bene, questa è la mia casa: ma vengo alla scimmia e al nostro strano incontro. Le dicevo che mi stavo riposando affacciato alla finestra: proprio vicino all'acqua della piscina, mi sembrò a un certo punto di veder passare un essere non più alto di un bambino di due anni, ma molto più goffo nei movimenti. Era scuro, curvo, e smusava e annusava l'aria: si guardava attorno come se si fosse perduto. Mi alzai dalla sedia e mi avvicinai al balcone, tenendo il vetro ben chiuso, per osservarlo meglio. Era, come avremmo scoperto di lì a poco, un esemplare adulto di cercopiteco barbuto, una scimmia dunque abbastanza comune e, come ci dissero poi, piuttosto mansueta. Ma ora, mentre la osservavo, infilava una mano nell'acqua clorata della piscina e se la portava alla bocca, come per dissetarsi, e continuava a muovere la testa a destra e a sinistra, irrequieta. Stava accovacciata sul bordo, forse chiedendosi dove fosse capitata, finché mi vide: sollevò lo sguardo come se qualcosa l'avesse attratta o spaventata – ma non un rumore, non un movimento era venuto dalla mia stanza. Ci guardammo per alcuni istanti: le confesso, amico mio, che per qualche motivo che non so spiegare, cominciai a sentirmi inquieto anch'io. Hanno, queste piccole scimmie, un folto anello di barba bianca che, quando assumono certe posizioni sotto certa luce, conferisce loro un'aria autorevole. Sono dei Rimskij-Korsakov del mondo animale. Ci valutammo per un po' attraverso lo schermo della finestra. Presto capii perché la scimmia si era improvvisamente voltata a guardare verso la casa: Ol'ga, urlando, saliva le scale ed entrava, senza bussare, nello studio.

«Una scimmia, Maestro, una scimmia nella piscina!» diceva in inglese.

Si avvicinò al telefono, prese l'elenco, lo consultò e compose un numero. Parlò per alcuni minuti nella cornetta, senza che potessi afferrare appieno il contenuto della comunicazione: capii però bene quando fornì il mio nome e l'indirizzo.

«Con chi era al telefono, Ol'ga?» domandai quando ebbe riattaccato.

«Con l'Ente per la protezione degli animali» disse, ma il suo sguardo fu attratto da qualcosa che accadeva fuori dalla finestra. «Sta venendo qui» disse, portandosi una mano alla bocca.

La mia piccola Rimskij-Korsakov, attirata anziché spaventata da quel trambusto, si era aggrappata a un piccolo rampi-

cante che, dal giardino, sale fino al tetto passando per il balcone. Né io né Ol'ga vedevamo l'animale: ma la pianta si agitava nervosamente. Fu presto sulla balaustra, e io mi voltai verso Ol'ga.

«Le pentole» disse lei. «Corro giù a prendere le pentole». Usò, per «pentole», la parola russa: come le ho accennato, il suo vocabolario non è ricco, in quella lingua, ma annovera moltissimi termini che hanno a che vedere con l'ambito domestico. Risalì insieme a un cameriere (Vera era fuori città), e a due o tre tegami di grosse dimensioni e un paio di cucchiai di legno. Si avvicinarono alla finestra e cominciarono a battere furiosamente le pentole.

«Che cosa state facendo?» urlai nel rumore.

«La signorina della Protezione animali ha detto di fare così, intanto che aspettiamo» rispose Ol'ga. «La tiene lontana».

La scimmia si guardò attorno sbalordita, quindi si riaggrappò al rampicante e ridiscese velocemente verso il giardino. Lo attraversò correndo sulle quattro zampe, e si rifugiò sopra un albero vicino alla staccionata. Ol'ga e il domestico, intanto, avevano smesso di battere le pentole e restavano in silenzio al mio fianco, cercando di capire su quale ramo si fosse rifugiato il cercopiteco. Aprii la finestra e uscii sul balcone. Sono convinto che io e la scimmia ci guardammo ancora per qualche tempo, perché mi sembrava di individuare due piccoli occhi arancione scuro tra le fronde dell'albero. Ma poi intervenne il verso rauco di una ghiandaia e la mia piccola amica si spaventò definitivamente, perché la vedemmo lanciarsi oltre il muro e scomparire nella strada. Non ho più avuto notizie di lei, né dalle radio locali né dalla Protezione animali, a cui ho fatto telefonare ieri sera e stamattina. Sembra quasi che nessuna scimmia sia fuggita da uno zoo. È anche possibile che l'animale appartenga a qualcuno dei miei vicini di casa: questa è Los Angeles, dopotutto, e non ci sarebbe nulla di strano.

Ma alcuni mesi fa, è questa la cosa curiosa, la polizia citofonò a casa chiedendo se poteva perlustrare il giardino. Alla sua richiesta di spiegazioni, Vera si sentì rispondere che stavano battendo il quartiere alla ricerca di una foca evasa da uno zoo, o forse da un circo acquatico – non ricordava bene.

«Una foca, capisci?» mi disse Vera quando mi raccontò l'accaduto. «La polizia! Cercavano una foca nelle ville di Wetherly Drive. Come se una foca potesse davvero scappare, magari attraversando il Sunset Boulevard».

Non credo che una foca mi avrebbe messo in allarme: avrei trovato tutto molto divertente, anche se sospetto che, tra una foca e una scimmia, la meno socievole sia la prima. Siamo circondati da animali, da forme primitive: questo è un fatto. Ol'ga, la buona Ol'ga, questa mattina sosteneva, se ho ben capito, che queste intrusioni sono tutti segni, cose che io dovrei in qualche modo interpretare e mettere nelle mie composizioni. Non è escluso che lo farò, ma per il momento mi diverte stare ad ascoltare questa donna, la cui religiosità è un misto di ortodossia imparata dai parenti e mai praticata, cattolicesimo acquisito col matrimonio e paganesimo innato.

L'episodio della foca è piuttosto buffo, ma non l'ho vissuto perché in quei giorni mi trovavo in Italia in compagnia di Bob Craft. Il nostro viaggio aveva uno scopo preciso, che spero si chiarirà nel corso di queste pagine.

Già tre anni fa, sempre in sua compagnia, mi ero recato in un piccolo paese arroccato nella provincia di Avellino, che si trova a qualche ora di viaggio da Napoli, in una zona rurale piuttosto selvaggia e di un certo fascino: l'Irpinia. Credo che lei conosca bene questi luoghi e il paese a cui mi riferisco, Gesualdo. Avrà così intuito il motivo di questa lettera e del misterioso pacco che vi allego. Ma porti per favore un po' di pazienza e mi lasci raccontare. Non mi soffermerò a lungo sulla mia visita gesualdina del '56 ma, prima che lei apra il pacco, le devo dare qualche notizia sul viaggio che ho fatto qualche tempo fa in quella città e, soprattutto, a Napoli.

Come forse sa, nel mese di settembre del '56 andò in scena nella Basilica di San Marco, a Venezia, il mio «Canticum Sacrum», di cui qualcuno ha scritto, evidentemente senza conoscere ciò di cui parlava, che fu un «assassinio nella cattedrale». Contesto non tanto il concetto di assassinio, quanto lo stato in luogo: il mio cantico non era nella cattedrale; esso era la cattedrale. Non le so nemmeno dire quanto a lungo ho studiato la storia del progetto e dell'edificazione di quel prodigio dell'architettura veneziana prima di scrivere una sola nota sul pentagramma.

Alcuni mesi prima, per mano di Craft ricevetti, in fotocopia, un'edizione del secondo libro di canti sacri di Gesualdo da Venosa. Le fotocopie erano incomplete: mancavano forse alcuni componimenti e alcuni passi di tre mottetti. Da qualche anno il lavoro di Gesualdo aveva cominciato a interessarmi, così in quei giorni, nel tempo libero, mi misi a leggere quella musica. È inutile che la descriva a lei, così come è inutile che spenda parole per raccontarle l'effetto che produsse su di me. Mi limiterò a dire che fui molto attratto dai tre mottetti incompleti: «Assumpta Maria», «Da pacem Domine» e soprattutto «Illumina nos» – che io sappia l'unica composizione gesualdiana per sette voci, di cui due solo abbozzate. Le dirò però questo: per un motivo che razionalmente fatico a spiegare, sentii fortemente che quel mottetto aveva a che vedere con il mio Canticum, ne era prologo e conclusione. Carlo Gesualdo aveva scritto, quasi quattro secoli prima, qualcosa che riguardava me e il mio cantico.

Scendemmo faticosamente a Gesualdo qualche settimana più tardi: ci fu un lungo e un po' disagevole viaggio fino a Napoli e, da lì, una piccola e alquanto scomoda auto ci portò nel centro dell'Irpinia. Fummo accolti, come si dice, dai notabili della città. Mi interessava soprattutto poter vedere gli strumenti su cui il principe musicista aveva composto quella musica sbalorditiva. Ma non mi fu possibile: erano stoccati in qualche magazzino comunale e in nessun modo riuscimmo a convincere il sindaco e i responsabili del castello a mostrarceli. Sospetto che lo stato di conservazione in cui versano non sia dei migliori, se non sono andati distrutti o perduti. Gesualdo, pare, era un abile suonatore di liuto e arciliuto – cosa non molto frequente all'epoca, tra i compositori: e pare componesse con quegli strumenti anche se, ascoltandolo, sospetto che egli prediligesse la spinetta o il clavicembalo, insomma uno strumento percussivo, a tastiera. Per il resto, la città è piccola e non particolarmente attraente, e anche il castello, se si eccettua il leone rampante nel blasone del sottoportico e l'iscrizione sul muro della corte, è piuttosto austero. Pernottammo in un piccolo albergo nella piazza centrale del paese, dominata dalla sagoma del castello, che sta su una rocca. La sera, passeggiando sotto le mura, pensammo a Kafka: noi eravamo entrati, è vero, nel castello, ma non avevamo visto ciò che ci interessava vedere. La mattina successiva tornammo a Napoli e lasciammo l'Italia.

Per molte settimane (ma sarebbe meglio parlare di anni, visto che non abbiamo mai smesso), io e Bob Craft ragionammo su quella musica, che è apparentemente inavvicinabile, caotica: ho conosciuto cantanti che detestano Gesualdo e vi si avvicinano con inquietudine. «Non è quasi possibile cantare più di tre madrigali gesualdiani uno di seguito all'altro» mi disse un giorno un soprano di cui ometto il nome: «È una musica che fa venire il singhiozzo».

«Il singhiozzo?» chiesi.

«Oh, il singhiozzo, sì. È difficile controllare la respirazione quando li si esegue: richiede uno sforzo che non è possibile mantenere troppo a lungo. Il diaframma, sa...» e si toccò quella parte del corpo come a proteggerla.

Credo che sia attraverso la condotta delle parti che si debba avvicinare la musica di Gesualdo. Il suo segreto è nelle voci. Il segreto è sempre nelle voci. L'armonia dei mottetti, dei madrigali, vi è legata come la vite si lega al traliccio: conosco a memoria, ormai, i Libri V e VI dei madrigali, e larghe parti dei libri precedenti; conosco i mottetti, naturalmente, e ho studiato i «Responsoria» che altri, tra cui proprio Bob Craft, considerano il vertice dell'arte gesualdiana e che per me, invece, sono troppo statici ritmicamente. Ho persino ricopiato, trascrivendoli in bella copia come uno studente, alcuni dei madrigali più complessi: mi sembrava l'unico modo per appropriarmene completamente.

Bob Craft sta per pubblicare, ad Amburgo, una registrazione di due «Responsoria» che rendono giustizia a ciò che dev'essere stato l'originale gesualdiano. Ma anch'io voglio fare qualcosa per lui, per Gesualdo. La prego, per il momento, di tenere per sé quanto le sto per confidare, anche se, come vedrà tra poco, pare non essere un segreto così ben custodito. Ho in mente, visto che il prossimo anno cadranno i quattrocento anni dalla nascita del principe di Venosa (benché la data sia incerta), di commemorarlo con una piccola suite in tre movimenti che ho intenzione di chiamare «Monumentum pro Gesualdo di Venosa ad CD annum» (I miei detrattori sanno che manco d'ironia: sapranno ufficialmente, grazie a questo titolo, che ho anche un'opinione così alta di me stesso da pensare di poter erigere monumenti). Ebbene, il Monumentum sarà, come si dice qui, un close reading di tre originali gesualdiani, ma non mi limiterò alla citazione e alla riproposta: li orchestrerò. Dove Gesualdo ha immaginato delle voci, io userò degli strumenti. Farò insomma dei madrigali senza voce: e sono sicuro che Balanchine non si rifiuterà di coreografarli. Sì: tre madrigali di Gesualdo suonati e danzati, è questo ciò che ho in mente. Dopotutto, fare musica vuol dire spesso riscrivere, rimescolare, immaginare di nuovo.

Il «Monumentum» sarà in tutto e per tutto un'opera di Stravinsky – la mia personale commemorazione di un padre, musicista radicale e straordinario benché del tutto naturale, e dunque in un certo senso molto lontano da me, che non ho nulla di spontaneo. Per dare il senso dello straordinario movimento della musica gesualdiana sto progettando di dividere l'orchestra in gruppi: gli strumenti a corda, poi gli ottoni, i legni e infine i corni, e di farli lavorare a singhiozzo (al soprano dunque il mio monumento non piacerà), facendo letteralmente saltabeccare la musica da un gruppo all'altro. Il singhiozzo è un dispositivo ritmico, dopotutto. Mi sembra, questo, un modo di proporre le complicate architetture della musica del principe, anche se sospetto, nonostante non abbia ancora cominciato a mettere mano ai materiali, che questo lavoro di strumentazione sarà una delle cose più difficili che abbia mai fatto.

Penso di nuovo a Venezia, come luogo della prima esecuzione. In alternativa, cercheremo qualcosa a New York.

Si chiederà come sia possibile questo improvviso e totale innamoramento. La colpa, come le accennavo, è di Craft: è lui che mi passa le sue febbri. Ma mi capirà meglio quando le avrò raccontato ciò che mi è accaduto alcuni mesi fa a Napoli, dove ci siamo fermati per qualche giorno dopo la nostra seconda visita gesualdina.

Carlo Gesualdo ha trascorso la maggior parte della vita abitando nel paese che porta il suo cognome e in un appartamento, preso in affitto dalla famiglia di Sangro, in piazza San Domenico Maggiore a Napoli. È un palazzo enorme, la cui volta d'accesso sembra una grande bocca nera che rimane sempre aperta. La oltrepassammo con qualche ritrosia – nel palazzo oggi abitano molte persone –, e fummo accolti da una specie di stridio, di raspamento: una signora corpulenta spaz-

zava lo scalone nero che conduce agli appartamenti e su cui una delle molte leggende che avvolgono la figura del principe racconta che furono abbandonati, durante la notte tra il 16 e il 17 ottobre 1590, i corpi nudi, straziati e bellissimi di Maria d'Avalos e del suo amante. Vedevamo da sotto soltanto i piedi della donna, infilati in un paio di zoccoli, e la sentivamo canticchiare una vecchia e incomprensibile canzone popolare, disturbata dall'insistito grattamento dei filamenti di saggina sulla pietra; quando ci vide, riconoscendoci come stranieri, si fermò e ci apostrofò in italiano. Io e Bob Craft allargammo le braccia.

«Gesualdo» disse Bob, indicando i piani alti.

Ciabattando era scesa di qualche gradino e ci osservava appoggiata alla scopa. Inteso il nome del principe, fece un gesto come a dire Mamma mia!, e si mise a ridere. Sembra che tutti conoscano, a Napoli, la storia del principe. Ne conoscono, naturalmente, soltanto la parte più brutale, su cui ricamano mitologie. Della sua musica si dice soltanto che è storta, portatrice d'ansia e di disturbo – in tutto e per tutto lo specchio della sua anima disordinata, psicotica – e nessuno, a Napoli, se mai l'ha ascoltata, l'ascolta più. A me, naturalmente, è la musica ciò che interessa davvero: se quest'uomo, come dice la voce popolare, fu Lucifero, fu un Lucifero portatore di bellezza, qualcuno che la sua musica l'aveva sottratta al Paradiso. Eppure, nonostante questo disinteresse apparente per le sue vicende biografiche, per ben due volte, nella mia vita, ho tentato di penetrare il segreto dei luoghi in cui ha vissuto: nessuna delle case abitate dal principe si è dimostrata davvero ospitale, ma io sono andato a cercarle, ho provato a entrarvi e a scoprirne gli ambienti, e ho desiderato vedere gli strumenti, la vista che si gode dalle finestre. Ho cercato notizie e immagini concrete della sua vita. Il Libro VI dei madrigali, questa meraviglia che chiude definitivamente il Rinascimento italiano, è l'apogeo del cromatismo radicale della sua epoca: dopo di lui, non si può far altro che essere barocchi.

Si immagini: fare qualcosa che segni una soglia, un passaggio. Essere consapevoli che niente, dopo ciò che abbiamo prodotto, sarà più come prima. A quante persone è stata concessa questa grazia nel corso della storia umana? Come è possibile che sia stato accordato a un uomo come il principe, un autodidatta seppure di genio, di porre la parola fine a un'epoca? Vede, le persone della mia età amano pensare a se stesse come all'epilogo della cultura, si pongono come gli ultimi baluardi della vera arte. So bene che è una menzogna, eppure a volte mi capita di pensarlo di me stesso. Gesualdo da Venosa è morto intorno ai cinquant'anni: vale a dire che era parecchio più giovane di quanto io sia ora; eppure lui un'epoca l'ha chiusa davvero. E che epoca!

Dunque: se esiste una fratellanza, o una filiazione, tra me e lui, io sono andato a cercarla nelle sue case. Conformemente al suo carattere, non mi ha aperto la porta: mi ha rivelato però altre cose, che sono tentato di interpretare come segni (questo farebbe contenta la buona Ol'ga), e che sono dentro i fogli rilegati che troverà acclusi a queste mie pagine.

Salutammo la signora e uscimmo sulla piazza, con l'enorme massa chiara di San Domenico Maggiore a farci ombra. Alcuni studenti bivaccavano intorno all'obelisco, e nell'aria c'era il rumore, il continuo impasto di suoni che avvolge le città italiane del sud, e che è una mescola di grida, di pianti, di musichette popolari suonate di lontano, di motori e di vento. Bob Craft mi propose di fare pochi passi e di andare a visitare la cappella Sansevero. Rimanemmo a lungo al cospetto del sudario di marmo che copre il Cristo velato di Sanmartino, e le confesso che, come un turista qualunque, ebbi la tentazione di provare a infilare il dito sotto il manto per sollevarlo. Capisco chi sostiene che il velo, in realtà, non sia di pietra, ma sia seta calcificata attraverso un particolare procedimento chimico. Il sudario di quel Cristo morto è la cosa non musicale più vicina alla perfezione che io abbia mai visto. All'uscita, Craft era leggermente pallido. Mi confidò di avere avuto una sensazione di mancamento al cospetto del Cristo.

«Non si sente bene, amico mio?» domandai.

Si appoggiò al muro esterno della Cappella e si allentò la cravatta: «Ora va meglio, la ringrazio» disse, e recuperava a poco a poco il ritmo regolare della respirazione. «Ho sofferto, credo, di quella che si chiama Sindrome di Stendhal» continuò. «È durata un istante, un istante solo, verso la fine della visita. Mi è presa un'angoscia irrazionale: ho avuto paura per lui».

«Per lui?» domandai.

«Per il Cristo, Igor' Fëdorovič, per il Cristo. Mi è sembrato che, sotto quel suo sudario, non potesse respirare. È stato qualcosa di completamente irrazionale, ripeto, ma per fortuna è passato».

Comprai dell'acqua e della pizza fritta in una bottega e li diedi a Craft perché si riprendesse. Poi ci incamminammo per i vicoli di Napoli. Oh, i nomi delle vie del centro di Napoli! Via Mezzocannone, vico Fico al Purgatorio, Spaccanapoli. Sono emblemi musicali, e raccontano storie, e leggende pagane. È una cosa, mi perdoni, impossibile da spiegare a un americano, e che temo sia ormai difficile far comprendere anche a un russo: tutto da noi, come da voi, si sta schiacciando sul presente, sull'oggi. Ciò che racconta della vita popolare di un luogo un nome come Mezzocannone è figlio di secoli di battaglie, di credenze, di smembramenti e di vita quotidiana che, in posti che non sono questo, è ormai del tutto irrecuperabile.

Ma io divago. Attirato, forse, dall'odore della pizza che Craft teneva in un sacchetto, un piccolo cane, un bastardo, ci si fece vicino nel decumano. Napoli è piena di cani e di bambini. Il cagnetto, completamente nero e con il muso sporco, ci guardava coi suoi occhi meridionali e ci chiedeva del cibo con dei brevi guaiti che suonavano come clarinetti di Prokof'ev. Passeggiavamo in quella selva di botteghe e di voci con quel pic-

colo animale che ci teneva compagnia. A un certo punto Craft si fermò, spezzò la pizza fritta e ne lanciò un pezzo al cane.

«Così avrà da fare per qualche tempo, e noi ce ne libereremo» disse.

Ma non fu così: il cagnetto fu lesto a trovare il cibo, lo inghiottì, e un minuto dopo ci era di nuovo vicino. Eravamo diretti, per completare il nostro breve pellegrinaggio gesualdiano, alla chiesa del Gesù Nuovo. Lì, nel transetto sinistro, ai piedi della Cappella di Sant'Ignazio, sotto un'iscrizione che porta il suo nome e lo definisce un uomo pio, si dice riposi il principe Carlo. Ci fermammo un istante accanto al portone, cercando di capire come comportarci con il cagnetto. Ma lui ci guardò e si accucciò per strada, come promettendo di aspettarci. Così entrammo, convinti che, all'uscita, non l'avremmo più trovato. Rimanemmo dentro il Gesù Nuovo per molto tempo, perché ne approfittammo per riposarci un poco, con il proposito di dar modo al nostro accompagnatore nero di annoiarsi e trovarsi qualcos'altro da fare. Ma, all'uscita, lo trovammo dove l'avevamo lasciato, tutto scodinzolante. Il cielo, nel frattempo, si era fatto scuro.

«Ha vinto lui, mio caro Bob» dissi. «Si merita dell'altra pizza».

Craft si frugò nelle tasche e gliene tirò un altro pezzo. E qui accadde una cosa che, in sé, è forse di poco conto, ma che ebbe delle conseguenze sulla nostra giornata: ingoiato il boccone, il cagnetto fece alcuni passi lungo il decumano, quindi si fermò e si voltò a guardarci. Vedendo che non lo seguivamo, tornò verso di noi e si sedette. Di nuovo Craft gli diede della pizza e di nuovo lui la inghiottì. Poi fece qualche metro e si voltò.

«Vuole che lo seguiamo» dissi.

Bob allargò le braccia: «Sta per mettersi a piovere» disse. «Ma è in ogni caso da quella parte che dobbiamo andare».

Così camminammo dietro al cane, che ogni quattro o cin-

que passi si fermava per vedere se non avessimo per caso rallentato o cambiato strada. Svoltò in via San Sebastiano, che sale leggermente e su cui si affaccia il Conservatorio di San Pietro a Majella, e solo allora notai, mentre arrancava sulla salita, che il cagnetto zoppicava leggermente dalla zampa posteriore sinistra. Non credo fosse spezzata, perché riusciva ad appoggiarla a terra, e tuttavia lo faceva in modo poco naturale. Da un'aula del Conservatorio, nonostante le finestre chiuse, proveniva il suono di un violino, ma la nostra piccola guida, incurante dei rumori tutt'intorno, passò oltre, infilando l'arco di via Port'Alba mentre le prime gocce di pioggia cominciavano a cadere. Mi calcai il cappello sulla testa dicendo a Craft che avremmo dovuto trovare un rifugio fino a che la pioggia non fosse cessata. Il cane si era sdraiato vicino all'ingresso di una libreria antiquaria, da cui uscì un uomo piccolo e panciuto che gli carezzò la testa dicendogli qualcosa ad alta voce. Pioveva molto forte, adesso, e tirava un po' di vento. Vedendoci sulla soglia, l'uomo si rivolse a noi nella sua lingua: probabilmente, visto che aveva indicato il cane, ci aveva chiesto se fosse nostro. A gesti spiegammo che non conoscevamo l'italiano e che il cane non ci apparteneva. La cosa sembrò non turbarlo e, continuando a parlare, ci fece capire che potevamo usare il suo negozio per ripararci.

Così, entrammo in una piccola bottega colma di libri e dell'odore che ha la carta vecchia. Appese a una parete stavano delle mappe geografiche, alcune delle quali, come ci fece intendere l'uomo, erano piuttosto antiche, e certe rappresentazioni barocche del golfo di Napoli e del suo vulcano, che eruttò nel 1944 proprio mentre la città era occupata e la guerra le infuriava dentro. Cominciammo a vagare distrattamente per gli scaffali, colmi di libri scritti in una lingua a noi sconosciuta. Su un piccolo tavolo, dentro uno scatolone con le ali tagliate, trovai un gruppo di spartiti musicali, a molti dei quali mancava la copertina. Infilai i guanti e cominciai a spulciarli. C'erano alcune cantate napoletane, pezzi di musica locale trascritta con una certa noncuranza, e poi Chopin, Cimarosa, Verdi, Bach, secondo una logica del tutto casuale in cui mi stupì trovare una vecchia edizione tedesca delle mie opere, che comprendeva l'«Apollon musagete» e il «Jeu de cartes», e che avevo posseduto durante gli ultimi anni parigini. Sfilai le partiture dal mucchio e le contemplai, mentre la porta della libreria si apriva e lasciava entrare un uomo alto, completamente calvo e magro come un uccello, il cui soprabito era totalmente inzuppato. Il libraio lo salutò calorosamente e l'uomo rispose con un cenno del capo. Trasse di tasca un fazzoletto e si asciugò la testa come se fosse per lui un gesto abituale. Poi cominciò a discutere a bassa voce con il padrone della libreria. Sulla quarta di copertina della partitura era riprodotto il ritratto che Picasso mi aveva fatto a Parigi nel 1920. Il libraio disse ancora qualcosa all'uomo-uccello, quindi scomparve nel retro del negozio. Lo sentimmo spostare delle scatole, probabilmente arrampicarsi su uno scaffale del magazzino. Respirava rumorosamente, snasava e borbottava tra sé. Rimasto solo, l'uomo-uccello si avvicinò a me, rivelandosi persino più alto di quanto mi era sembrato. La sua faccia, lucida come un becco, era del tutto priva di peli: non aveva ciglia né sopracciglia, e non vi si intravedeva nemmeno la sagoma della barba. Il suo soprabito gocciolava sul pavimento, e mi disse, in un inglese perfetto che però tradiva una certa emozione:

«Sembra che gliel'abbia fatto ieri».

«Come dice?»

«Il ritratto» rispose, indicando la quarta di copertina. «Le somiglia ancora molto, il che significa che lei non è invecchiato, oppure che Pablo ha colto qualcosa di eterno nel suo aspetto e l'ha saputo disegnare».

«Conosce questo ritratto?» dissi, stupito della confidenza con cui nominava Picasso. Dalla stanza sul retro provenne

una sorta di grugnito e un colpetto di tosse secca, fatto da una voce diversa da quella del libraio.

«Conosco il ritratto, e conosco bene il modello» rispose l'uomo-uccello con il tono di chi fa una confidenza. Aprì un sorriso che gli spaccò le guance in una miriade di piccole rughe verticali. Bob Craft, nel frattempo, si era avvicinato a noi. È molto protettivo nei miei confronti, ma in fondo, nonostante la situazione bizzarra, non c'è nulla di strano nel fatto che qualcuno mi riconosca.

«Signor Craft» lo salutò l'uomo facendo un piccolo inchino.

Bob, che è un timido, si imbarazzò, così che l'uomo si sentì in dovere di spiegare che era un melomane, che ammirava molto certe sue direzioni degli anni recenti e che nel '56 aveva ascoltato il mio «Canticum» nella Basilica di San Marco.

«Dunque potremmo esserci già visti» dissi.

«Oh, è impossibile che lei si ricordi di me. Sono molto discreto: ho ricevuto un invito per la serata, ma me ne sono andato non appena la musica è finita». Si passò il fazzoletto, che teneva ancora in mano, dietro il collo, e aggiunse: «Questa pioggia mi ha colto di sorpresa: tutte le previsioni davano bel tempo. E pensare che sono uscito di casa solo mezz'ora fa proprio per venire qui da Antonio».

Antonio uscì dal retro ansimando: portava in braccio una dozzina di volumi che posò su una sedia, e sorrise all'uomo-uccello.

«Ecco i miei libri» disse questi in inglese. E aggiunse: «Se non ci fossero Antonio e la sua libreria, non avrebbe senso per me vivere a Napoli». Da una tasca interna del soprabito infradiciato trasse un voluminoso fascio di banconote, accuratamente ripiegate in quattro parti. Cominciò a svolgerle appoggiandosi alla pila di libri sulla sedia e ne diede una gran quantità ad Antonio, che le infilò nel panciotto.

«Vivo qui da più di quindici anni» continuò l'uomo-uccello in inglese, «un tempo terribilmente lungo per chi,

come me, si è sempre disaffezionato in fretta ai luoghi dove ha vissuto».

«Lei è americano?»

«Di Boston. Ma non vi torno dai tempi della guerra». Si voltò e gettò un'occhiata alla rappresentazione del Vesuvio in fiamme appesa alla parete: «Io ero qui quando accadde: la vidi, vidi il fuoco da un posto che qui chiamano Monte di Dio. Tutta Napoli era voltata verso sud, e guardava la montagna che mandava a fuoco la campagna sottostante. Fu uno spettacolo assoluto, mi creda: rimanemmo per ore con gli occhi infilati nei binocoli, guardavamo le case crollare, i vigneti in fiamme, ci pareva perfino di scorgere – ma forse fu soltanto la nostra suggestione – piccole forme umane e animali che scappavano inseguite dal fuoco o vi morivano. Ma la cosa più strabiliante, mi creda, era la visione del mare coperto di cenere, che diventò presto, come, se ben ricordo, ha scritto qualcuno, un lungo tappeto grigio spesso come un carapace. L'acqua, da placida che era stata, ora bolliva, vi si aprivano solchi che sembravano forre e che inghiottivano altra cenere o la sputavano fino a riva. Giorni più tardi, quando tutto si fu placato, i piloti dell'aeronautica, che avevano sorvolato la zona, ci mostrarono le fotografie aeree del cratere e delle zone circostanti, e solo allora, passata la meraviglia, provammo orrore e pensammo alle popolazioni di Somma, di Nocera, di San Sebastiano».

«Dunque lei è un soldato» dissi.

«Oh no, non più» rispose, tirando fuori dalla tasca dei pantaloni un filaccio di stoffa con cui cominciò a legare insieme i libri che aveva acquistato. «Lo sono stato, ma poi tutto è finito e ho deciso che sarei rimasto qui».

Caro signore, fuori continuava a piovere, si potrebbe dire che infuriava una tempesta, e l'uomo-uccello ci disse che un giorno, senza dubbio, avrebbe fatto ritorno nella sua Boston, in cui però, ormai, non era rimasto più nessuno ad aspettarlo;

ma quel giorno, disse, era ancora lontano, perché si era ripromesso di tornare soltanto dopo aver assistito a un'altra eruzione del Vesuvio e a un altro sommovimento del mare di cenere.

«Uno spettacolo assoluto» ripeté, «assoluto. Orrore e bellezza nello stesso momento». Spalancò le sue lunghe mani sottili e aprì le braccia per quanto gli consentiva lo spazio angusto dove ci trovavamo, e guardò ora l'una ora l'altra mano, come se una contenesse l'orrore e l'altra la bellezza.

«E lei, Maestro» chiese infine, «si trova a Napoli per qualche motivo particolare?»

«Un po' di riposo» disse velocemente Craft.

«Antonio possiede molti altri spartiti, e anche qualche pubblicazione che forse potrebbe incuriosirvi» disse, indicando il retrobottega con la mano della bellezza, «vecchie storie musicali, biografie, manoscritti di certi compositori della scuola napoletana».

«Nessuno di noi conosce l'italiano» dissi.

Fece con la mano un gesto come a dire "Non sarà certo un problema" e si rivolse ad Antonio, con cui confabulò per qualche minuto. Non disse mai il mio nome né quello di Craft, ma nel suo discorso comparve alcune volte la parola Maestro. Il libraio sorrise, e ci fece segno di attendere. Di nuovo si infilò nel retrobottega, e di nuovo udimmo i suoi grugniti. Ritornò con una grossa scatola in braccio. L'uomo-uccello liberò un piccolo tavolo e Antonio ve la pose sopra.

«Guardate» disse l'uomo-uccello.

Antonio trasse dalla scatola un piccolo libro in quarto, dalla copertina di pelle marrone conservata in buono stato: era una copia rarissima del «Discorso sopra un caso particolare di arte» di Scarlatti.

«La tiene in una scatola?» domandai direttamente ad Antonio.

L'uomo-uccello tradusse e ci spiegò che era il modo mi-

gliore per conservare le cose più rare e preziose: in questo modo, nessun cliente vi poteva posare sopra le mani. Mi passò il volumetto, che aprii delicatamente con le dita ancora inguantate. Conosco il contenuto di quel manualetto, ma le confesso che averlo lì davanti agli occhi mi provocò una sensazione bizzarra, che mi fece ricordare alcune arie della «Griselda» e del «Tigrane». In seguito ci mostrarono scritti teorici di Durante e di altri minori suoi contemporanei, nonché un manoscritto, che mi assicurarono originale, di un'aria di Pergolesi.

Fu Craft a chiedere se nel retrobottega ci fosse qualcosa di Gesualdo da Venosa. Seguì un istante di silenzio, come di incertezza, nel quale l'uomo-uccello e Antonio, che aveva capito la richiesta, si scambiarono una lunga, eloquente occhiata.

«Non abbiamo partiture» disse infine l'uomo-uccello, e né a me né a Craft sfuggì il plurale che aveva usato. «Ma forse Antonio può rimediare qualcosa».

Questa volta il libraio stette via molto a lungo, mentre fuori la tempesta sembrava quietarsi.

«L'opera di Gesualdo da Venosa» disse l'uomo-uccello, «avrei dovuto capirlo subito, Maestro. Mi stupisco ogni volta nel constatare quanta poca gente sia in grado di vedere l'oro che c'è in quella musica. Vi chiedo scusa per non aver pensato a voi».

La voce di una donna disse qualcosa nel retrobottega, e Antonio rispose con un'esclamazione: «Parlano in dialetto.» ci disse l'uomo-uccello, «E il dialetto è incomprensibile anche per me». Si mise a ridere allargando le pinne del naso, poi aggiunse: «Siete senza dubbio stati a Palazzo di Sangro, e non vi avranno permesso di entrare. Lì, si dice che sia conservato, anzi, che qualcuno ancora dorma nel letto dove Maria d'Avalos e Fabrizio Carafa furono uccisi. Pare che sia un letto enorme, di legno scuro e pesante, con un alto baldacchino chiuso da drappi neri. Ogni cosa che riguarda il principe, nella voce del popolo napoletano, ha qualcosa di funebre. Nessuno sem-

bra ricordare che Carlo e Maria, nonostante i tradimenti e la fine violenta della loro relazione, si amavano alla follia, e che almeno nei primi anni della loro convivenza furono felici».

«Niente di ciò che si conosce di Carlo sembra aver a che vedere con la felicità» disse Craft.

«Niente fuorché la sua musica» dissi io.

«La sua musica? La sua musica è meravigliosa, ma cupa».

«Esiste, caro Bob, una grande felicità anche nella forma di creazione più cupa. E questo lei lo dovrebbe sapere».

La donna sul retro urlò qualcosa ad Antonio mentre questi rientrava nel negozio. Teneva in mano un grosso volume in ottavo, rilegato in modo semplice e privo di decorazioni. Lo passò all'uomo-uccello, che ne guardò il frontespizio a lungo e pensosamente.

«Eccolo» disse, come tra sé. «Nessuno sa chi abbia stampato queste pagine» continuò, «né dove né in che anno. Molti pensano sia un falso, un apocrifo. Ne sono esistite, che io sappia, pochissime altre copie, una delle quali era conservata presso l'Archivio di Stato di Napoli, e andò perduta durante il bombardamento del 4 agosto 1943, che distrusse in parte l'edificio di Pizzofalcone. Nessuno ne ha pianto la perdita, poiché i pochi che sapevano dell'esistenza del volume lo ritenevano un'invenzione, un'immaginazione addirittura settecentesca e un'accozzaglia di sciocchezze. Stava accatastata nei magazzini, nella parte che andò bruciata. Per qualche tempo, ho cercato di risalire al numero di inventario, ma non ne ho trovato traccia».

«E questa copia, allora?»

Confabulò di nuovo con Antonio: «Questa copia apparteneva a Tito Carafa, avvocato e diretto discendente di Fabrizio. Lui stesso, pare, non sapeva di possederla finché un giorno la scoprì nella biblioteca di famiglia e non volle accettare di averla. Così la portò qui, a Port'Alba, dove già lavorava il padre di Antonio».

Spalancò il volume e rimanemmo a osservare il frontespizio.

CRONACA DELLA VITA
DI CARLO GESUALDO
PRINCIPE DI VENOSA

del Signor
GIOACHINO ARDYTTI
servitore fedele

IN GESUALDO – MDCXIII

«Nessuno sa come sia entrata in possesso della famiglia Carafa, visto che, dopo l'omicidio, almeno stando alle cronache ufficiali, non ci furono più contatti con la famiglia del principe».

«E le altre copie?» domandò Craft.

«Sono a conoscenza di una sola altra copia di questo volume» rispose.

«Dove si trova?»

«È mia».

Aveva smesso di piovere, e il sole della sera asciugava lentamente la vetrina.

«Così lei ci sta dicendo che questa è una delle due copie di una vita di Carlo Gesualdo esistenti al mondo, scritta da un suo servo evidentemente sufficientemente colto per poter scrivere. E, mi pare di capire, lei garantisce anche per la sua autenticità».

«Oh, certo che no» rispose, di nuovo spaccandosi in un sorriso. «Non garantisco per la sua autenticità. Anzi: sarei più

propenso a garantirne la falsità. Vede, secondo alcune ricerche che ho condotto, non è mai esistito un servo del principe Carlo di nome Gioachino Ardytti. E molte delle cose che questo signore racconta sono, oltre che blasfeme, sicuramente inventate: si tratta di fantasie, a volte di deliri. Sarei pronto a scommettere che» si girò verso la porta d'entrata «se adesso arrivasse qui, in libreria, il signor Gioachino Ardytti in persona, posto che costui sia mai esistito, confermerebbe che molti degli episodi contenuti nella sua cronaca sono leggende. Tuttavia, e questa è la cosa che mi pare straordinaria, molte pagine di questa cronaca contengono informazioni che gli storici e i musicologi hanno scoperto solo alcuni secoli dopo il momento in cui si presume sia stata scritta. Dunque, chiunque l'ha scritta era a conoscenza di fatti di cui è stato a lungo l'unico depositario».

«Lei che spiegazione si è dato?»

«Naturalmente un'idea me la sono fatta, e anche piuttosto precisa. Ma non vorrei rovinarle la lettura» disse. Chiuse il volume e me lo porse.

«Che cosa le fa credere che io abbia voglia di leggere un'opera di questo tipo, che oltretutto è scritta in italiano?»

«L'italiano non sarà un problema, penso. Troverà sicuramente una persona in grado di tradurla per lei. Per quanto riguarda la sua disposizione alla lettura, mi sembrerebbe alquanto strano se qualcuno che ammira Gesualdo tanto da volergli dedicare un monumento non cogliesse un'occasione come questa».

Dopo aver pronunciato questa frase enigmatica, l'uomo-uccello si congedò con eleganza e uscì sulla strada portando sottobraccio il suo involto di libri. Ci lasciò soli con Antonio, che teneva in mano un foglietto di carta e un mozzicone di matita e ci propose una cifra.

Uscimmo sulla via di Port'Alba quasi subito, cercammo l'uomo-uccello nella piazza, ma naturalmente non lo scovammo.

Solo alcune ore dopo, chiuso nella mia camera d'albergo e con indosso una vestaglia e un'inquietudine, realizzai di aver speso per la «Cronaca», per lo spartito delle mie opere e per l'aria apocrifa di Pergolesi tutto ciò avevo, e che il giorno dopo avrei dovuto aspettare da Vera un vaglia postale. Pensai che l'uomo-uccello era sembrato tenere molto al fatto che io portassi via con me la «Cronaca» di Gioachino, ma che se ne era andato prima che io trattassi con il libraio per l'acquisto. Infine mi venne in mente ciò che aveva detto Bob Craft mentre, con il nostro carico chiuso dentro una grossa busta di tela grezza, ci lasciavamo alle spalle la porta del negozio:

«C'è il sole, finalmente. E guardi, Igor' Fëdorovič, il cane se n'è andato».

Per molte sere, nelle scorse settimane, Carolina Badalamenti, una studiosa di origini siciliane che lavora qui a Los Angeles per una rivista con cui ci è capitato di collaborare, è venuta nella mia casa, si è messa alla scrivania e ha tradotto per noi lo scritto di Gioachino. Ciò che le invio insieme a questa mia lettera, caro signore, è dunque una copia della «Cronaca»: lo prenda come un regalo a qualcuno che io, Bob e Vera consideriamo il più grande conoscitore di Gesualdo che l'America possieda. Anche se ciò che Gioachino ha scritto dovesse rivelarsi un mucchio di fandonie, ritengo sia giusto che lei veda questo scritto. Troverà, infilati nel testo, alcuni miei commenti personali: sono brevi chiose, che a volte esulano dall'argomento specifico della cronaca ma che, durante le numerose riletture, non ho potuto fare a meno di redigere. Mi perdonerà questa piccola vanità.

Cullo da qualche tempo l'idea di saldare il mio debito con il principe Carlo attraverso il «Monumentum». Ora, dopo questa lettura, arrivo a pensare che, se per caso non dovessi riuscire a comporre e mettere in scena la mia piccola opera celebrativa, tutta la mia carriera futura poggerebbe sopra un vuoto. Probabilmente è soltanto suggestione ma, come sa, non ho rapporti molto cordiali con Hollywood e la sua industria: l'America mi ha sia celebrato che respinto. Si ricorderà che, quasi vent'anni fa, fui addirittura arrestato, a Boston, per aver inserito un accordo di settima in una mia versione dell'inno nazionale americano, senza sapere che esiste una legge federale che vieta di riarmonizzarlo.

Al giudice che mi interrogò dissi, con tutta l'indignazione di cui ero capace: «Era soltanto una settima!»

Egli mi rispose in tono pacato che lo stupiva il fatto che io sembrassi non capire la gravità di quanto avevo commesso. Poi aggiunse: «E non mi riferisco al mancato rispetto di una vecchia legge, che lei poteva benissimo ignorare, ma al fatto che lei sembra non conoscere, o finge di non conoscere, il potere sovversivo di una settima».

Da allora non ho mai dimenticato le parole di quel giudice, anche se non ricordo più il suo nome. Tutta la faccenda del mio «ban» bostoniano è stata, per qualche motivo, al centro dei miei pensieri mentre scorrevo lo scritto di Gioachino.

Ora questa cronaca è anche sua. È inutile che le dica che non vorrei fosse divulgata, perlomeno finché la sua autenticità non sarà provata. Forse, il modo migliore per avvicinarla è leggerla come un romanzo. Del resto, faccia come meglio crede: se è un falso, saranno comunque parole strappate al silenzio, poiché qualunque sia la verità intorno a queste pagine qualcuno, da qualche parte nel mondo, ha dedicato del tempo a scriverle.

Io starò qui, a immaginare monumenti e ad aspettare una risposta.

Suo,

I. S.

CRONACA DELLA VITA DI CARLO GESUALDO PRINCIPE DI VENOSA

del Signor
GIOACHINO ARDYTTI
servitore fedele

IN GESUALDO – MDCXIII

Parte prima
In principio era il verme

In Gesualdo, il dì 22 di agosto dell'anno 1613, giovedì

In principio era il verme, e il verme era presso Dio, e il verme ero io. O forse no: in principio era qualcos'altro, qualcosa che non ricordo, e questa è la fine. Ma comunque si principi, nella fine c'è sempre il verme: questo ho imparato. Lo dice sempre anche Staibano, quando, terminata la sua visita quotidiana, apre il quaderno, e vi traccia quei suoi caratteri minuti che solo gli occhi dei signori farmacisti riescono a decifrare: prendi questo, prendi quello, e mi raccomando, il sole!, il sole del mezzogiorno soprattutto, e non mescolar salsicce, e vino, e uova, e tortelle, e uva che fermenta.

«Bisogna avere moderazione, e lottare contro di loro con le armi della rettitudine alimentare e del riposo» dice. Si sistema gli occhiali sul naso e si fa misterioso: «Si muovono negli intestini, e si alimentano di ciò di cui ci alimentiamo noi. Mangiano le nostre uova, bevono il nostro vino. È per questo che, dopo pranzo, li sentiamo agitarsi nella pancia come bambini non ancora nati: perché li abbiamo nutriti, abbiamo dato loro l'energia per crescere!»

Mi costringe a guardare nel bugliolo dopo ogni volta, mi chiede di segnare se ci vedo delle appendici bianche, dei brandelli come di nastro: ma io mi ostino, e non ci guardo. Che questa cosa che mi si muove in pancia rimanga lì, priva della mia attenzione.

«Pezzo a pezzo» ho detto a Staibano, «lo butterò fuori».

«Crescerà, diventerà enorme, lunghissimo».

«E allora non ci starà più: il mio corpo è piccolo. Soffocherà o sarà costretto a scappare per poter vivere».

«Il tuo corpo è piccolo, e per questo se lo prenderà tutto».

Staibano crede di spaventarmi. Nelle giornate di sole, a mezzogiorno, lo sento scendere nel cortile centrale per il caracò: mi chiama, urla il nome mio senza paura di disturbare il principe e pretende, se per caso m'affaccio, che lo raggiunga. Sta in piedi vicino al pozzo e si scherma gli occhi con la mano, perché il rame che riempie l'iscrizione sulla facciata con il sole si fa oro, e abbaglia. Ma non si cammina per il cortile a mezzogiorno: è l'ora senza ombra, e solo i morti non hanno ombra. Staibano non capisce: lui s'affanna dentro i corpi fin da quando il sole sorge, e spesso fino a notte, tratta i vivi come i morti, e non pensa mai all'ombra sua. Io invece ci penso: cammino e la controllo, per vedere che mi segua e mi rispetti. È corta, tutta testa e torace, ma di pomeriggio s'allunga sopra i muri e prende quasi la forma d'un uomo alto, fatto: rassomiglia al principe mio. Io la guardo (ma di lontano e con sospetto), ci vedo dentro le movenze di don Carlo e mi dico: se qualcuno mi vede ora, e vede l'ombra che si stacca dal corpo mio, mi può scambiar per lui. Allora mi discosto, faccio un balzello di lato, e poi un altro e un altro ancora, finché l'ombra smette d'esser Carlo e mi restituisce la forma breve che conosco. Mi guardo attorno, cerco se qualcuno mi ha veduto mutar di forma, e di ombra, per dir così, ma nessuno mi vede mai: sembra che soltanto i folli, i chimisti e gli intruglioni mi sappiano vedere. Staibano, che pur mi vede e con me discorre, non ha l'ardire di chiedermi da dove io provenga. Ma è pigrizia, la sua: se lo chiedesse vi dovrebbe poi ragionar su, dovrebbe mettersi a pensare a orifizi e maledizioni, a melanconie e furori vari. Come le ombre devono stare a terra e lasciarsi calpestare, così lui prosegue senza fare domande: mi parla se deve, mi lascia se vuole, e io son libero, se ne ho l'estro, d'esser Carlo.

Da alcuni giorni, però, nessuno cammina per il cortile, e nessuno chiama il mio nome: tutto il mondo sembra sopraffatto dal silenzio. Qui ci sono sempre stati suoni, e ora non ce ne sono più. Cammino per il primo piano senza far rumore, attraverso la grande bocca d'oro e stucchi del teatro, metto l'orecchio sulla porta della stanza dello zembalo e niente, non ci sono voci, né respiri che vengono. Eppure, il principe mio è lì. Ci chiamò, me e Castelvetro, e ci disse di preparargli i sali per il bagno, ma non se ne andò nelle sue stanze in attesa che l'acqua fosse calda: rimase lì con noi, a guardarci. Si sentiva soltanto il rumore del fuoco sotto la pentola, e il tintinnare del vetro delle ampolle che Castelvetro tirava fuori dalla madia.

«Siete servitori fedeli» disse piano il principe, passandosi il naso sul dorso della mano, e la sua voce era diventata sottile. Parve concentrarsi sulla forma delle sue dita: «A modo vostro, mi avete voluto bene».

Io e Castelvetro ci scambiammo un'occhiata, senza sapere cosa dire.

«Quanti anni sono, Gioachino, che mi stai al fianco?» chiese ancora Carlo, ma non volle risposta, perché mi fermò con un gesto della mano e volle silenzio. Poi si alzò, e Castelvetro capì che lo doveva aiutare a svestirsi: il collare e la casacca caddero per terra senza un suono, e così i pantaloni e tutto il resto. Fu allora che, ormai nudo come tante altre volte l'avevamo visto, il principe mi chiese di avvicinargli la testa e vi si appoggiò, come ha sempre fatto, per farvi leva ed entrare nella tinozza.

«È sufficientemente calda?» domandai.

«Getta altri sali, Gioachino» rispose, «e non parlare».

L'acqua si colorò dei sali e degli umori del corpo del principe, e cominciammo a lavarlo con delicatezza.

Poche ore prima, Castelvetro era corso ad aprire il portone a un messo che arrivava di gran galoppo da Venosa. Entrò in corte un cavallo che sbuffava, e l'ora era tarda: fummo attratti dai bagliori delle torce che divampavano nell'androne, e dal battito degli zoccoli, e da un'inquietudine. Il messo portava una lettera di Maria Polissena, che non ho letto poiché a nessuno, finora, nemmeno al notaio, il principe ha permesso di posarvi lo sguardo. So però che cosa raccontava: dopo alcune giornate di febbre e debolezza, in seguito alle ferite riportate a causa di una doppia caduta da cavallo, Emanuele, l'unico vero figlio rimasto al principe, è morto, lasciando la moglie gravida e la figlioletta Isabella. Maria Polissena piangeva la sua disgrazia e chiedeva che lei e la figlia non venissero lasciate sole. Il principe a quell'ora stava ancora nello zembalo, e regola di questi ultimi anni vuole che nessuno lo disturbi mentre lavora: ma avevamo una lettera da portargli e ci arrischiammo. Non lo vidi subito: sentii prima un odore di cuoio vecchio, e dovetti aspettare che gli occhi si abituassero all'oscurità, perché la stanza era rischiarata soltanto dal candelabro che sta nell'angolo. La figura del principe era in ombra: stava in piedi davanti alla finestra e guardava la valle. Senza dubbio aveva sentito gli zoccoli e i lamenti del cavallo spossato e la voce del messo che si annunciava, e ho il sospetto che avesse già capito che qualcosa di grave era accaduto: non si portano messaggi innocenti a ora così tarda.

«Chi è arrivato, Castelvetro? Che cos'hai tra le mani?» domandò con lentezza, e la sua voce era di basso.

«Una lettera da Venosa, mio signore» rispose Castelvetro.

Indicò senza voltarsi un piccolo tavolo ingombro di

carte e ci ringraziò. Teneva nella mano un rosario, ma con la noncuranza di chi non lo sta sgranando. Uscimmo e mi chiusi la porta dietro le spalle. L'abate Adinolfo, segretario personale del padrone mio, il medico Staibano, il musico Pietro Cappuccio e il messo stavano in piedi nel proscenio con le candele in mano e si aspettavano da Castelvetro che dicesse loro qualcosa.

«In questo teatro si viene per cantare» disse qualcuno, ricevuto il silenzio del servo. «Non è bene parlare».

«Ma ha letto?» chiese sottovoce l'Adinolfo a Castelvetro. Tutti sapevano già della morte di Emanuele, perché il messo li aveva informati a voce venendo nel teatro.

«Ha voluto che gli lasciassi la lettera».

Ci avvicinammo alla porta dello zembalo, appoggiandovi le orecchie proprio come faccio io in questi giorni. Trattenemmo il fiato perché il principe non ci sentisse, ma per molto tempo, dall'interno, non provennero rumori. Rimanemmo tutti lì, in attesa di un cenno del principe che non arrivò se non verso mattina, quando il sole già entrava dai finestroni orientali del teatro. Egli non chiamò, ma aprì la porta dello zembalo come se sapesse che eravamo rimasti tutti a vegliare su di lui. Ci stupimmo e ci alzammo in piedi come bambini sorpresi dalla mamma.

«Preparate per un bagno» disse soltanto. Fece per rientrare nella stanza della musica ma all'improvviso si voltò e si rivolse al messo venosino.

«Ho scritto una lettera da consegnare a Maria Polissena» disse. «Le dirai che non la posso raggiungere, ma che prego per lei. Presto sarà messa a conoscenza delle mie decisioni. Parti entro un'ora».

Il messo si inchinò e il principe Carlo si chiuse nella stanza per sigillare la lettera.

Poi venne a guardarci preparare il bagno. Fu mentre Castelvetro gli rovesciava l'acqua calda sulla testa per sciacquarlo che il principe ricominciò ad annusarsi le mani e le braccia. Nell'aria, oltre ai vapori che bagnavano i vetri, c'era l'odore balsamico dei sali. Castelvetro si avvicinò alla pentola con il mestolo e il principe mi guardò: «Lo senti?» disse. Allungò un braccio bagnato fino a portarmelo vicino al naso. «Lo senti?» ripeté.

«Devo annusare?» domandai, ma Castelvetro era tornato e stava in attesa di rovesciare il mestolo sulla testa del principe. Carlo lo lasciò fare e lo rimandò alla pentola.

«Io a volte lo sento ancora» disse, e di nuovo affondò il naso dentro i peli dell'avambraccio.

«Che cosa sentite?»

«Ecco» mi porse di nuovo il braccio. «Annusa: è il suo odore di lupa. Lo sento ancora, Gioachino. Annusa».

«Io non sento niente» dissi, guardando di traverso Castelvetro che tornava. Il principe Carlo lo notò, e fece con la mano bagnata un gesto come a dire "Lascialo perdere, cosa vuoi che capisca?", e di nuovo volle che gli annusassi il braccio.

«Mi capita a volte, nei momenti più impensabili» disse, e tirava su con il naso come a volersi riempire di quell'odore che io dicevo di non sentire, «mentre suono, o mentre dormo, mi sveglio di soprassalto e nel letto mi pare che ci sia lei. Invece è soltanto Castelvetro, oppure sei tu che giri per la stanza e mi guardi. Così mi rassegno, ma mi sta addosso, io lo sento. A volte dura un minuto soltanto, eppure questo mi basta: è il suo odore che mi fa da veste. È qualcosa di divino e animale insieme, Gioachino, e tu lo dovresti capire bene. Annusa. Ascolta. Non lo ricordi forse anche tu?»

«Sono passati molti anni, principe mio».

Chiuse gli occhi e di nuovo annusò, mentre Castelvetro gli passava una mano tra i capelli corti per levargli le scaglie di sapone e gli aromi.

«Io non capisco che cosa voglia da me» disse ancora il

principe, «perché mi stia ancora addosso ora che tutto è finito. Ma è il suo odore, non può essere nient'altro che il suo odore».

Si sollevò dall'acqua perché lo asciugassimo, e vedemmo che l'odore che aveva annusato dal suo stesso corpo lo aveva reso vivo. Castelvetro aprì il palmo della mano, offrendogliela, ma il principe lo scacciò con stizza e chiese la veste per asciugarsi. Mi guardava con gli occhi sgranati, eccitato e stralunato insieme, e l'espressione del suo volto mi chiedeva "L'hai sentito, Gioachino? L'hai sentito anche tu?"

Sì, dissi con un cenno del capo, ma in modo che capisse che mentivo per farlo star bene. E invece mentivo due volte, perché anche io sento sul mio corpo, a volte, quell'odore, l'odore di biscia d'acqua del corpo straziato di Maria: è sulle mie mani, sul mio volto, dentro le narici. Lo sento da quella sera, da sempre, e so che è qualcosa che non m'appartiene e che pure m'accompagna. Carlo si appoggiò alla mia testa e uscì dal catino bagnando tutto il pavimento attorno. Si lasciò asciugare e rivestire in silenzio, mentre la sua eccitazione scemava sotto gli strati leggeri delle vesti.

«Manda a chiamare il notaio» disse a Castelvetro quando fu pronto, «e digli di venire nella camera dello zembalo con molti fogli e con l'Adinolfo, Staibano e Pietro Cappuccio: avremo da lavorare per qualche giorno».

Castelvetro uscì dalla stanza dei bagni e io e il mio padrone rimanemmo finalmente soli.

«Non sembra quasi odore di donna» disse, come se non avessimo mai smesso di parlarne. «Ma di lupa. O forse tutte le donne hanno odore di selvatico e io me ne accorgo soltanto quando lo inspiro dalle mie braccia?»

L'odore di donna Maria è un sedimento, e io lavo poco il mio corpo per lasciare che vi germogli. Camminava per i corridoi del castello e tutti noi, e Carlo lo sapeva, ci fermavamo da ciò che stavamo facendo perché il profumo della sua pelle la annunciava e ci stordiva. Ebbe dei figli e il suo profumo cambiò, ma soltanto per poco tempo: divenne madre e il suo corpo ce lo disse attraverso un aroma più mansueto, di donna e non di femmina, i seni diventarono più tondi, i fianchi si allargarono e gli occhi si fecero molli; ma trovata la balia per Emanuele, Maria tornò femmina, si assottigliò, e dal suo corpo di nuovo provenne quella fragranza di biscia che per il principe mio è di lupa, e per i suoi amanti chissà cosa è stato.

Sentii all'improvviso una specie di scampanellio, un suono piccolo, come di gioco di bambino, e mi congedai dal principe per scendere verso le cucine. Vi trovai Staibano che riempiva una secchia di frattaglie e aveva una fretta nello sguardo.

«Ah, ti trovo, finalmente» disse, mentre sceglieva un pezzo di fegato e lo buttava nel secchio. «Il principe ci ha convocati nello zembalo. Questa mattina non ti posso accompagnare».

Presi la secchia tra le braccia, e l'odore della carne morta fresca cancellò per qualche tempo il profumo di biscia mentre scendevo nelle cantine. Da ventitré anni io, a volte in compagnia di Staibano, percorro due volte al giorno queste scale che portano nelle viscere del castello. Tengo alla cinta una piccola chiave di bronzo di cui io e il medico siamo i soli a possedere una copia, e scendo lungo i corridoi che segnano la collina come vasi sanguigni. È un viaggio breve, ma che mi costa fatica per via delle mie gambe corte e del peso del secchio, che ogni volta è pieno: così arrivo ansimando alla porta di cui ho la chiave. Da dentro, mentre appoggio la secchia per terra e libero la chiave dalla cinta e sbuffo per la fatica, il rumore del campanello si fa agitato, più intenso, e provengono a volte dei suoni che non sono guaiti eppure non arrivano a essere umani. Apro la porta e ogni volta, da ventitré anni, mentre la cripta s'invade di luce e i cardini cigolano, io mi nascondo dietro il muro per un secondo, perché ogni volta, da ventitré anni e per due volte al giorno, la smania che leggo in quello scampanellio e in quei suoni che non sono umani mi fa temere che Egli durante le ore che ha trascorso in solitudine si sia liberato dalla catena e ora si stia per lanciare verso la breccia aperta nella sua prigione. «Dovremmo venire soltanto quando dorme» dico a Staibano se Staibano è con me.

«Ma Egli non dorme» mi risponde. «O dorme molto poco: fa sonni brevi e agitati ed è sempre vigile».

Egli tira la catena che lo tiene al muro, e il campanello che ha sulla caviglia, e che nel corso del tempo si è fatto stretto fino a lacerargli la pelle e a scoprire l'osso, tintinna nell'oscurità. Da tempo ha smesso di provare a strapparselo: si è rovinato la chiostra dei denti a forza di provarci, e qualche frustata che Staibano gli ha inflitto in gioventù è servita a fargli capire che quel campanello, che forse Egli, nella sua coscienza di bestia, vive come un'ulteriore condanna, ci serve per ascoltarlo, e per sapere che è vivo. Ha capito che i suoni che emette ci fanno ricordare di lui e ci fanno scendere a portargli i pasti, e dunque sa che finché Egli risuona nella cripta non sarà mai solo.

Trascino la secchia odorante di sangue e carne cruda dentro il budello di pietra che conduce all'interno: è un camminamento lungo quanto una tiorba, umido di roccia e alto poco più di me; ogni uomo o donna che, per qualche motivo, negli anni ha varcato questa soglia, l'ha varcata incurvandosi, a volte camminando sulle ginocchia: nelle prigioni del castello, gli uomini normali entrano genuflettendosi; io vi entro eretto, con i miei pochi capelli che toccano il soffitto. Siccome sono l'unico che non si inchina al suo cospetto, Egli, così mi pare, mi rispetta da dentro la sua animalità; Staibano, invece, raggiunge l'interno della cella a gattoni: probabilmente Egli immagina che il medico sia una bestia a quattro zampe.

Prendo il bastone appoggiato alla parete che Egli non può raggiungere e, nella mezzaluce, lo punto nella sua direzione. Egli si ritira in un angolo e nei suoi occhi d'animale di terra io leggo la foia, e una felicità caprina per il cibo che viene. Guaisce, e stavolta sembra davvero un guaito. Si solleva per quanto il suo corpo glielo permette e a volte, per l'emozione, non si trattiene e libera gli intestini di quel meconio giallo e colloso che gli impasta le gambe e di cui siamo certi che ogni tanto si nutra. Infilo il bastone nelle maniglie della secchia, lo sollevo e glielo metto vicino. Egli spasima di felicità e si butta con tutta la testa in mezzo alle frattaglie, si impasta la faccia e i capelli, fa con la bocca il rumore che fanno le viscere degli animali quando vengono estratte dai corpi ancora caldi. Mangia, si sporca di sangue fino al mento, e non esiste più nessuno per lui. Cerco nella penombra la scodella con l'acqua e la riempio: qui sotto è dove lavorano le pompe idrauliche che Carlo fece costruire per rifornire sempre il castello e a volte, mentre sono nella cripta, qualcuno aziona il braccio meccanico e tutto il sotterraneo prende a cigolare. Solo io mi accorgo di questi rumori: Egli continua il suo pasto. Lo guardo mangiare e poi lappare la scodella e non capisco se davvero, come sostiene Staibano, Egli abbia negli occhi l'espressione sfrontata dei Carafa.

Che orribile figura, questo ragazzo selvaggio! Che insopportabile senso di sporcizia e abbandono!

Per qualche motivo di cui non so fornire una spiegazione,

ho evitato di raccontare agli amici italiani dei bizzarri incontri che abbiamo fatto durante la nostra sortita napoletana e, naturalmente, dell'acquisto dei libretti e di questa «Cronaca». A Napoli, Bob avrebbe voluto che la mostrassi immediatamente a certe persone (tra cui un giovanotto, De Simone, musicista e teatrante di cui si dice un gran bene, che è venuto a conoscermi e la cui deferenza tutta meridionale mi ha fatto pensare di trovarmi in un racconto di Čechov) che conoscono per così dire da vicino la vicenda di Gesualdo. Ma ho preferito mantenere il segreto, per una sorta di pruderie che, forse, nasconde una vergogna: quella di aver subito, come se fossi un fanciullo, il fascino di un individuo stravagante, ambiguo oltre ogni dire, che sembra conoscere di me molte cose e che muove gli arti come una marionetta. Ebbene, l'immagine del volto di quest'uomo, che è stato capace di farmi sborsare una cifra enorme per delle carte che tutto sommato potrebbero essere fasulle, da alcuni giorni va e viene nella mia memoria: in certi momenti (per esempio durante lo scomodo viaggio in treno che da Napoli ci ha portato a Roma) l'ho avuta presente in modo chiaro, come se egli fosse seduto tra me e Craft nello scompartimento e ancora ci parlasse di Boston, del vulcano e degli strampalati evadenda che lo trattengono in Italia; altre volte ancora, per esempio in questo momento, l'unico ricordo che possiedo del suo aspetto è la sensazione di un'irrimediabile alopecia, che pure non rende comico né atroce il suo volto: gli dona carisma. Così, ho tenuto la «Cronaca» ben nascosta in valigia finché non ci siamo imbarcati sul volo per New York. La registrazione di «Threni» per la Columbia è stata veloce e senza intoppi: Bethany Beardslee e Beatrice Krebs erano molto felici di lavorare di nuovo con me e l'orchestra si è dimostrata, in modo tipicamente newyorkese, piuttosto ligia alla partitura. Così, dopo due sole prove e le sessioni di recording, siamo potuti rientrare a Los Angeles addirittura con alcuni giorni di anticipo sul previsto. Ora che, finalmente, il testo è stato tradotto in una lingua che posso comprendere, giace sul pianoforte e mi guarda – oserei dire: mi ascolta – la mattina mentre compongo. È una lettura che intendo fare con un certa regolarità, stanchezza e malanni permettendo, il pomeriggio.

Fu alcuni mesi dopo la morte di donna Maria e di Fabrizio che Carlo convocò me e Staibano nella stanza dello zembalo. Pensavamo a uno dei suoi accessi, e invece lo trovammo tranquillo, mollemente seduto sul divanetto. Era, dall'espressione che aveva in volto, in quello stato d'animo di risolutezza che gli è tipico ogni volta che ha preso una decisione e deve soltanto comunicarla a qualcuno.

«Staibano» disse, «Egli non mi somiglia».

Staibano mi gettò un'occhiata interrogativa e chiese di chi si stava parlando.

«Il bambino» rispose Carlo, «non mi somiglia. Ormai ha l'età per prendere almeno un poco anche le fattezze del padre. Inoltre ha un carattere molto mansueto, che non è dei Gesualdo».

«Il carattere si farà, mio signore» rispose il medico, ma Carlo già scuoteva la testa.

«Egli è l'ultimo ostacolo alla mia liberazione» disse, quindi si alzò, si diresse al suo tavolo e imbracciò il liuto.

Quando ha finito il suo pasto, Egli rimane fermo nella posizione canina in cui mangia e prende a respirare rumorosamente, come se dovesse recuperare dallo sforzo dell'inghiottimento. Solo allora si rivolge a chi gli ha portato il cibo, mentre pezzi di frattaglie gli piovono dalla bocca, e c'è nel suo sguardo qualcosa come una gratitudine e una domanda: ce n'è ancora? Poi, senza aver ottenuto una risposta, si rintana verso il fondo della cripta, e lascia che io allunghi il bastone verso la secchia per recuperarla. Per alcuni minuti, mentre risalgo verso le cucine, non sento tintinnare il campanello: Egli è sazio e si riposa.

Da alcuni giorni, questo rituale che si ripete da ventitré anni è turbato. Egli mi accoglie, dopo che apro la porta, con rabbia: tira la catena con forza, e sono certo che se io e Staibano non interverremo con un nuovo chiodo Egli finirà per liberarsene. La sua agitazione non è famelica, è figlia di un furore che non so spiegare: questa mattina sbavava e ringhiava come fa di solito quando con Staibano gli pratichiamo dei salassi o lo purghiamo. L'odore del cibo non lo aveva placato né aveva incanalato le sue voglie. Ma io avevo fretta, e ho finto di non badare troppo a questo cambiamento: dopotutto, benché io sia il suo carceriere, sono anche colui che l'ha nutrito per tutto questo tempo, ed Egli in qualche modo deve saperlo. Gli ho lanciato la scodella dell'acqua ed Egli l'ha ribaltata con un colpo. Berrà stasera, è giusto che impari a comportarsi bene con chi lo nutre. Staibano, però, va informato di questi cambiamenti. Non appena uscirà dallo zembalo dovremo capire come comportarci e, forse, che cosa fare di lui.

Mentre risalivo, il notaio arrivava al castello. Fu l'Adinolfo ad accoglierlo: teneva in mano un piccolo crocifisso e gli raccontò della lettera che il principe aveva ricevuto. Arrivai in tempo per fare loro compagnia mentre attraversavano alcune stanze.

«Credete che voglia fare testamento?» chiese il notaio.

«È possibile» rispose l'Adinolfo, «ne ha accennato più volte nel corso delle ultime settimane. È molto stanco, e la morte di Emanuele impone delle decisioni».

Così il principe vuole disporre dei suoi beni. Sono da troppo tempo vicino a lui e con lui per non capire che questa risoluzione allude anche a un'altra decisione che egli deve sicuramente aver presa. Scrivo queste pagine mentre, nella cripta, il campanello sbatacchia furiosamente e funge da richiamo sinistro, da monito: suona cupo, il batacchio, stona e si ritorce, si piega in un bemolle fuori accordo che al principe mio, forse, piacerebbe perfino, poiché mette cromatismo. Carlo, ascoltandolo, non direbbe più, come ha detto in certe occasioni, che la musica è limitata, e che i mondi sono infiniti e dunque irrappresentabili da un'arte fatta di poche note e pochi suoni: lo ascolterebbe e penserebbe che altri suoni esistono oltre a quelli che conosce, e li studierebbe, e ritroverebbe forse una voglia e la metterebbe dentro quel settimo libro di madrigali che in certi momenti abbiamo vagheggiato insieme e che mai è stato composto né immaginato.

Per questo, non appena l'Adinolfo e il notaio sono stati accolti nello zembalo, io sono sceso al pianterreno, dove il Carlini ha la sua stamperia. Egli oggi non è al castello, perché è andato fino a Taurasi per procurarsi di persona certi inchiostri che, dice, riesce a trovare soltanto laggiù. Ho preso, in tutta fretta, una bracciata di fogli dalla scansia dove tiene le brutte copie delle sue stampe, gli errori, le carte imbrattate. Sul retro di alcuni di questi fogli, corrette a mano personalmente dal principe, stanno le partiture di alcuni madrigali del *Libro VI*. Nessuno si accorgerà se scompaiono, visto che il Carlini ha già inserito le correzioni e fatto nuove stampe: questa è tutta carta da macero, così l'ho sentito dire. Sono salito nella mia celletta, ho voltato la scatola dove dormo, ho bagnato il pennino di saliva e ho cominciato con le parole con cui ogni cosa comincia.

Ora Sesta

Ma ecco chi sono, poiché è giusto che il lettore mio conosca da dove provengo e perché parlo. Nacqui ultimo di tredici figli, questo mi fu detto e ripetuto dai miei genitori come se fosse una colpa mia. Mia madre molte volte, volendo respingermi, nel corso della mia prima giovinezza mi si rivolse chiamandomi «il tredicesimo», e poco importa se, dei miei dodici fratelli e sorelle, soltanto cinque erano sopravvissuti alle bolle del vaiolo e alla malnutrizione prima che io venissi al mondo: io fui marchiato tredicesimo, e tredicesimo rimasi. Non so però dove nacqui, né quando: nessuno me lo disse mai e io, benché abbia buona memoria, non lo riesco a ricordare. Per quanto torni indietro e rimugini sulle mie origini, ho sempre l'immagine di me vivo, tanto che sono quasi certo, ormai, che non ci sia stato mondo prima della mia nascita: ci sono da sempre, vado a ritroso con la memoria e il pensiero e mi trovo vivo, sempre e da sempre. Il principe mi è fratello, anche se non di sangue: egli vive racchiuso nel mio tempo, dentro il corso della vita mia.

Conobbi la fame, tanto che quando ebbi l'età per camminare e reclamavo i miei pasti, mio padre costruì con il legno una piccola scatola che mi divenne giaciglio e luogo dove trascorrevo, sdraiato, la maggior parte del tempo. Da dentro la scatola, guardavo mia madre e le mie sorelle dividersi le patate e aspettavo le bucce, che mangiavo con la stessa foia con cui Egli mangia nella cripta le sue frattaglie. Imparai a camminare molto tardi, perché non mi era consentito di uscire dalla scatola se non in certi momenti della giornata, e le mie gambe, costrette dai bordi di legno, crebbero piccole, deboli, impreparate alla marcia. «Se rimane piccolo, mangerà meno» sentivo dire a mio padre e alle mie sorelle, e così divenni quello che sono: un essere schiacciato, grosso di testa e molle di petto, con due stecchi diseguali infilati nei pantaloni e che ancora oggi non mi permettono di camminare correttamente. Quando, molti anni più tardi, Staibano arrivò al castello, mi vide e si illuminò: chiese al principe di potermi avvicinare e gli domandò se sapevo capire ed esprimermi. Volle che mi sdraiassi sul tavolo del suo gabinetto di medico, e tra tutti gli attrezzi e gli strumenti che vidi allineati su una panca scelse una corda, con cui misurò prima l'una e poi l'altra gamba. Senza spiegare nulla, chiese al principe se poteva provare con me certe soluzioni che aveva immaginato per curare i difetti del corpo e il principe Carlo, senza mostrare grande interesse per le mie sorti, acconsentì. Così Staibano mi legò i polsi e la caviglia della gamba più lunga alla tavola, e avvicinò alla gamba corta una specie di puleggia di ferro su cui girava una catena alla cui estremità era fissata una cavigliera di ferro. Io mi misi a urlare e mi dimenai, dicendo che non mi meritavo il supplizio della ruota, ma Staibano rise: «Non ci sarà nessun supplizio, mio buon Gioachino, ma soltanto una soluzione meccanica ai tuoi mali».

Detto questo, fissò la catena alla caviglia della gamba breve e riprese: «Non ti donerò un'altezza di uomo normale, ma posso provare a farti camminar dritto».

Cominciò a far correre la puleggia all'indietro e il cigolio che sentii era del ferro della ruota e delle mie ossa insieme. Presi di nuovo a urlare e a dibattermi, picchiando con la nuca sulla tavola dov'ero legato. Così Staibano dovette chiamare il Bardotti, che da sempre sta di servizio al castello, e istruirlo affinché mi tenesse fermo con una mano sul petto e l'altra poco sopra il ginocchio.

«Se si muove» spiegava il medico all'aiutante, «la cura sarà inefficace. Anzi, c'è il rischio che si riveli dannosa».

«Mi staccate la gamba! Mi staccate la gamba!» urlavo io, sbavando come un cane: sentivo il femore distaccarsi dall'anca a ogni giro della puleggia, e un dolore fitto, come un bruciore di lama, alle articolazioni. Pochi minuti durò il supplizio e, prima di liberarmi dal tavolo infernale,

Staibano fece bollire certe erbe e me le applicò sul ginocchio e sull'inguine.

«Per oggi può bastare, mio buon Gioachino» diceva intanto, «ma tra qualche giorno ripeteremo il trattamento: è un processo lungo, che si fa per tappe».

Provai ad alzarmi, sempre controllato dal Bardotti, con Staibano che mi chiedeva di appoggiare a terra la pianta del piede breve per vedere se la sua cura aveva dato i primi frutti. Molte volte mi misurò con le corde, confrontando le mie gambe.

«I risultati non si vedono subito, amico mio» disse. «Ma ti assicuro che entro qualche settimana camminerai non più come una scimmia, ma quasi come un uomo».

Molti anni sono passati, e molte cure, ma ancora non cammino come un uomo: trascino la gamba breve facendo dei piccoli balzelli e tutta la mia parte sinistra pende leggermente, come se stessi per crollare su me stesso. Ma non crollo: ho imparato a muovermi fuori dalla scatola, e benché la forma del mio corpo rassomigli sempre più a quella di un liuto rovesciato, essa è mia, e mi permette di fare quasi ogni cosa io desideri fare.

Quando ebbi l'età giusta per lavorare, mio padre capì che non gli sarei servito: «Con questa tua forma scimmiesca» mi disse, «tu non puoi nemmeno trainare un carro. Non puoi raccogliere semi, o presidiare un banco al mercato: tutti verrebbero a guardare te e non le merci».

Così fui mandato a Roma e, oggi, posso dire che la forma storta dei miei arti mi ha salvato. Mi assegnarono a un ordine minore perché studiassi, ma soprattutto perché levassi il mio corpo deforme alla vista del mondo. Non potendo aspirare al sacerdozio, volli divenire ostiario, e per qualche tempo accarezzai il sogno di guardare le porte della chiesa del Gesù. Ma anche un guardiano deve avere due gambe di pari lunghezza, e per molti mesi fui inghiottito nella pancia della chiesa. Studiai il latino, la retorica, la teologia sui testi approvati da Sant'Ignazio; nessuna delle mortificazioni imposte dall'ordine mi fu difficile, perché io ero nato in una scatola: e tuttavia, confesso, non sempre adempii ai miei doveri di chierico, specialmente al mattino appena sveglio, quando i pensieri della notte erano ancora vivi e gonfiavano il mio corpo. Rimanevo chiuso nella mia cella più a lungo degli altri, sdraiato per terra o sulla branda, oppure uscivo molto presto, contravvenendo alle regole della convivenza comune: mi svegliavo prima del sole, improvvisamente trafitto dalla mia fame antica, e percorrevo a piedi nudi i corridoi ancora impastati di sonno per raggiungere le cucine e arraffare un pezzo di pane del giorno prima. Passavo davanti alle celle dei miei confratelli e li sentivo dormire, oppure ascoltavo qualcuno che, appena sveglio, recitava sottovoce le preghiere di Sant'Ignazio e faceva gli esercizi del mattino. Quale peccato hai commesso, fratello, pensavo, per rubare delle ore al tuo sonno e lodare Dio nell'ora che ancora non Gli appartiene? Quale fuoco ti tormenta, se usi la notte per pregare ed espiare colpe che ritieni di avere?

Anima di Cristo, santificami, sentivo, mentre i miei piedi nudi sciaguattavano sui pavimenti freddi dei corridoi, *Corpo di Cristo, salvami*. E ancora:

Sangue di Cristo, inebriami.
Acqua del costato di Cristo, lavami.
Passione di Cristo, confortami.
O buon Gesù, esaudiscimi.
Dentro le tue piaghe nascondimi.
Non permettere che io mi separi da te.
Dal nemico maligno difendimi.
Nell'ora della mia morte chiamami
E comandami di venire a te

a lodarti con i tuoi santi
nei secoli dei secoli

Amen, ripetevo sottovoce quando uno dei confratelli arrivava alla fine della preghiera, ed era per me sufficiente, come se avessi pregato anch'io fino in fondo con tutta l'anima. Usavo le preghiere degli altri mentre rovistavo nella dispensa e affondavo i denti nel pane duro e pensavo alla bontà del padre mio, che mi aveva mandato in un posto dove qualunque cosa succeda nel mondo si trova sempre del pane nella dispensa.

Ma durante un'alba, passando davanti a una cella che non pensavo fosse abitata, anziché una preghiera sentii provenire un suono. Mi fermai accanto alla porta, ritto in piedi, sapendo che entro pochi minuti tutti i miei confratelli si sarebbero svegliati e il rettore mi sarebbe passato accanto. Era tuttavia così strano sentire della musica nei corridoi, che mi dovetti fermare: era un accordo di chitarra suonato piano, per non svegliare nessuno e perché era vietato portare strumenti musicali fuori dal coro della chiesa. All'interno della cella, per qualche secondo, ci fu silenzio, poi partì un secondo accordo, completamente stonato rispetto al primo, come se chi suonava si fosse dimenticato dell'armonia che aveva creato all'inizio e ricominciasse da capo. Poco dopo, in seguito a una pausa di silenzio, ricomparve il primo accordo, mentre una piccola luce cominciava a entrare dai finestroni annunciando il mattino. E poi, di nuovo, il secondo accordo disarmonico, storto: la mano che suonava cominciò a ripeterli in sequenza, due accordi in conflitto che davano una musica brutta, sgradevole, priva di centro.

Alla messa del Mattutino feci lavorare gli occhi, e cercai chi, tra i nuovi confratelli, poteva essere colui che suona. Vidi subito un giovane piuttosto alto (ma tutti sono alti, per me), con i capelli corti e scuri e le dita lunghe e gentili, inadatte forse alla preghiera ma perfette per posarsi su uno strumento. Nei giorni successivi cercai di avere notizie su di lui, e le ebbi nel refettorio, nell'ora in cui il cellario e un novizio riordinavano la mensa dopo il pasto.

«È Carlo Gesualdo, secondogenito di don Fabrizio, principe di Venosa» sentii che il cellario diceva al ragazzo. Perché parlassero di colui che sarebbe diventato il padrone mio, non lo so dire, ma il cellario affondò un cucchiaio pulito in una scodella, ne trasse un pezzo di carne dimenticato da uno dei novizi e lo inghiottì.

«Qualcuno sta facendo penitenza» disse schioccando le labbra, «ma non riesce a stare del tutto a digiuno. Cerca anche tu, se vuoi, nelle scodelle sui tavoli: si trova sempre della carne avanzata».

Il novizio prese un cucchiaio e cominciò a rimestare nelle scodelle prima di riordinarle.

«Gesualdo» diceva intanto. «C'è un cardinale che si chiama in questo modo».

«Il cardinale Alfonso» disse il fratello cellario, che era anziano e conosceva molte cose di Roma. «È lo zio di Carlo».

«Dunque i Gesualdo avranno presto un altro porporato in famiglia» rispose il novizio, mentre trovava delle verdure in ammollo nel brodo e le inghiottiva insieme a un tozzo di pane lasciato sul tavolo.

«Ne hanno già molti» rispose l'altro, poi sollevò una scodella e risucchiò il brodo nascondendo il volto dentro la minestra. Quando ebbe finito, posò la scodella sul tavolo e tirò un rutto, ma gentile, quindi si pulì la bocca con la manica: «Per parte di madre, Carlo è nipote di Borromeo. Ne porta il nome».

Il ragazzo ascoltava, ma ascoltando non dimenticava di scavare dentro le gamelle. Stavolta gli toccò un pezzo di carne dimenticato.

«Di Alfonso» aggiunse il cellario senza che nessuno gli avesse posto una domanda, «si dice che presto sarà papa».

Quando i due uomini se ne andarono, mi tuffai sotto al tavolo, dove un pezzo di carne era caduto durante il riordino e lì era rimasto. Lo ingollai: era duro e nervoso, e continuai a masticarlo a lungo. Don Alfonso, che in seguito sarebbe diventato arcivescovo di Napoli e che ormai giace sottoterra da dieci anni, non diventò mai papa, eppure si dice che molte volte, al Conclave, si pensò a lui. Forse per risarcirlo delle mancate elezioni, Clemente VIII gli permise di aprire la Porta santa nell'anno giubilare: egli ci volle a Roma, e mandò tramite un messo una lettera di invito, ma Carlo, a quel tempo, aveva già preso la decisione di non muoversi dal suo feudo se non in circostanze eccezionali e preferì rimanere nello zembalo con i suoi liuti.

«Ma l'apertura della Porta santa, mio signore» gli disse l'Adinolfo mentre Carlo sigillava la lettera con cui diceva allo zio che problemi di salute lo trattenevano a Gesualdo, «è una circostanza eccezionale. Vostro zio...»

«Sono io che decido cosa è eccezionale e cosa non lo è» lo interruppe il principe. «Da tempo Roma non mi interessa. Ho qui con me ogni cosa che serve per lodare Dio, e sono sicuro che don Alfonso lo capirà».

La questione della mia gracilità, dell'instabilità della mia salute e dei pericoli a cui il mio corpo va incontro ogni volta che viene esposto a sbalzi di temperatura fu sancita in modo irrevocabile all'atto della mia nascita. Io ero fragile, il mondo mi era ostile: questo mi ripetevano la mamma e la mia amatissima Bertha. Da bambino, non mi era concesso uscire di casa durante i mesi invernali: aspettavo perciò l'arrivo della violenta primavera russa, che comincia all'improvviso, in un'ora, e bruscamente sembra voler spaccare la terra, con un desiderio che però, col tempo, anziché divenire dirompente è andato affievolendosi. Il clima losangelino mi è più favorevole, ma è monotono nella sua prevedibilità: fa sempre caldo, c'è sempre il sole, perciò non induce al desiderio. Il dottor Lax sostiene che il mio corpo ha reagito bene al trombo e che ormai io sia del tutto fuori pericolo, ma vorrebbe impormi degli inverni sedentari, spesi a fare passeggiate quotidiane, aiutato da Ol'ga, immerso fino alla vita nella parte bassa della piscina. «La aiuterebbe a rimettere forza nelle gambe e le farebbe bene al cuore» ha detto Lax. «Lei non sa quali spaventosi incontri si possono fare in quella piscina» gli ho risposto, e lui ha pensato che si trattasse di una battuta di spirito. Intendevo, naturalmente, che volevo risolvere la questione non con lo sport, ma con la chimica. Mi ha prescritto le solite tre scatole di anticoagulante, le pastiglie per la pressione e un po' di moto, e mi ha detto che posso continuare a sorbire il mio miele. «Si è dimenticato una cosa, dottore» gli ho detto mentre già si infilava il soprabito. Ha sorriso: «Beva, beva pure» ha detto, «ma non la mattina e non lontano dai pasti». Come al solito, ho telefonato al medico di New York e gli ho chiesto un'integrazione (sonniferi e farmaci antiacido). La ricetta è arrivata via telex.

23 agosto, continuazione

Trovai Carlo quel pomeriggio stesso che passeggiava per il chiostro. Teneva le mani dietro la schiena, si grattava un posto di cui non si può scrivere; teneva lo sguardo basso e pareva che, per nulla turbato da quel grattamento, salmodiasse qualcosa. Gli passai accanto e non diede segno di notarmi, nonostante il mio corpo e la mia andatura. Così feci velocemente il giro della corte e lo incrociai di nuovo. Cercavo, nei pochi secondi in cui ci trovavamo vicini, di carpire i suoni che uscivano dalla sua bocca, ma egli sillabava con un tono talmente basso che la sua voce si poteva confondere con i movimenti gastrici del mio corpo. Molte volte dovetti passargli accanto, e quel continuo girare mi fece caldo, così che, quando finalmente alzò lo sguardo da terra e lo fermò sul mio volto, ero sudato e stanco. Egli non accennò a un saluto e passò oltre, ma io gli andai dietro e sussurrai: «Vi ho sentito suonare nella vostra cella, prima delle Lodi».

Egli si fermò di colpo e si voltò.

«Oh, non vi dovete preoccupare» aggiunsi, «non lo dirò al rettore: per farlo, dovrei confessare che non mi trovavo nel mio letto».

Solo allora mi accorsi che l'uomo a cui sussurravo era poco più che un bambino: benché, com'era evidente, quella mattina non si fosse rasato, gli velava il volto soltanto una peluria simile a una lanugine. Nel suo sguardo c'era, mi parve, ancora una preoccupazione, un impasto di fanciullezza e turbamento, e pensai che forse il turbamento è la condizione naturale di certe fanciullezze. Ma era un'anima sana e piena di talento, e la volli per me. Così dissi: «Suonate in modo molto delicato: per sentirvi bisogna appoggiare l'orecchio alla vostra porta».

Domandai come avesse fatto a portare il liuto nella cella, e lui mi rispose con un gesto di noncuranza che, oggi, so che voleva significare "Sono figlio di un principe e nipote di cardinali". E tuttavia sapeva che, suonando, infrangeva una regola. Alcuni confratelli passarono dal chiostro per raggiungere le loro celle, così proposi al mio interlocutore di entrare nella biblioteca dove, come sapevo, a quell'ora non avremmo trovato nessuno.

«Chi sei?» domandò non appena la porta venne chiusa e fu certo che non ci potevano sentire. La sua voce mi sorprese: era una profonda voce di basso, del tutto inadatta al suo aspetto di ragazzino. Lo immaginai che diceva messa, predicando dal pulpito con quel corno conficcato nella gola e spaventando i fedeli, perché una voce tanto cupa può soltanto lanciare anatemi e maledizioni. Continuò: «Hai fatto molti giri nel chiostro per potermi parlare, e durante la funzione del mattino non mi toglievi lo sguardo di dosso».

Gli alti scaffali di legno scuro della biblioteca ci sovrastavano come torri. Mi appoggiai a uno dei pesanti tavoli da lettura e lo guardai. «Mi hanno chiamato Gioachino».

Si allargò con le mani il collo della veste, come se gli fosse d'improvviso venuto caldo. Rimase per qualche istante in silenzio, osservandomi da capo a piedi. Una smorfia di disgusto gli rovinò il volto.

«Sei brutto» disse, «e il tuo corpo sembra inadatto perfino a camminare. Sembri uno spettro, o qualcheduno che arriva dal regno dei morti. Che vuoi da me?»

«Non mi dovete insultare» risposi, «io non vi ho fatto nulla. Sono qui, come voi, per prendere i voti. Avete però ragione su una cosa: la deformità del mio corpo non mi permetterà di accedere al sacerdozio, cosa a cui del resto non aspiro. Mentre per voi, credo, si prepara un avvenire di gloria e onore».

«La tua presenza mi disturba» disse ancora, e di nuovo domandò: «Che vuoi? Perché mi segui?»

Mi staccai dal tavolo e feci dei passi, avvicinandomi a uno scaffale.

«Quegli accordi che eseguite sulla vostra chitarra» dissi poi, volendo offendere a mia volta, «le sequenze di suoni che vi inventate: sono brutte». Lo guardai di traverso e vidi che mi ascoltava, e cercai un modo per continuare: «Forse voi non siete a conoscenza di una storia che racconta Quintiliano in una delle sue orazioni: parla di un musicista, ingaggiato dai sacerdoti per accompagnare con la sua musica un sacrificio. La conoscete?»

«No» rispose, e c'era una curiosità nella sua voce.

«Non ricordo il nome del musicista, forse addirittura Quintiliano non lo dice, e non ricordo nemmeno in onore di chi si compiva il sacrificio. Ma queste sono cose che non contano: ciò che conta è che durante la cerimonia egli suonò la sua melodia in una scala sbagliata e, ascoltandola, l'officiante impazzì e si gettò in un precipizio. Il musicista fu accusato di omicidio, e poco tempo dopo quell'esecuzione scriteriata fu condannato a morte».

«Non ti capisco» disse, ma sapevo che mentiva, perché una ruga gli segnava la fronte.

«Voi sapete bene che esistono sequenze di suoni che il Concilio di Trento ha condannato come contrarie alla dottrina».

«Il Concilio» mi interruppe, «non ha emesso condanne: ha guardato con sospetto, è vero, il contrappunto e la polifonia nella liturgia, ma la Chiesa stessa ha in seguito chiesto a Palestrina di comporre musica polifonica».

«Non vi potete difendere con Palestrina» dissi. «Voi non fate musica polifonica, o perlomeno non è quello che io ho ascoltato attraverso la vostra porta».

«E che cosa hai ascoltato, allora?»

«Oh, io non sono un esperto di musica, anzi: devo dire che proprio non me ne interesso. Ma mi pare che voi abbiate un modo poco regolare di utilizzare gli intervalli».

«Hai buon orecchio e una certa proprietà di linguaggio, per essere uno che non si interessa di musica» disse, e il solco sulla fronte si era fatto più profondo.

«Non bisogna essere esperti per capire quando dei suoni stridono» risposi.

«Quelle che hai ascoltato in queste mattine erano delle quarte eccedenti» confessò allora.

«Adesso state usando parole troppo complicate per me. Mi pare però che ammettiate di aver creato suoni che qualcuno, fuori dal Concilio, definirebbe *diabulus in musica*».

«No» protestò, «nessuno userebbe più quell'espressione». I tratti del suo volto erano adesso congestionati, e una rabbia e una paura gli zampillavano negli occhi: «Da secoli nessuno usa più quell'espressione» ripeté, ma come a se stesso.

«Io non vi sto accusando di nulla» dissi allora, «come vi dicevo poco fa, non vi dovete preoccupare di me. Vi chiedo soltanto di stare attento: qualcuno che non sono io potrebbe sentire i vostri suoni, e potrebbe, come dire, avere una visione preconciliare della musica».

«Io compongo lodi a Dio» disse.

«Non ne dubito. Ma fate comunque attenzione: gli uomini hanno elaborato un protocollo per lodare Dio, e chi non lo rispetta viene giudicato».

Trascinai, con fatica, una scala vicino a uno scaffale: egli non mi aiutò. Cominciai a salire, ma le braccia mie erano troppo corte per arrivare alla mensola che mi serviva. Così discesi, e chiesi a Carlo se mi poteva aiutare a prendere un volume. Gli consegnai una piccola chiave che tenevo in tasca.

«A cosa serve?» domandò.

«Ad aprire la vetrina» dissi, indicando la mensola più in alto. «Portatemi quel piccolo volume marrone. Sul frontespizio vi è scritto che fu stampato a Venezia lo scorso anno».

Egli impugnò la chiave e salì sulla scala. Mentre apriva la vetrina, mi chiese perché quei volumi fossero chiusi a chiave, ma non mi domandò perché io la possedessi. Il vetro si aprì e la polvere lo fece tossire.

«Non mi hai risposto» disse. «Perché questi volumi, a differenza degli altri, sono chiusi a chiave?»

Nel frattempo ne aveva presi in mano alcuni e li sfogliava, mostrandomene i dorsi.

«Sono opere matematiche» disse dopo un po', gettandomi un'occhiata titubante. «Ti interessi di scienza e astronomia?»

«Non vi sono soltanto opere scientifiche lassù. Il libro che voglio non è quello che tenete in mano: è più a destra».

Osservava una copia del *De revolutionibus orbium coelestium* del Copernico e il solco che aveva sulla fronte si era fatto nero.

«Credevo che quest'opera fosse stata proibita dalla Chiesa cattolica» disse.

«È possibile» risposi.

Estrasse dalla fila il grande trattato alchemico del Cardano sull'immortalità e trasalì: «Quest'opera, insieme a tutte le altre del suo autore, è stata distrutta alcuni anni fa per volere di papa Gregorio XIII».

«Sì, ce lo hanno raccontato. Conoscete la storia di Cardano?»

«Soltanto ciò che ci hanno detto i padri a lezione. So che fu un eretico e un astrologo, e che fu costretto ad abiurare». Cominciava a capire perché quei libri fossero chiusi nella vetrinetta.

«Oh, sì» risposi, «ma fece anche molte cose degne di memoria. Prendete il libro che vi ho chiesto e scendete».

«Non possiamo leggere questi libri» disse.

«Non arriverà nessuno ancora per un po': è l'ora del riposo».

«Perché possiedi questa chiave?» chiese infine, scendendo dalla scala e posando su uno dei tavoli il libro di Cardano e quello che avevo chiesto.

«Guardate» dissi, «esistono libri che non ci è consentito leggere, e altri che ci sono sconsigliati. Ma Santa Romana Chiesa conserva ogni cosa, perché ciò che non è consentito oggi, potrebbe tornare utile domani».

«Tu bestemmi, Gioachino».

Presi il libro che egli aveva recuperato per me e glielo

allungai: «Leggete» dissi. «Non è proibito, o non lo è ancora del tutto. È scritto da un napoletano, quasi come voi».

Prese il libro tra le mani e finalmente lo sfogliò. «Perché dovrei leggerlo? Cosa vi dice che lo farò?»

«L'autore di quest'opera ha immaginato che esistano infiniti mondi e che infinito sia l'universo. Probabilmente non è vero, ma se c'è anche una sola possibilità che lo sia, qualcuno che ha nelle dita i suoni che avete voi lo deve conoscere».

Guardò in alto, verso la vetrinetta: «Vedranno che il volume manca e lo verranno a cercare».

«Avete portato un liuto nella vostra cella, e senza paura vi suonate una musica che forse è proibita. Possedete la chiave della vetrina e conoscete l'orario in cui potrete riporvelo quando l'avrete finito senza che nessuno vi veda».

Si alzò, nascondendo il volume sotto la veste. Fece per incamminarsi ma lo fermai. «Rimettete Cardano al suo posto, prima di andarvene» dissi.

Egli lo fece, con la fretta di chi sta rimediando a un delitto; poi lo guardai che usciva nel chiostro, investito dalla luce bianca del pomeriggio.

Così lo conobbi, conobbi il principe mio quando ancora non era principe e gli era destinata soltanto una carriera dentro la pancia di Santa Romana Chiesa. Per alcuni giorni mi evitò, e non riuscii a parlare con lui benché provassi in varie occasioni ad avvicinarlo. Ma una mattina, poco prima dell'alba, egli socchiuse la porta della sua cella e sottovoce chiamò il mio nome.

«Sono qui» risposi in un sussurro.

«Entra» disse, e il tono era di comando.

«Ci scopriranno».

«Faremo presto» rispose. «Entra, ti dico».

La sua cella era illuminata da una sola candela ed era in tutto uguale alla mia, con l'eccezione del liuto, che stava appoggiato a una parete.

«Non lo nascondete?» domandai.

«Dopo» disse. «Del resto, se qualche guardiano entrasse qui dentro, non sarebbe il liuto il motivo dello scandalo».

Pensai si riferisse alla mia presenza, e invece indicava il libro appoggiato sul tavolo: «Questo tuo nolano» disse ancora, «io l'ho veduto».

«L'avete veduto?»

«A Napoli, molti anni fa. Era noto in tutta la città per certe sue opinioni».

«Ci avete parlato?»

Fece con il capo un cenno come a dire "No". «Stava nel convento di San Domenico Maggiore, che è proprio accanto al nostro Palazzo. Si parlò di lui quando fu costretto a fuggire a Roma con l'accusa di eresia».

«Come ve lo ricordate?»

«Non ero che un fanciullo, ma per tutta Napoli correvano voci sulla condotta dei frati di San Domenico: vi furono scandali, in quegli anni, e spesso si vedevano i birri portar via dei monaci dall'uscita laterale della chiesa, su cui guardavano le nostre finestre. Vi erano accuse di ladrocinio, di sodomia, perfino di omicidio».

«E frate Giordano cosa c'entrava con questo?»

«Di lui si raccontava che avesse distrutto le immagini dei santi conservando per sé soltanto il crocifisso» posò la mano sul volume che gli avevo fatto leggere, «e che era stato perdonato per via del suo grande sapere e della sua devozione, che gli venne riconosciuta. Noi lo vedevamo ogni tanto uscire dal convento, ed era uno dei tanti, ma mio fratello ogni volta lo indicava e diceva "Eccolo, il distruttore di madonne"».

Una voce salmodiante e sommessa ci arrivò da una cella vicina.

«Si stanno svegliando» dissi.

«Io non voglio giudicare se egli sia davvero un iconoclasta o un senza Dio» continuò don Carlo, come non accorgendosi del pericolo cui eravamo esposti, «forse è soltanto un bestemmiatore, proprio come te; eppure questo suo libro che mi hai dato, Gioachino...»

«Devo andare, vi prego: non voglio che ci trovino qui».

«Questo suo libro... tu credi che l'universo sia infinito e che infiniti siano i cieli e i mondi?»

«È possibile» risposi, ma un'altra voce salmodiante si era levata e faceva coppia con la prima. Mi avvicinai alla porta e la dischiusi, infilando l'orecchio nel pertugio.

«Dunque credi che noi non siamo soli?»

«Non lo credo» dissi, «ma non lo nego nemmeno».

«E credi che vi siano innumerevoli soli e che in ognuno di essi si glorifichi la magnificenza di Dio?»

Feci un passo nel corridoio, mentre le voci salmodianti si trasformavano in un coro.

«Lo credi?» mi incalzò.

«Se esistono innumerevoli soli» dissi velocemente, poiché mi era sembrato di udire, tra le voci, il lento passo del rettore che come ogni mattina passava in rassegna le celle, «allora esistono innumerevoli modi di lodare Dio, e Dio è innumerevoli volte magnifico e potente. Ma io devo andare, Eccellenza, o saremo puniti».

Quello stesso giorno, dopo i Vespri, si presentarono alla porta del Collegio due persone: uno era Pietro Maliziale, detto Bardotti, e l'altro era l'abate Adinolfo. Venivano dal castello di Gesualdo dopo una marcia di alcuni giorni che aveva sfinito i cavalli. Ma ciò che si leggeva sui volti dei due uomini non era stanchezza né sfinimento. Parlarono a lungo con il rettore, a cui mostrarono una lettera scritta di suo pugno dal principe Fabrizio, il padre di Carlo. Il rettore chiamò un novizio, e gli disse di cercare il ragazzo (così lo definì: «il ragazzo») e di condurlo nel suo gabinetto. Seguii il novizio. Lo trovammo in chiesa, inginocchiato sulle panche, che pregava prima di ritirarsi. Gli rimanemmo accanto, aspettando che finisse l'orazione che aveva in bocca.

«Il rettore vi manda a chiamare» disse infine il novizio.

Egli disgiunse le mani e ci guardò. Poi, senza parlare, ci seguì. Insieme entrammo nel gabinetto, dove i due gesualdini, non appena lo videro, gli corsero incontro e lo riverirono, ma in modo grave, sommesso. Egli non badò molto a loro e chiese al rettore quale fosse il motivo della convocazione: ma il solco nero gli era riapparso sulla fronte. Gli mostrarono la lettera del padre suo, che egli lesse compostamente.

«Così i miei doveri mi richiamano a casa» disse alla fine della lettura, ma come tra sé. Mi cercò con lo sguardo, e mi trovò nell'angolo più remoto della stanza.

«In considerazione del grave e improvviso lutto che ha colpito la vostra famiglia e gettato nello sconforto la città tutta...» diceva intanto l'Adinolfo.

Carlo sollevò le lunghe dita di una mano e chiese silenzio. «Immagino dovremo partire molto presto» disse. Si volse verso il rettore, e nel suo sguardo c'era una domanda.

«Io non posso trattenervi» disse il rettore.

Carlo si alzò, e teneva ancora tra le mani la lettera del padre.

«Portate Dio con voi» continuò il rettore, «e, quando sarà il vostro turno, governate secondo virtù e carità cristiana». Si spinse un po' all'indietro con la sedia e aprì un cassetto nascosto sotto la superficie del tavolo. Vi trasse un rosario e lo porse a Carlo: «Datelo a vostro padre come segno della nostra vicinanza per la perdita di vostro fratello Luigi» disse.

Carlo allungò la mano, afferrò il rosario e si segnò per ringraziare. Voltandosi per uscire mi cercò di nuovo con lo sguardo e mi fece cenno di seguirlo.

«Domani riporteremo il volume del nolano nella sua vetrina» mi disse poco più tardi, mentre Bardotti e l'Adinolfo impacchettavano la sua roba per il viaggio e nascondevano il liuto in un baule. «Poi tu verrai con me».

Charles Ferdinand Ramuz, benedetta sia la sua memoria, era solito sostenere che io, prima di ogni altra cosa (dunque anche prima di essere un musicista), fossi un calligrafo. Si presentava a Morges di buon mattino: a quell'ora, di solito, mi trovavo già nello studio, e dalla finestra lo osservavo percorrere il vialetto tenendo in mano qualcosa; lo ascoltavo scambiare qualche parola con Catherine e coi bambini mentre, nell'ingresso al piano di sotto, si toglieva le scarpe. Poi, con le pantofole degli ospiti ai piedi, saliva sofficemente le scale e bussava alla porta: «Mon cher ami, Stravinskì!» diceva immancabilmente. E poi: «Je vous ai apporté en cadeau – du tabac à pipe: ce n'est pas le meilleur, mais ces jours-ci...» Quindi rimaneva in piedi, e ben presto smisi di invitarlo a prendere posto al tavolo: stava fermo e si guardava attorno, come se, ogni volta che entrava nello studio, avesse bisogno di ambientarsi. Appoggiava la busta con il tabacco su una mensola, prendeva tempo, chiedeva se poteva tagliare un sigaro. Poi cominciava, ma piano, a osservare lo scrittoio: di tutte le cose della mia vita che Ramuz ha visto o conosciuto o ascoltato, nessuna l'ha mai affascinato tanto come la fila delle boccette d'inchiostro che stavano perfettamente allineate sul lato lungo del mio tavolo da lavoro, insieme alle gomme di varie forme, ai righelli, ai raschietti e ai temperini. «È il tavolo di un chirurgo, amico mio, il tavolo di un chirurgo» diceva. Sfiorava con la punta delle dita le boccette, poi prendeva lo strumento a rotelle con cui da sempre traccio i pentagrammi e lo rigirava tra le mani. «Mi perdoni, amico mio» diceva, «prendendo dal tavolo questi oggetti ho la sensazione di violare la sua intimità più che se riuscissi a penetrare i segreti della sua immaginazione: ma l'ordine e la pulizia che regnano qui dentro sono irresistibili. Il tavolo di lavoro di un chirurgo, dove l'ordine è una possibilità in più che il chirurgo si dà nella lotta contro la morte: ecco ciò che vedo ogni volta che la passo a trovare. Un ordine piccolo che prepara la strada a un ordine più grande: ogni grande operazione matematica non è che una serie infinita di calcoli elementari».

Questo il nostro rito, al quale mi capita di pensare ancora oggi, quando riordino la mia scrivania: sono trascorsi più di cinquant'anni da questi piccoli fatti e ci sono un oceano, due grandi guerre e una rivoluzione – nonché una morte, quella di Ramuz – che ci tengono lontani.

Ambientatosi, Ramuz prendeva finalmente posto e dava fuoco al braciere del sigaro. La prima cosa che facevamo insieme era dunque fumare, e la facevamo in silenzio: egli mi allungava alcuni fogli manoscritti e pieni di correzioni, di ripensamenti e storture – il libretto dell'«Histoire du soldat» che egli andava via via componendo –, io gli passavo la parte musicale, su cui Catherine aveva tracciato i cerchi perfetti delle note, l'elegante curvatura delle legature e accanto a cui aveva trascritto, con i suoi tratti leggermente inclinati, alla russa, le parti di testo che Ramuz mi aveva consegnato nell'incontro precedente. «È Catherine la calligrafa, monsieur Ramuz» dicevo allora, rompendo il silenzio, «è a lei che devo gran parte dell'ordine che lei elogia». Egli guardava le partiture, e non le capiva: amava la musica ma, come succede a molti, non la sapeva leggere. Così mi sedevo al piano, e dicevo: «Ecco: questo è il ragtime, così come l'ho pensato per la prima suite». Suonavo, chiedendo a Ramuz di immaginare i singoli pezzi come se non fossero eseguiti da un semplice pianoforte, ma da una piccola orchestra jazz. «Immagini che qui, in questo punto, ci sia una tromba» dicevo, e la cantavo, facendo con la bocca un suono che veniva simile a quello di una papera.

*«Ascoltando la sua musica straordinaria» mi disse un giorno, dopo che ebbi eseguito per lui tutta la prima bozza dell'«*Histoire*», «si direbbe che tutto le sia concesso: virtualmente, dopo ogni passaggio, può accadere ogni cosa, ogni scoppio di suono, ogni mutazione di senso e d'armonia».*

«Non è così» risposi, chiudendo il pianoforte, «non è così: anzi, ho spesso la sensazione che, date alcune particolari condizioni compositive che mi impongo, ciò che faccio non sia altro che catturare l'unica evoluzione musicale logica possibile. Più che un calligrafo, Charles Ferdinand, *io sono un copista».*

Scoppiò a ridere e bevve il tè che Catherine, gentilmente, ci aveva portato.

«Forse esiste una condizione simile anche nella scrittura» continuai. «Vede, mi capita di provare una specie di terrore quando, al momento di mettermi al lavoro, mi trovo davanti alle infinite possibilità che la creazione musicale, in astratto, offre, e provo la sensazione che, come lei dice, tutto mi sia permesso. Immagino che accada qualcosa di simile quando lei si trova con la penna in mano di fronte alla pagina bianca: tutto le è ancora possibile, il meglio e il peggio, non esiste una resistenza, una forza opposta e di eguale potenza alla sua che metta un vincolo. Ma per me, se non trovo resistenza, ogni sforzo risulta inconcepibile: non si può costruire sul niente, qualsiasi lavoro risulterebbe vano. È per questo, credo, che chi ha inventato la notazione musicale l'ha costretta dentro chiavi, e simboli, e le cinque righe del pentagramma: non solo per dare una forma scritta a questo linguaggio, ma anche e oserei dire soprattutto per mettervi dei limiti concreti. Quest'ordine, questa matematica come forse lei la chiamerebbe, mi aiuta: e so di aver costruito questa rondella con cui traccio i miei pentagrammi per poter essere io stesso il primo a circoscrivere il mio lavoro. Disporre di sole sette note, dei loro intervalli cromatici, di tempi forti e tempi deboli mi

tranquillizza e doma quel furore astratto che può colpire chi pensa, scioccamente, di avere a disposizione l'universo intero soltanto perché sa manipolare dei suoni. Soltanto così si può comporre: imponendosi un ordine, obbligandosi a lavorare dentro una ristretta porzione di suono. Questa e solo questa è la libertà. Altrimenti, mi dica: perché, poniamo, date tutte le parole che la lingua francese le mette a disposizione, lei dovrebbe scegliere di cominciare un'opera con la frase "Je m'appelle Jean-Louis Samuel Belet"? Perché scegliere queste, che escludono dalla sua frase tutte le altre possibili parole della sua lingua? Perché lei, forse inconsciamente, individua un recinto, un pentagramma dentro cui la sua prosa può muoversi senza provare l'orrore di non poter scrivere tutte le parole che conosce. Non è forse così?»

Rimase in silenzio, la tazza sospesa, e accennò un sorriso. «È vero ciò che lei dice, monsieur Stravinsky. Penso a volte che il vero scopo dello scrivere sia trovare parole definitive, oggettive, e so che questo non è possibile. Immagini: trovare una frase che racchiuda un sentimento, che lo incarceri una volta per tutte in una formula assoluta, che impedisca a chi legge di raccontare quello stesso sentimento con parole diverse da quelle che trova scritte. Questo è il sogno della scrittura. Ma è anche la sua chimera. Ma vede, le lingue sono strumenti imperfetti, perché non universali: hanno sfumature, deviazioni di significato che non possiamo controllare, e inoltre ciò che è perfetto in una lingua può essere incomprensibile in un'altra. Non è così, mi pare, per la musica: essa è un linguaggio davvero universale, e lei ne è la dimostrazione. Con le sette note che, prima di lei, hanno usato i Beethoven, i Bach, gli Schubert, lei ha creato qualcosa, per esempio con il "Sacre", che non si era mai sentito prima».

Mi accesi un'altra sigaretta e lo ringraziai.

«Tuttavia» dissi, «quello che lei sostiene della mia musica, semplicemente, non è vero. Non esisterebbe la "Sagra", o

"L'uccello di fuoco", se non ci fosse stato un certo folclore pagano, se non avessi avuto Rimskij-Korsakov come insegnante, e perfino se non avessi ascoltato un certo Čajkovskij. Potrei, partitura alla mano, indicarle a dito cosa ho preso da alcune musiche popolari, cosa dal mio maestro e cosa da Čajkovskij. Rimodellando tutto, naturalmente, riadattandolo, facendolo mio: ma pur sempre derivandolo da altri. In certi passaggi, sotto forma di imitazione, citazione o ispirazione, non ho fatto altro che creare apocrifi».

Mi è difficile dire perché, cominciando la lettura della cronaca di Gioachino, mi sia subito venuta in mente questa antica conversazione con Ramuz. Con Bob parlo spesso di questi argomenti, che sono per me ancora strettamente attuali, ma è pur vero che non hanno nulla a che vedere, o così almeno mi pare, con le vicende romane di questo principino un po' saccente e pure così poco ligio ai regolamenti. Ho trascritto le sue composizioni per la prima volta su carta tre o quattro anni fa: Bob si era innamorato dei suoi canti sacri e me li aveva fatti conoscere. Non me ne innamorai, ma sono perfettamente in grado di cogliere la bellezza: almeno tre mottetti erano straordinari. «Illumina nos», che io sappia l'unica composizione di Gesualdo a sette voci, mancava, nella partitura regalatami da Craft, delle parti del sextus e del bassus. Ricopiai le altre cinque voci e mi misi, per gioco e per esercizio, a immaginare le parti mancanti. Che cosa mi attrasse? Il terzo verso, quello che dice «septiformi Paracliti gratia»: era assolutamente evidente, dall'andamento delle cinque voci in mio possesso e da un certo sentimento che pervadeva il mottetto, che Gesualdo avesse voluto costruire un'esplosione di suoni facendo entrare tutte e sette le voci sulla parola septiformi. La partitura era però monca, e mi sembrò un'ingiustizia tale che aggiunsi io stesso le due voci mancanti. Da lì, per amor di completezza, ricomposi le voci di tutto il mottetto, divertendomi a immaginarne l'andamen-

to prima e dopo il terzo verso. Il giorno in cui terminai questo gioco ricevetti un telegramma da Venezia, nel quale il signor Piovesan accettava finalmente le mie richieste economiche per il concerto che avrei dovuto tenere nel settembre del 1956 in San Marco. Scrissi subito che avrei voluto aggiungere, al programma della serata, un mottetto di Carlo Gesualdo da me rimusicato. Passarono alcuni giorni di silenzio, che interruppi con un nuovo telegramma in cui chiedevo spiegazioni: ebbene, Piovesan mi scrisse finalmente che il patriarca aveva storto il naso davanti all'ipotesi di rappresentare un napoletano nella cattedrale di Venezia, e mi pregava di non insistere su questo punto, poiché già complesse erano state le trattative con il patriarcato e non si poteva chiedere al cardinale Roncalli di permettere, all'interno della Basilica, la rappresentazione della musica di un uxoricida. (Ricordo poi che l'incontro che ebbi con il cardinale la sera della prova generale fu cordiale: mi sembrò un uomo buono, semplice, e credo che i cattolici possano essere contenti di averlo oggi al soglio pontificio). Il patriarca impose agli spettatori di fare silenzio durante il concerto: vietò di applaudire come forma di rispetto per la sacralità del luogo, ma lasciò che fossero installati in piazza San Marco degli enormi amplificatori, cosicché alcune migliaia di persone poterono ascoltare il mio «Canticum Sacrum» all'aria aperta. Con l'eccezione del balletto per elefanti che ideammo con Balanchine negli anni della Seconda guerra, credo che quella sia stata la più sovrannaturale delle esecuzioni dal vivo di una mia opera: la mia cattedrale di suoni, la Basilica, la piazza colma di veneziani e di turisti in ascolto, e il silenzio, come se in tutta Venezia e dunque in tutto il mondo l'unico suono concesso fosse quello della mia musica.

24 agosto, sabato

Ma torno all'oggi. La voce della morte di Emanuele e soprattutto il silenzio di Carlo sono arrivati al paese.

In questi giorni di lutto e di fine, persone del popolo, notabili, frati del convento che il principe mio ha fatto costruire osano bussare al castello, vengono a tutte le ore, picchiano con le nocche o con i bastoni sul grande portone di legno o sulle entrate laterali e restano in attesa di qualcuno che vada ad aprire loro. Nessuno apre mai, ma dalle cantine, oggi, ho sentito che Egli risponde ai bussi delle nocche, si agita, fa impazzire di suoni il suo campanello, tanto che temo che possa venire scoperto. Ma tutti sono assorti, come addormentati, e sembrano non accorgersi di nulla che non sia il vuoto in cui Carlo ci costringe in questi giorni. I paggi e la servitù camminano come sonnambuli, Castelvetro non si toglie le pantofole da notte perché, dice, non vuole disturbare la veglia del suo signore e donna Leonora non esce dalle sue stanze: non chiede del marito, né della morte del figliastro, non si mostra all'ora dei pasti. La luce di una candela vagola nelle ore più buie per i corridoi dell'ala dove ella risiede: dunque è viva, si muove, forse patisce come patisce suo marito chiuso nello zembalo, ma non vuole mostrarsi; oppure, invece, ha capito: conta i giorni che la separano dalla fine della sua cattività gesualdina e dalla morsa di don Carlo e non vuole mostrare agli uomini del castello la sua fregola, la gioia che la ghermisce. Non scrive lettere, perché non ha mandato per il messo. Forse riempie il suo diario o, semplicemente, come noi tutti, attende.

Ma Castelvetro, poco fa, ha sceso le scale dell'ala meridionale e ha aperto il portone. Io l'ho sentito, sono uscito dalla stanza mia e mi sono affacciato alla finestra della galleria. Sotto di me, riuscivo a vedere a malapena il suo corpo di giovane che stava in piedi sulla soglia, vestito alla spagnola e con indosso le pantofole. Davanti a lui, il corpo piccolo e grasso di mastro Salvatorelli, il liutaio. Discutevano animatamente e io non sentivo le loro parole. Salvatorelli fu portato qui, a Gesualdo, insieme ad altri liutai perché aprissero le loro botteghe e servissero il principe. Di ritorno da Ferrara, don Carlo convocò Salvatorelli al castello e gli disse che dopo aver sentito Luzzaschi e aver suonato la sua musica in quella corte magnifica aveva avuto la visione di uno strumento a corda più grande e complesso del liuto e dell'arciliuto. Teneva in braccio il chitarrino e diceva: «Vedi, Salvatorelli? La sua tastiera è limitata: si arriva a toccare molte note, ma ci sono pochi tasti, e pochi suoni» apriva la sua grande mano bianca sul manico dello strumento e quasi lo copriva interamente. «Che musica si può comporre sopra uno strumento tanto piccolo?»

Salvatorelli e io rimanevamo in silenzio, cercando di capire che cosa don Carlo volesse arrivare a dire.

«Vi sono poche ottave qui dentro» diceva, «e in ogni ottava non ci sono tutti i suoni possibili: la musica è fatta di variazioni, di salti, di vibrazioni, e tu sai bene che la più piccola vibrazione di una corda può spalancare infiniti mondi».

Don Carlo posò il liuto a terra e si alzò. «Immagina che io voglia accostare suoni lontanissimi e che li voglia far vibrare tutti nello stesso momento» faceva con la mano destra il gesto di accarezzare le corde, mentre le dita della sinistra si muovevano su una tastiera immaginaria come tante piccole teste di uccelli appena nati che prendono il cibo dalla bocca della madre.

«È la musica che già componete, Eccellenza».

Gli uccellini si fermarono e si chiusero a pugno. «Immagina che io voglia fare di più, che voglia mischiare più ottave e voglia creare dei conflitti che finora non ho creato. Su che strumento dovrei lavorare?»

Salvatorelli chiese una sedia e si mise a pensare.

«Voi mi chiedete uno strumento a corda. Volete una chitarra diversa da quelle che già possedete» disse. «Dovete darmi del tempo per studiare, per fare delle prove».

«Tutto il tempo che vuoi, Salvatorelli».

Il liutaio si alzò dal suo posto e fece come per riverire. Il principe afferrò il liuto e disse:

«Studia la divisione delle ottave, dammi qualcosa che mi faccia sentire sotto le dita ogni minima variazione di suono. E dammi un legno diverso da questo: lo voglio più elastico, in modo che reagisca a ogni sollecitazione e la trasformi in suono».

Negli anni successivi, Salvatorelli portò al principe vari prototipi: chitarre dai manici lunghissimi, oppure tozzi e spessi a sei, otto, perfino tredici ordini di corde, liuti con casse armoniche enormi e dunque poco maneggevoli; provò vari legni: l'acero, l'abete, il sambuco. Il principe li teneva con sé qualche giorno, li imparava, li provava e poi li rimandava indietro.

«Che differenza c'è tra questa cosa panciuta che mi hai mandato e il liuto, a parte che sul liuto si arriva a toccare le corde e qui è impossibile?» urlava, e rimaneva di cattivo umore per giorni.

A oggi, Salvatorelli non ci ha portato nessuno strumento che sia davvero efficace, e tuttavia è rimasto a Gesualdo per provarci: a volte porta al castello dei disegni, e per lunghe ore si intrattiene con Carlo descrivendo le qualità dello strumento che ha in mente. Il principe si toglie dalla cintura il sacchetto e gli consegna degli scudi.

«Procurati i materiali» dice. «Vai a Napoli se serve».

Ma tutti i liutai di Gesualdo, ora, devono aver capito che se tutto finisce non ci sarà più nessun principe ad allentare le corde del sacchetto. Torneranno a Napoli, perché qui non rimarrà nessuno in grado di capire la differenza tra un abete e un sambuco. Dunque bussano alla porta, chiedono di don Carlo, portano segni di lutto per la morte di Emanuele, ma in realtà desiderano sapere se devono impacchettare le loro robe e tornare nella città da cui mancano da molto tempo e nella quale i liutai sono già molti.

Salvatorelli ha consegnato dei fogli a Castelvetro. Ora io so che si tratta di un altro disegno, che con ogni probabilità Carlo non vedrà. Mi sono levato dalla finestra appena i due si sono congedati e sono rimasto fermo per qualche istante nella galleria non illuminata: la luna, però, segnava il cammino riflettendo il suo chiarore sulla grande pancia bianca del Cristo crocifisso che don Carlo commissionò al pittore delle annegate quando questi lo incontrò a Napoli. Aveva vissuto per qualche tempo a Malta, e il suo volto era già sfregiato e orribile a vedersi. Si presentò a noi grazie a un'intercessione della famiglia Colonna, e sembrava un uomo in fuga. Dipinse il Cristo in poche settimane, mettendolo sulla croce e buttandogli addosso un bagliore.

«Perché c'è tutta questa luce?» domandò Carlo non appena gli fu mostrato il dipinto. «Perché non è oscuro, come oscura e terribile è la morte che voi rappresentate?»

Il pittore delle annegate guardò il suo quadro, ed era come se lo vedesse per la prima volta e lo studiasse.

«Perché bianca è l'anima di Dio, Eccellenza» rispose infine.

«L'anima di Dio. Voi dite che è bianca, ma bianca è ogni cosa spaventosa» disse il principe.

«Spaventosa? L'anima di Dio è per voi spaventosa?»

Carlo si avvicinò al quadro, osservò da vicino il taglio sul costato e poi si volse verso il pittore indicando lo sfregio che aveva sul volto.

«Vi siete raffigurato sul costato di Cristo» disse.

Lo sfregiato si toccò la cicatrice che lo attraversava dall'orecchio al mento e non rispose. Così Carlo continuò:

«Avete dato alla ferita di Cristo la stessa forma della vostra cicatrice: l'avete solo rivoltata».

«L'avevate già veduta nei disegni preparatori» rispose il pittore. Stava in piedi, e si appoggiava ora su una, ora sull'altra gamba.

«Eppure soltanto adesso la noto, e non per via del dipinto: forse perché, oggi, il vostro sfregio è di un rosso più vivo».

«Posso modificare l'opera, se lo desiderate».

«Non lo desidero» sollevò un dito e lo avvicinò ai capelli del Cristo, che gli coprivano una parte del volto e lo celavano al mondo, e parve quasi volerli toccare. Non lo fece. «È la prima volta che non vedo il volto di Cristo in un dipinto della crocifissione. Egli forse vi assomiglia, o forse assomiglia a me. Ma questi capelli lo nascondono, come se nella morte egli volesse mantenere un segreto».

«Lo vuole» rispose il pittore.

Carlo si voltò.

«E qual è questo segreto?» domandò.

«Non lo so» disse il pittore, «io sono soltanto colui che l'ha dipinto».

Gesualdo ama il buio, forse, e lo sorprende questo bianco. Forse lo teme, ma questa non è che una mia suggestione. A Pompei, quando immaginammo le scene per il Pulcinella, Pablo si rammaricava che il costume tradizionale di quella maschera fosse bianco e nero. Gli mise dei calzettoni rosso fuoco e fece esplodere la scenografia di colori, di luci, di suoni – sì, di suoni: io guardavo i suoi disegni preparatori e sentivo la musica che andavo componendo, che era piena di luci, e virava sul rosso. Anche per Cocteau la musica del Pulcinella era a colori; solo che per lui, chissà perché, virava sulle tonalità dell'azzurro, del ciano, dello zaffiro («Sarà per via del colore del mare e del cielo che dominano questa città» diceva). Poco fa, al telefono con Aldous, ho proposto un gioco: che colore ti viene in mente se pensi a una mia opera? Ha detto: il giallo per la «Sagra», il grigio – o forse il marrone per via delle trincee – per l'«Histoire», il viola per il «Rake». «Adesso tocca a te», ha detto. E quindi: giallo per «Giallo cromo» («Non vale!» ha protestato), un grigio che svanisce, si fa bianco, per «Punto contro punto» (di tutti i suoi libri il mio preferito), il rosso per «Il mondo nuovo». «Il rosso?» ha protestato di nuovo «Quel libro, se ha un colore, è nero». «No» ho detto io, «è rosso, rosso scuro». Abbiamo discusso un po', divertendoci: lui sostiene che io lo voglia rosso perché penso parli dell'Unione Sovietica. «Ma Igor, non avrei mai scritto un libro che si lega in modo tanto evidente e triviale a un solo luogo e a un solo tempo». «Allora tira fuori dal marrone delle trincee il mio "Soldat"» ho ribattuto. Abbiamo deciso, dopo una lunga discussione, che chiederemo a Auden di farsi arbitro della contesa.

Ma io tralascio di raccontare le cose con l'ordine e la cura che mi sono prefisso. Chiedo perdono a chi mi leggerà, ma vengono di continuo ricordi, impressioni, immagini di ciò che è stato e io faccio loro posto. Da Roma, tornammo verso Gesualdo senza che avessi potuto prendere dalla cella nulla che fosse mio: «Lascia pure qui i tuoi pochi stracci» mi aveva detto Carlo, «al castello avrai a disposizione ogni cosa che ti occorre». Aveva negli occhi una malinconia, o un'incertezza, che erano forse una paura delle responsabilità cui andava incontro: non si trattava certo di dolore per Luigi, che aveva amato di un amore freddo, e nemmeno per l'abbandono della carriera sacerdotale, cui era stato destinato per nascita e non per vocazione.

Quando fummo nei pressi di Maddaloni, scorgemmo

due sagome scure che si avvicinavano a cavallo: gli uomini del nostro seguito caricarono gli archibugi e, per un istante, tutti pensammo si trattasse dell'avanguardia di una banda di briganti capitata sulla nostra via. Era invece Francesco de Caposele, staffiere di casa Gesualdo, che ci veniva incontro insieme a Pietro da Vicario con la notizia che negli ultimi giorni, sui monti del Partenio, avevano trovato rifugio alcuni fuggiaschi del carcere di Acerra, e che sui sentieri e nei boschi infuriava la caccia da parte delle guardie vescovili.

«Vostra Eccellenza» disse de Caposele a Carlo, che aveva scostato la tenda della carrozza per sentirlo parlare, «non è sicuro passare per le montagne».

«E quale via ci consigli, dunque?» domandò l'Adinolfo.

«Arrivati a Nola, è meglio scendere verso Lauro e da lì passare per Avellino».

«Allungheremo il viaggio di diversi giorni».

«È quello che abbiamo fatto noi per venire ad avvisarvi» rispose de Caposele. «Le terre dei Caracciolo sono sicure: vostro zio li ha già avvisati del nostro passaggio e ci aspettano tra qualche giorno per il pernottamento».

«Sta bene» disse Carlo richiudendo la tenda.

Non racconterò il viaggio che, del resto, fu tranquillo fin quasi a Gesualdo. Salimmo verso Torella dei Lombardi, con l'intenzione di arrivare al castello tramite Villamaina: eravamo ormai nel feudo della famiglia e qualcuno, al nostro passaggio per i villaggi, osava affacciarsi alla finestra per salutare la carrozza dell'erede che passava. Il parroco di Torella dei Lombardi volle omaggiare Luigi suonando le campane a morto mentre la nostra comitiva attraversava la piazza. L'Adinolfo, il Bardotti e gli uomini del nostro seguito si scappellarono e tennero il capo chino: ne veniva un'atmosfera di processione che mise sul volto di Carlo l'ombra di un turbamento.

«È per vostro fratello» dissi.

Rimase in silenzio per un po', come aspettando che lo scampanio cessasse, poi disse: «Dimmi Gioachino: a te piacerebbe che suonassero le campane a morto al tuo passaggio?»

Uscimmo dal paese che ancora si sentiva, in lontananza, quel suono, ed egli rimase pieno di pensieri, ma pensieri cupi, finché un odore di uova marce non riempì la carrozza. Carlo scostò la tenda, abbassò il vetro e guardò fuori. Anch'io mi affacciai, cercando il punto di origine di quell'odore.

«È la Mefite, Eccellenza» diceva intanto l'Adinolfo. «Vi ricordate?»

Tutt'intorno alla pozza sulfurea, che non vedevo ma indovinavo nel fondo della valle, era deserto: non una pianta vi cresceva, non un animale vi si muoveva attorno. Oggi so che, spesso, qualche volpe, di notte, cacciando si distrae e si avvicina così tanto alla pozza che le sue esalazioni la stordiscono e la rendono come ubriaca: nel suo intontimento essa vaga, immagino, senza sapere più che cammina sull'orlo dell'inferno, e cade dentro le acque bollenti, morendo non so se per annegamento o asfissia. La mattina, gli abitanti dei dintorni la trovano già frolla, e facile da spellare. Si avvicinano alla Mefite sperando di trovarvi cadaveri di lepri e cuccioli di cinghiale, che si trascinano a casa dentro sacche di tela grezza o di pelle di capra. Pregano soltanto che i loro figli, specie se piccoli, non si avvicinino al laghetto: ma chi è più alto di mezza gamba non teme le esalazioni, assassine soltanto di animali di piccolo taglio o di stupidi giovani che giocano con la sorte mettendosi a quattro zampe sulle rive della pozza.

«Chiudete!» ordinò all'improvviso Carlo mentre passavamo sopra il laghetto. Si era ritratto sul sedile e in volto era pallido. Teneva gli occhi spalancati, che fissavano senza vederlo un punto vicino ai piedi dell'Adinolfo.

«Che vi succede?» chiese questi, ma Carlo non rispose. Si era portato una mano al petto e teneva la bocca aperta nella smorfia che ho visto fare a certi tacchini quando lottano per rifiutare il cibo dalla mano che li ingozza: era come se volesse agguantare l'aria e, allo stesso tempo, buttasse fuori una disperazione e uno spavento. Dal fondo del suo giovane corpo venne un suono, che sulle prime mi sembrò un ululìo soffocato, ma che era invece il rumore del ristagno dell'aria bloccata nell'esofago. L'Adinolfo e il Bardotti gli si fecero vicini, e anche qualche palanfreniere si affacciò.

«Vai per Staibano! Vai per Staibano!» urlò il Bardotti senza rivolgersi a nessuno in particolare, ma due degli uomini a cavallo partirono a spron battuto per il castello. Il tiro su cui viaggiavamo, intanto, si era fermato: Carlo si teneva sempre la mano aperta sul petto e provava lunghi respiri che gli si bloccavano in gola e che si trasformavano in fischi. Era bianco, e un sudore acido l'aveva preso. Durò pochi minuti, durante i quali l'Adinolfo e il Bardotti gli slacciarono la giubba e la camicia e Staibano arrivò sul cavallo del primo palanfreniere. Ma ormai l'attacco si era placato, e lentamente Carlo recuperava respiro e colore: disse al medico che l'odore della Mefite gli aveva chiuso il petto, e si lasciò calmare. Entrammo così nella casa del padre, accompagnati da campane a morto e dal torace del mio padrone che mandava fischi di lupo.

Conobbi gli zii di Carlo, il cardinale Alfonso e Giulio Gesualdo, nei giorni successivi: erano ospiti del principe Fabrizio in seguito alla morte di Luigi. Il principe trascorreva lunghe ore insieme al cardinale, che in quegli anni era vescovo di Albano, vicino a Roma: pregavano e, sono certo, discutevano del futuro del feudo, che alla morte del principe sarebbe passato a Carlo. Lo convocarono nello zembalo una mattina, due giorni dopo il nostro arrivo. Entrai con lui, e mi misi nell'angolo. Il cardinale Alfonso, con quel suo naso dritto e sottile, assomigliava un po' a Carlo, anche se aveva nell'espressione degli occhi come una noia, un sentimento di cose già viste che lo invecchiava: aveva quarantacinque anni e ne dimostrava sessanta. Forse era disillusione: a venticinque anni aveva partecipato al suo primo conclave e probabilmente una parte di lui ambiva al soglio pontificio; ma vent'anni di governo gli avevano anche insegnato a non coltivare troppo le illusioni, e dunque le lasciava lontano dal cuore: esse si vendicavano imprimendosi sul suo volto. Giulio era un uomo grasso, sposato con una Caracciolo e infiacchito dal tedio, che sfogava sui corpi delle cortigiane e di molte dame di Napoli. E tuttavia aveva sulle labbra un disprezzo: glielo vidi quando Carlo, entrato, si inchinò prima al padre, quindi baciò l'anello dello zio cardinale e solo in ultimo riverì lui. Si voltò e, nella luce della finestra, la sua testa sembrò un carapace, non tanto per la forma, che pure era tonda, quanto per la durezza della pelle.

A Nona, continuazione

Carlo si sedette e così fecero gli altri, tranne don Giulio, che rimase alla finestra.

«Tu sai, figliolo» cominciò il principe, dopo aver atteso che il cardinale trovasse una posizione comoda sulla poltroncina, «perché ti abbiamo richiamato da Roma. Solo pochi giorni fa, tuo fratello mi seguiva fino alle nostre scuderie di Calitri, dove scelse per sé il cavallo migliore: a breve io e lui avremmo intrapreso un lungo giro per i nostri feudi ed egli voleva una bestia che fosse all'altezza del futuro principe».

Si fermò, parve voler respirare. Sotto il tavolo dov'erano seduti, il cardinale Alfonso mosse le gambe, e le dita dei piedi guizzarono dentro le babbucce come dieci piccoli pesci.

«So che non sei ancora passato a consolare le tue sorelle» ricominciò il principe. «È tuo dovere farlo».

«Ho avuto un'indisposizione, padre» disse Carlo.

«Ma ora è passata, e mi aspetto che tu cominci a comportarti come impone il ruolo che assumerai».

Don Giulio trasse un sospiro e si voltò per guardare la valle oltre il vetro della finestra.

«Farai con me il viaggio che tuo fratello non potrà fare» disse ancora il principe. «Partiremo entro pochi giorni: vedrai tutte le nostre terre, e ti darò qualche nozione sull'amministrazione dei possedimenti. Prenderai, se lo vorrai, il cavallo che Luigi aveva scelto per sé».

«Padre, parlate come se vi sentiste prossimo alla morte» disse Carlo.

I dieci pesciolini nuotarono di nuovo dentro le babbucce.

«Dio solo può sapere quando essa ci verrà a prendere, figliolo» disse il principe segnandosi e voltandosi verso don Alfonso. «A noi mortali è dato soltanto di farci trovare pronti quando ciò accadrà. Voglio che tu, in questi anni che ancora m'avanzano, impari da me ogni cosa ti sarà necessaria quando ti troverai solo ad amministrare queste terre».

Fece con il palmo un gesto ampio, come se volesse abbracciare la stanza e tutto ciò che conteneva, tranne me. Quindi indicò don Alfonso, che era in attesa. Il cardinale si sistemò ancora sulla poltroncina e diede un colpo di tosse: solo ora notai che teneva tra le mani un vecchio rosario, ma non lo sgranava.

«È necessario che tu prenda moglie» disse il cardinale, «e che lo faccia al più presto».

Per la prima e unica volta in quella circostanza, Carlo si voltò a cercarmi.

«Come forse sai, da tempo non si hanno più notizie del marchese Alfonso Gioieni, secondo marito di tua cugina Maria d'Avalos» proseguì.

Le mani di Carlo si contrassero in uno spasimo simile a quello che gli avevo visto provare sul liuto in certe occasioni in cui il suono che desiderava non gli veniva.

«Ci sono buone ragioni per credere che egli non tornerà dalla Terra Santa: a breve sapremo se Maria d'Avalos è, per la seconda volta, una vedova in cerca di marito».

Don Giulio fece un passo avanti, uscendo dal cono di luce della finestra. «Ma Carlo e Maria sono primi cugini!» quasi urlò. Poi si ricompose: «Voi sapete bene che la norma vieta il matrimonio tra consanguinei».

Il principe si voltò verso don Giulio: «La volontà di Dio e la nostra è che le famiglie d'Avalos e Gesualdo si uniscano».

«State seppellendo il marchese di Giulianova prima di essere sicuri che sia morto» lo interruppe don Giulio.

«Ho ricevuto in questi mesi lettere allarmate da donna Sveva: dice che la figlia è sola a Catania con la piccola Beatrice, e le manda disperati appelli. È convinta che il marito sia morto e vuole tornare, anche se non può farlo senza avere la certezza della disgrazia».

Carlo si muoveva sulla poltroncina, e pareva quasi non ascoltare i discorsi del padre e degli zii.

«Avrete comunque bisogno di una dispensa papale: per la Chiesa cattolica un'unione di questo tipo è un'aberrazione» disse ancora don Giulio.

«Lasciate che sia la Chiesa cattolica a decidere ciò che è aberrante e ciò che non lo è» intervenne il cardinale. «Inoltreremo un'istanza di deroga a papa Sisto quando i tempi saranno maturi; il cardinale d'Aragona e lo stesso viceré sono dalla nostra parte, e nessuno vuole che Maria si ritiri, a soli ventisei anni, in un convento».

Il principe Fabrizio si rivolse a Carlo. «Nei prossimi mesi, figliolo, faremo chiarezza sulle sorti del marchese ma se, come pare, Maria è di nuovo sola, la nostra volontà è questa» si alzò dalla poltroncina e appoggiò le dita elegantemente sul tavolo. «Sposerai tua cugina e quando sarà il tuo turno prenderai nelle tue mani i nostri feudi».

Anche il cardinale si alzò, schiacciando i pesciolini sotto il peso del corpo. Ci impartì una veloce benedizione, quindi disse: «A una hora di notte faremo nella cappella una messa di suffragio per Luigi».

«Lì incontrerai anche le tue sorelle e alcuni musici napoletani che sono venuti a corte e che mi piacerebbe farti conoscere» aggiunse il principe e ci congedò.

Tornammo nella camera di Carlo, e faticavo a stargli dietro perché quasi correva per i corridoi. Si chiuse la porta dietro le spalle, la inchiavò, gettò la sopravveste sul letto e cominciò ad aprire gli armadi, e intanto parlava tra sé, maledicendosi perché non trovava ciò che stava cercando.

«Forse dovreste chiamare un servitore e farvi aiutare» dissi, ma non mi ascoltò.

Portò a uno a uno i cassetti del settimino sopra il letto e vi rovistò con le sue mani lunghe e impazienti. Poi si fermò, buttò con un gesto di stizza i cassetti per terra e trasse da un angolo della stanza il baule che avevamo portato da Roma. Lo aprì ed era vuoto. Ebbe un'epifania: frugò tra i libri impilati sullo scrittoio e solo allora mi accorsi che tra questi si trovava un volume che avrebbe dovuto essere restituito alla biblioteca del Collegio. Ci guardammo per un istante, in cui non feci in tempo a domandargli nulla sul furto, poi afferrò il libro, lo rovesciò, fece scorrere le pagine e, sul letto ormai gualcito, vidi cadere un piccolo guanto bianco da donna, che egli prese delicatamente tra le dita mormorando: «Il Bardotti non l'ha trovato».

C'era sul suo volto una luce che non gli conoscevo. Stirò a lungo il guanto con il palmo di una mano e disse, ma come ridendo: «Non si è rovinato». Si voltò verso di me, mostrandomelo come se fosse una reliquia, e aggiunse: «Probabilmente il rettore mi avrebbe perdonato per aver suonato della musica nella cella, e perfino per aver letto un libro sottratto alla vetrina. Ma non credo che mi avrebbe perdonato questo».

«L'avevate con voi a Roma?»

«Nella tasca interna della veste. Lo nascosi nel libro per il viaggio».

«Avete tenuto con voi un guanto di donna per tutto questo tempo?»

Con delicatezza si portò la reliquia al naso e chiuse gli occhi: «Ora sa di carta vecchia. Ma prima sapeva della mano e degli aromi che avvolgono il corpo di Maria».

Ridemmo insieme, ma brevemente: si alzò quasi subito dandomi le spalle, cominciò a fare avanti e indietro nella stanza. Sentii il suo respiro che si gonfiava mentre ancora una volta si portava il guanto al naso. Mi avvicinai a lui di un passo e inavvertitamente allungai un braccio verso la reliquia. Egli mi diede uno schiaffo con la mano libera, urlando: «Non osare toccarlo!»

Mi ritrassi, sentivo la guancia calda: «Non avrei osato mai» dissi.

«Esci ora» ordinò, e aveva negli occhi una voglia.

«Non saprei dove andare» risposi.

«Esci, ti dico».

«Io sono dove siete voi. È per questo che mi avete voluto qui».

Sembrò sorpreso, ma non protestò: «Allora voltati».

Rimasi fermo.

«Voltati ti dico!»

Mi voltai verso la parete. Alle mie spalle, sentii il suo

lungo corpo lasciarsi andare sul letto, accompagnato da un rumore di lacci e fibbie che si allentavano.

«La sposerete, Eccellenza» dissi senza voltarmi, «dovete soltanto portare pazienza».

«Taci» disse, con una voce che già non era sua.

Aspettai. Quando si fu ricomposto mi voltai e lo trovai seduto tra i cuscini con un languore negli occhi.

«Da quanti anni non la vedete?» domandai.

«Non ricordo. Eravamo dei ragazzini». Allungò un dito verso la finestra che dà a sud e aggiunse: «Affacciati, Gioachino, guarda: vedi la vecchia giostra nel giardino? È lì che mi diede il guanto l'ultima volta che ci incontrammo».

«Fu lei a darvelo?»

«Le chiesi un pegno, e lei se lo sfilò mentre la carrozza l'aspettava per riportarla a Napoli».

«Dunque è per questo che il guanto è così piccolo: appartiene a una bambina».

«Appartiene a una donna che pensavo di aver perduto, e sulla quale, da anni, non ho notizie che di lontano: è stata una Carafa, prima, e poi una Giulianova. Ha scritto a mio padre e allo zio, chiedendo a volte notizie di me, ma come si conviene tra cugini». Posò il guanto su una coscia, ma poi si alzò e raccolse da terra il primo cassetto.

«Che fate?» chiesi.

«Non voglio che il Bardotti veda e si faccia domande. Sarò pur in grado di infilare dei cassetti». Vi mise dentro alcune camicie che erano cadute, fermandosi ogni tanto e come chiedendosi in quale dei sette cassetti stessero originariamente. Li riempì tutti senza criterio e senza ripiegare i vestiti. Poi cominciò a rimetterli nel mobile. Pesavano, e sudava un po'. Intanto raccontava:

«Uno si aspetterebbe che i discendenti di una famiglia di origine castigliana siano scuri di pelle e di capelli: invece Maria è chiara, bianca quasi; ha i capelli biondi e gli occhi azzurri. È un prodigio! La mandarono in sposa a Federigo Carafa che aveva quindici anni, e io spero che quel matrimonio, più che il secondo, non l'abbia sfiorita. Lo zio Giulio l'ha incontrata pochi anni or sono: è a lui che devo domandare».

Il secondo cassetto entrò nel settimino con un po' di sforzo: Carlo aveva messo troppi vestiti nel primo, che era gonfio di roba.

«Giocavamo sulla giostra e lei era poco più di una bambina, ma già le respiravano, sotto il corsetto, due piccoli seni che io guardavo quasi senza malizia. Lei lo notò e disse, mettendosi una mano sul petto: "Che avete da guardare, cugino?". Ma c'era nella sua voce un divertimento, una voglia di piacermi. Si mise a ridere e lasciò la mano mentre saliva su un cavalluccio. "Spingete!" ordinò, e io la guardai girare a lungo, finché, con un balzo, saltò giù. La corsa e le risate l'avevano accaldata e si allentò i lacci del corsetto, così che io potei di nuovo guardare quelle forme piccole, ma guardarle un po' più a fondo. "Vi piaccio, cugino?" disse lei, con un tono sciocco che pure m'infiammò. Arrossii, ed era la prima volta. Avevo visto, nella mia breve vita, altri seni: quelli delle serve, quelli delle nutrici delle mie sorelle, avevo ammirato certi quadri e certe statue nella galleria e a Napoli. Ma nessun seno di donna mi turbò come quei cuccioli che vedevo ora nascosti dal corsetto di Maria. "Siete piccolo" disse, "per pensare già a queste cose". Io tacqui come istupidito, ma quando, poco più tardi, la voce della sua cameriera la chiamò perché si affrettasse alla carrozza, le chiesi quel pegno di cui ti parlavo, e l'ho tenuto con me».

Il terzo e il quarto cassetto entrarono velocemente nel settimino, mentre gli domandavo se sapesse come fosse morto Federigo Carafa, il primo marito di donna Maria e il padre di sua figlia. Fece con la mano un gesto come a dire "Nessuno lo sa", eppure io, oggi, conosco le voci che proliferarono all'epoca intorno a quella morte misteriosa, che seguiva di poco la scomparsa del primogenito, Ferdinando. Anche sulla fine di Alfonso Gioieni circolarono voci e, dopo aver conosciuto Maria, dopo averla veduta e seguita e desiderata e aver sentito che, forse, il viaggio in Terra Santa da cui il marchese di Giulianova non ritornò non era in realtà mai stato fatto, non posso essere sicuro che Federigo e Alfonso, due uomini giovani, forti, sposati con la donna più bella di Napoli, siano morti all'improvviso, senza spiegazioni né logica, lontani da casa. Si disse invece che morirono in ginocchio, smunti, aggrappandosi alle coperte e scongiurando la loro ape regina di lasciarli riposare, di concedere una tregua di qualche giorno ai loro lombi, mentre lei, nuda e scapigliata, avvolta nella pappa sudata del letto nuziale e con negli occhi un lampo lascivo, li commiserava e li derideva, accusandoli di non essere maschi abbastanza o di non amarla tanto da volerla soddisfare e, si dice, scostate le coperte e mostrandosi in tutta la sua luce, ella volle aprire un'ultima volta le gambe che ancora scattavano per l'amplesso precedente, mettendosi di nuovo in offerta e sapendo, forse, che quell'ulteriore prova che chiedeva ai mariti l'avrebbe infine lasciata vedova.

Il quinto e il sesto cassetto furono a posto, quando Carlo si accorse che, nella furia di riempire gli altri, aveva lasciato quasi vuoto il settimo, che si chiudeva senza resistenza. Così prese il guanto e ve lo posò. Si era fatta l'ora della messa di suffragio e di incontrare il resto della famiglia.

Quando lasciammo ciò che avevamo per trasferirci a Parigi, Ekaterina volle abbandonare la pronuncia russa del suo nome e adottare quella francese. Scherzando tra di noi, appena spo-

sati, giocavamo a modificare i nostri nomi: era Kat'ja o Kat'ka quando eravamo soli; era Euterpe quando, con la sua fragile voce di soprano, cinguettava un'aria che avevo composto e la sbagliava; era Ekaterina Graviilovna quando litigavamo in modo furibondo. Ma il nome Catherine, sulle prime, mi sembrò un'inutile frivolezza. Trovavo e in fondo trovo ancora che la versione russa del suo nome abbia una nobiltà e un'imponenza che la raffinatezza della francese non potrà mai raggiungere. Tuttavia, verso la fine del 1917, quando da Pietrogrado, o da Pietroburgo, ci giunsero notizie che non avremmo mai voluto ricevere, presi a chiamarla Catherine con continuità, poiché la nobiltà e l'imponenza di quel nome mi erano all'improvviso parse inutili e sciocche. Eravamo, come Carlo e Maria, cugini di primo grado. L'avevo conosciuta quando avevo circa dieci anni: da un anno studiavo pianoforte e lei, che era più giovane di sei anni, già voleva provare a cantare. Fu una comunione: capimmo presto, Catherine e io, che la vita non era stata giusta con noi facendoci cugini. Trovammo un prete di contrabbando che accettò di sposarci, a patto che non ne facessimo parola con nessuno nel villaggio. Io avevo 24 anni e lei 18. «Anche tu dovresti cambiarti il nome» mi diceva a volte, a Parigi o in Svizzera. Ma non esiste una versione francese, o americana, di Igor': Igor' è Igor', al limite Ingwar, alla polacca. Ho tolto il segno debole: di più non posso fare. Per quanto riguarda il cognome, ha origini polacche, ed è un aggettivo: sono il primo stravinskiano del mondo! Tutto ciò che firmo mi appartiene, ma non perché vi ponga il mio nome sopra: semmai perché vi pongo il mio aggettivo, lo qualifico. I tedeschi scrivono il mio cognome con la «w», gli americani con la «v»; quasi tutti – tedeschi, americani, francesi – lo chiudono in «y»; italiani e cechi con «ij», che è una forma più fedele alla grafia russa; per i polacchi – da cui provengo – sono semplicemente «Stravinski», senza strani segni né doppie vocali. Adottai, all'inizio della carrie-

ra, la grafia tedesca, poiché tedeschi erano i primi editori delle mie opere. Ma gli americani leggevano «Strauinsky»: così quando, dopo le morti di Ljudmila e soprattutto di Ekaterina, venni in America, diventai Stravinsky.

26 agosto, a notte, con un aneddoto sullo Starace

Il 18 gennaio 1586, grazie all'intercessione dei cardinali Alfonso e d'Aragona e con il beneplacito di Filippo II, venne inviata a Sisto V, il papa delle forche, la richiesta formale per ottenere una dispensa e permettere a Carlo e Maria di convolare a nozze. Si era appurato che il marchese di Giulianova era morto, e oggi come allora poco importa che ciò sia accaduto in Terra Santa o nel letto nuziale. Da alcune settimane Maria e la figlia Beatrice avevano lasciato la Sicilia e attendevano a Ischia la decisione del papa, che tardò ad arrivare. Carlo camminava avanti e indietro nelle sue stanze, suonava poco e svogliatamente, ma rivedeva certe sue composizioni che aveva fatto con la spinetta: si sedeva al tavolo, scriveva poche note, quindi si alzava e mandava a chiamare l'Adinolfo per sapere se fossero arrivate delle notizie da Roma.

«Sisto è un papa capriccioso, Eccellenza» lo calmava l'Adinolfo, «ma non dubito che nei prossimi giorni ci farà avere la sua dispensa...»

La dispensa, infine, arrivò. Partimmo immediatamente per Palazzo di Sangro, in Napoli, dove Carlo e Maria, dopo molti anni, si sarebbero di nuovo incontrati. Vennero con noi i musici che don Fabrizio aveva accolto al castello e che nelle ultime settimane avevano trascorso molto tempo insieme a Carlo. Pochi mesi prima, Stefano Felis aveva pubblicato il suo secondo libro di mottetti, che comprende la prima composizione a cinque voci del mio padrone: *Ne reminiscaris, Domine.* Carlo pretese che Felis viaggiasse nella nostra carrozza e, non appena fummo scesi dalla rocca, trasse di tasca i fogli su cui aveva lavorato in modo così discontinuo negli ultimi giorni e li mostrò al musico: «Maestro, abbiamo qualche giorno di viaggio, vi voglio mostrare alcune composizioni che vado immaginando da qualche tempo».

Felis allungò la mano per farsi dare il pentagramma, su cui Carlo aveva scritto e riscritto la sua musica preso da quella foia di sapere notizie da Roma. I fogli erano pieni di cancellature, di titubanze, ma Carlo non aveva voluto trascriverli in bella copia prima di mostrarli al Maestro. Per qualche minuto, Felis lesse quei fogli, compitandoli a fior di labbra. Carlo lo fissava, o meglio, fissava quella bocca in cui i testi si perdevano, perché Felis sembrava leggere soltanto la musica. In un paio di circostanze il musico si fermò, puntando il dito su un passaggio: «Mi perdoni, signore: non capisco bene. Si tratta di un ripensamento?»

«No» rispose Carlo.

Felis si immerse di nuovo nella lettura, ma in alcuni punti la sua bocca si fermava, come se la compitazione non potesse essere continua, e il musico sentisse il bisogno di riposarsi e ragionare.

«E ditemi» domandò ancora dopo qualche tempo, «anche questo passaggio è per voi definitivo?»

Carlo prese i fogli dalle mani del Maestro e se li pose sulle ginocchia: «Ascoltate» disse.

Con il suo abisso di voce, intonò il passo facendo scorrere l'indice sulla carta. Io e Stefano Felis lo ascoltammo fino alla fine.

«Ripetete, per favore» disse Felis dopo che Carlo ebbe finito.

Carlo ricantò, e fu una scena in tutto simile alla prima

volta in cui il mio padrone aveva mostrato a Felis il *Ne reminiscaris, Domine*. Felis lo ascoltava con grande attenzione, ma in più punti lo aveva interrotto esclamando: «Quell'accento! Come vi è venuto? Perdonatemi, ma ripetete il verso». Carlo aveva ripetuto molte volte, perché molte volte Felis gli aveva chiesto di ritornare su un passo, su una disarmonia che arrivava inattesa. Quando il mottetto era arrivato alla fine, Felis si era alzato, si era avvicinato a Carlo e gli aveva domandato l'onore di baciare la mano che aveva composto il pezzo.

«Raramente ho sentito qualcosa di tanto insolito e potente» aveva detto. «Vi appoggiate a strutture note, ma i vostri ricami sono così arditi. E siete così giovane! C'è il rischio che il vostro mottetto oscuri i miei».

Aveva voluto studiare la partitura, ricantando a bassa voce i passaggi che l'avevano colpito. Solo allora era parso accorgersi delle parole che Carlo aveva scelto per la sua musica: «Perché, signore, avete scelto per la vostra prima pubblicazione un salmo penitenziale? Siete molto giovane e, per quanto siate devoto, non credo abbiate motivo di fare penitenza» aveva chiesto.

Carlo era sembrato riflettere per qualche secondo. «Probabilmente, se voi non aveste concesso di ospitare una mia composizione nel vostro libro, avrei scelto un altro argomento per questa musica. Ma credo che, per un esordio, sia giusto chiedere perdono a Dio».

«Non chiedete soltanto perdono, qui: fate penitenza».

Carlo aveva sorriso. «Forse dimenticate che io ho studiato a lungo da sant'Ignazio, per il quale perdono e penitenza non sono così lontani».

Al momento in cui vi arrivammo, Napoli era una città che riprendeva fiato dopo mesi di tumulti. Oltre cinquecento popolani erano stati condannati nel dicembre dell'anno precedente in seguito al brutale assassinio di Giovan Vincenzo Starace, eletto del popolo presso il governo municipale: lo trascinarono, seduto su una seggetta, da Santa Maria la Nova fin sotto le finestre del palazzo del Viceré, in una processione popolare in cui, si racconta, anziché rendere omaggio, gli uomini e le donne di Napoli cominciarono a ricoprirlo di insulti, poi gli strapparono le vesti e infine, quando egli, ormai nudo e probabilmente consapevole di ciò che sarebbe successo, li scongiurava e faceva promesse, si avventarono sulle sue carni con le mani e con gli oggetti che trovavano per via. Dal suo balcone, quando il Viceré si affacciò, attirato dalle urla di festa nella piazzetta, vide soltanto, ancora seduto sulla seggetta, il tronco di un uomo a cui mancavano gli arti e al quale la testa, il sesso, i glutei e pezzi dell'addome erano stati strappati e gettati ai cani di via Medina e di Castel Nuovo.

Varcammo Porta Nolana sotto una pioggia leggera. Le strade erano comunque piene di gente del popolo che bighellonava, trascinava carretti, portava ceste dentro cui stavano pani o verdure che voleva vendere. Una donna si avvicinò al nostro corteo. Era vestita di stracci, sporca, e diceva qualcosa in dialetto. Gli staffieri le si fecero vicino e le bloccarono la via verso la carrozza dove noi stavamo.

«Un po' di moneta per il pane, Eccellenza» gridò quella, mentre un giovane staffiere muoveva il suo cavallo verso di lei, ce la nascondeva alla vista e le urlava, anch'egli in dialetto, di stare lontana.

«Se mai vorrete pubblicare un libro vostro» diceva intanto Stefano Felis al mio padrone, «sapete bene che non è una buona cosa, per un principe, firmarlo con il proprio nome».

La donna si allontanò, lanciandoci sottovoce una maledizione che forse fui l'unico a cogliere.

Carlo pareva non essersi quasi accorto della scena, ma all'improvviso aprì il vetro della carrozza e apostrofò lo staffiere che aveva scacciato la popolana: «Tu». Il ragazzo sgranò gli occhi e si fece vicino con le labbra che un poco gli ballavano.

«Qual è il tuo nome?» gli chiese il mio padrone.

«Il mio nome, Eccellenza?» disse quello.

«Il tuo nome! Ne avrai pure uno!»

«Giuseppe Piloni, signore».

Carlo chiuse il vetro, non facendo più caso al giovane, ma ripetendosene il nome per fissarlo nella memoria. Poi guardò Felis e disse: «Ecco, vedete? Ho trovato un nome».

Alcuni giorni più tardi, fui il primo a scorgere Maria d'Avalos mentre scendeva dalla carrozza che l'aveva portata a Palazzo. Per tutto il giorno, Carlo, il principe Fabrizio e il cardinale Alfonso, che voleva essere presente per benedire la nuova unione, vissero in uno stato d'attesa che li fiaccò: aspettavano Maria di mattina, ma un ritardo del traghetto da Ischia la fece arrivare quando ormai il giorno moriva e le fiaccole venivano accese sullo scalone. La carrozza si fermò nella corte e un vento freddo salì fino al nostro piano mentre lei, fasciata di nero per il lutto, metteva un piede bianco sul predellino e guardava in alto. Anni più tardi, dallo squarcio aperto nel suo petto, le avrei visto il cuore che ancora pulsava debolmente nella sua membrana e avrei detto al principe mio, che la guardava come impazzito ed era incapace di muovere la mano che aveva impugnato la daga: «Date a me, lasciate che sia io a finire». E mentre facevo ciò che è giusto, l'avrei sentito mormorare, nella catastrofe di colpi e di urla umane e animali che fu quella notte, una frase, o forse un verso o una preghiera: «O mio unico amore mia grande follia». Mi sarei poi voltato, e l'avrei visto tenere gli occhi chiusi sotto la sua testa di lupo, quindi gettare un ultimo sguardo sopra quel corpo martirizzato e infine voltarsi, infilare la porta e scendere le scale di corsa verso la corte, dove una carrozza ci aspettava per fuggire a Gesualdo.

Maria, altera, salì le scale a passi lenti, e io andai a nascondermi dietro la balaustra per poter essere il primo a vederle il volto. La seguivano la madre, donna Sveva, la figlia Beatrice e una serva, Laura Scala, mentre tutte le altre persone del suo seguito erano rimaste in corte. Messo in ombra dal cappello, il suo viso non mi rivelava che la forma del mento, ma il tintinnio dei suoi passi sulle scale, la danza morbida dei suoi seni sollecitati dalla salita mi dissero che era davvero ciò che si diceva, ovvero la donna più bella del regno. Le gravidanze, i matrimoni e la solitudine non l'avevano rovinata, anzi: l'avevano resa più femmina.

Mi passò accanto e un lembo della gonna mi toccò il volto, e io pensai che la mia altezza mi consentiva di sollevarle il vestito e di camminarvi dentro, a contatto con le sue gambe nude, e di accompagnarla e dirigerla verso la stanza dove, sapevo, Carlo e gli altri la attendevano. Ma lei si fermò, si volse, e chiamò la madre allungando una mano: «Non voglio entrare da sola» disse. Donna Sveva le si avvicinò lasciando la nipote a Laura Scala, ed entrarono insieme nell'appartamento mentre io, dal basso, le indovinavo gli occhi, la forma del naso e quella delle labbra. Corsi da Carlo e volli avvisarlo: «È ancora bellissima» dissi, ma egli non mi ascoltò perché Maria, leggermente accaldata per la salita, entrava nella stanza e faceva ai maschi un inchino leggero. Guardò Carlo, soppesandolo, e gli sorrise con un impaccio che era di ragazzina, mentre un fremito appena percettibile scorreva nelle mani del mio padrone. Il principe baciò la mano a donna Sveva e disse a Maria qualche parola di conforto per la morte del marchese Gioieni. Le donne baciarono l'anello di don Alfonso, poi Maria si levò in posizione eretta e il languore che promanava dalle sue braccia e dal suo sguardo illuminò la stanza.

27 agosto, ora Terza

Poco fa tutti, con l'eccezione di don Carlo, sono usciti dallo zembalo e hanno seguito l'Adinolfo verso una delle stanze al pian terreno. Li ho sentiti camminare piano nella sala del teatro e ho nascosto nella scatola queste carte dove scrivo e che più tardi consegnerò al Carlini. Il notaio teneva in mano un fascio di fogli pieni di appunti: sono le direttive che il principe mio ha dato per stendere le sue volontà. Si sono fermati sul caracò, perché Pietro Cappuccio ha chiesto a Staibano che cosa ne pensasse della salute del principe. Staibano ha allargato le braccia, e il volto suo era serio. Da quasi sette giorni, ormai, il principe sta chiuso nello zembalo e non prende cibi.

«Morirà?» ha domandato allora il musico, ma l'Adinolfo ha impedito al medico di rispondere dicendo:

«Ci ha affidato un compito, e per noi ciò che egli domanda è parola sacra. Non parliamone più: abbiamo del lavoro da fare». Poi si è voltato verso Cappuccio, e ha aggiunto: «Vi prometto che lo rivedrete: tutti lo rivedremo quando gli presenteremo il lavoro finito. Allora potremo cominciare a parlare della sua salute».

Sono salito fino allo zembalo e ho aperto piano la porta. Don Carlo era steso sul divanetto e teneva una gamba nuda. Con lentezza mi sono avvicinato a lui, lo sentivo respirare forte, come quando prova a catturare l'aria durante le sue crisi di petto. Un sibilo veloce è risuonato nella bolla d'aria calda della stanza, e dalla sua bocca è uscito un mugolio trattenuto. Ha continuato a respirare lentamente, come per riprendere le forze, poi si è voltato verso di me e mi ha guardato come guarda il diavolo.

«Tu» ha fischiato tra i denti.

Si teneva alla sponda del divanetto come se avesse

paura di cadere, o forse per farvi forza, ed era il suo modo per reagire al dolore.

«Tu» ha ripetuto, «tu bestia immonda anche in questo momento mi vieni a trovare?»

Mi sono seduto vicino a lui, dall'altra parte del divanetto, e gli ho guardato la gamba nuda, dove era apparso un segno rosso che aveva la forma della punta dello scudiscio che teneva in mano. Anche lui si è guardato la gamba, poi l'ha battuta un'altra volta con lo scudiscio, spostando col contraccolpo il divanetto di qualche centimetro: e il segno si è fatto piaga.

«Non dici nulla?» ha domandato, ma parlava tra i denti perché il dolore non doveva ancora essere cessato.

«Avete dato le vostre disposizioni, tutto sarà fatto come voi volete. Perché vi battete?» ho detto allora.

Di nuovo lo scudiscio è vibrato nella stanza, e dalla piaga qualche goccia di sudore o di acqua mi è arrivata fin sulle mani.

«Mi fa male» ha detto dopo qualche minuto, quando il bruciore della ferita gli ha dato tregua. Aveva le labbra piegate verso il basso, e la sua voce si era fatta un po' sottile.

«Più continuate più lo farà».

Mi ha interrotto con un gesto della mano libera: «Non capisci. Mi fa male, è per questo che la percuoto: per punirla. Sono giorni che mi tormenta e non mi fa dormire».

«Volete lamentarvi dello stato delle vostre gambe con me?»

È scattato all'improvviso nella mia direzione brandendo lo scudiscio e mi ha colpito su una spalla.

Mi sono guardato, e la camicia era strappata all'altezza dell'omero. Sentivo un bruciore, e forse anche sul mio corpo si era aperta una piaga, ma piccola, perché non mi aveva preso che di striscio.

«Vi sentite meglio, adesso?» ho domandato. «La gamba ha smesso di dolervi?»

«Che cosa vuoi? Perché sei venuto?» mi ha chiesto il principe.

«Se voi morite, muoio anch'io».

«Quelli come te non muoiono» ha detto, e un altro colpo di frusta ha aperto uno squarcio nella cucitura della mia camicia.

«Sbagliate a colpirmi» ho detto, «e sbagliate anche a colpire voi stesso. Guardate là, la vostra gamba si sta gonfiando, bisognerà chiamare Staibano».

«Presto non avrò più bisogno di lui. Né di te».

"Di me sì" ho pensato.

Si è messo una mano sulla fronte, per massaggiarla. «Vammi a prendere dell'acqua» ha ordinato. «Avvicinati» ha detto poi quando, con la brocca in mano, rimanevo in piedi a qualche passo da lui, «versane un po' qui». L'acqua è scesa sulla sua piaga macchiando il divanetto, ed egli ha ricominciato a mugolare.

«È tutto finito, Gioachino» ha cominciato. «Tutto. Prendi un fazzoletto e tamponami».

I sette giorni di digiuno l'avevano reso magro, gli mettevano un profilo di falco pellegrino e un leggero tremolio sotto gli occhi.

«Sembrate invecchiato, padrone» ho detto allora, mentre cercavo un fazzoletto.

«Vecchio? Tu mi vedi vecchio?» ha risposto, «Non è vecchiezza quella che mi vedi addosso, ma l'avviso della fine».

Ho cominciato a tamponare la piaga con tocchi delicati che pure lo facevano trasalire. Le palpebre gli tremavano al cospetto del bruciore della ferita.

«Ecco» ha detto ancora, mentre con la mano mi imponeva una pausa nella medicazione, «la gamba brucia, e quando le cose dolgono significa che si è vivi, Gioachino, non è vero?»

«Si è vivi anche quando si gode, principe» ho risposto

dopo un certo silenzio. «E perfino quando non si prova nulla».

Mi ha consentito di riprendere il tamponamento, per un istante il dolore l'ha reso muto, ma poi si è ricomposto e ha trovato una risposta.

«Solo il dolore vive, quello che ci procuriamo da soli e quello che ci procurano gli altri».

«È quanto avete sempre pensato e, se posso dire, perseguito. Ma allora non vi capisco: perché vi fate del male? Non è sufficiente la notizia che è giunta da Venosa?»

Mi ha guardato con occhi vuoti, mentre con la lingua cercava la saliva nella bocca. Mi sono fermato, ma ha voluto che imbevessi d'aceto la stoffa con cui lo medicavo e che continuassi. Gli ho passato il fazzoletto sul taglio, ed egli mi ha afferrato la spalla, trasformando il dolore che sentiva in una stretta che mi ha messo in ginocchio. Ma già mi lasciava e diceva, riprendendo un discorso che da qualche minuto avevamo interrotto.

«La morte di Emanuele è un dolore doppio: vi provo lo strazio del padre che perde un figlio, e quello di un principe che perde un regno». E poi: «Che io viva o che muoia, Gioachino, sarò l'ultimo a portare il gran cognome. Tutto è finito, finito due volte».

«Battervi non lo farà ricominciare, padrone» ho risposto mentre mi rialzavo da terra.

«Battermi mi tiene sveglio, mi richiama a dolori minori di quelli che mi travolgono».

«Polissena è incinta» ho detto allora, «mancano poche settimane a questa nuova nascita. Non è detto che voi siate l'ultimo maschio del casato».

«Sarà una femmina!» ha urlato Carlo. «Quella donnetta è in grado soltanto di dare femmine, io lo so. Emanuele un giorno, molti anni fa, me lo promise».

«Non vi capisco».

Tenendosi aggrappato al divanetto, digrignando i denti per il bruciore, ha spiegato: «Mi disse, e lo disse puntandomi contro un dito che pareva una lama: "Padre, da me non nasceranno che femmine. Con me morirà questa stirpe di assassini che voi ci avete fatto diventare"».

«Nessuno può decidere i propri figli: essi vengono secondo ciò che vuole il Signore».

«Allora è Dio che ordina la fine dei Gesualdo, Gioachino».

«Nascerà maschio: ve lo preannuncio».

«Tu mi prendi in giro, mi sfotti! Ti mascheri da Dio e invece non sei che una bestia. Sarà femmina perché Emanuele me l'ha promesso. Ne era tanto sicuro che non ha voluto nemmeno aspettare per vederla: è morto prima, per farsi beffe di me lasciandomi unico spettatore della nostra fine. Egli ha maledetto la nostra stirpe». Ha lasciato cadere per terra lo scudiscio che ancora teneva in mano e si è guardato i palmi, le sue dita lunghe di suonatore. Ha detto: «Solo io sono in grado di generare maschi. Ma essi mi scivolano via dalle mani: Alfonsino, Emanuele, quell'altro...»

«C'è Antonio».

«Antonio è un bastardo, figlio di una popolana: non può ereditare il feudo perché non può portare il cognome. Ho ordinato per lui una rendita di seicento ducati annui, ma è tutto ciò che egli può permettersi di avere da me». È rimasto zitto per qualche secondo, poi: «Io non avrei mai detto, quando tornammo qui da Roma, che tutto mi sarebbe morto tra le mani».

«Vivete, allora. Avete tempo per un altro figlio, un altro maschio».

Di nuovo mi ha guardato come guarda il diavolo, tanto che ho avuto paura che si chinasse e riprendesse in mano lo scudiscio.

«Con quella?» ha urlato. «Leonora è vecchia, ormai, ed è incapace di essermi utile. E sono vecchio anch'io: tutto mi fa male, anche respirare, e sono fiacco. Abbiamo fatto il nostro tempo, senza contare che l'idea di avvicinarla mi ripugna, e credo che lei ormai preferirebbe morire piuttosto che entrare un'altra volta nel mio letto».

«Ma il cognome, principe mio, il cognome...»

«Smettila, Gioachino, non mi tormentare: sai bene come stanno le cose. Già Staibano, tempo fa, mi ha detto che ella non è più fertile, e che tutti i suoi bollori e i mancamenti di cui si lamenta non sono che il segno di un insecchimento: è un frutto da cui è stato spremuto tutto il succo».

Ha messo una mano sulla mia, in modo che premessi sulla piaga. «Tienila così: mi dà un po' di sollievo».

Sentivo sotto il palmo le sue vene pulsare, e uno strano calore, diverso da quello che riempiva la stanza, saliva dalla ferita che si era provocato.

«Scottate, principe» ho detto, «la vostra gamba palpita e manda caldo».

«Tutto martella, nel mio corpo: anche la testa. Staibano, vedendomi in questo stato, mi farebbe un salasso, egli non sa quasi fare altro, ormai. Me lo sono fatto da solo a colpi di frusta, il salasso: tra poco starò meglio».

Si aspettava che dicessi qualcosa, ma ho taciuto per qualche tempo, rimasticando un pensiero inopinato che mi era venuto. Poi: «Con voi si estinguerà il gran cognome, dite, e forse è vero: accadrà. Ma immaginate che questo fatto, anziché una dannazione, sia un dono».

«Che vuoi dire, Gioachino?» Con un gesto lento ma implacabile si è chinato a terra e ha ripreso in mano lo scudiscio: «Continua» ha detto, in un sibilo.

«Non mi colpite: ascoltatemi invece, e pensate alla vostra musica e a ciò che andate dicendo da molti anni».

«Tu non ami la mia musica, non la capisci».

«Una cosa so, perché me l'avete detta e ripetuta: che essa non è uguale a nulla di ciò che si fa nelle altre corti d'Italia. Voi prendete di buono ciò che c'è nella musica altrui e lo esasperate, lo fate nuovo, così che tutto sembri mai sentito prima. Ebbene: cosa può fare un musico dopo avervi ascoltato? Rispondete».

È rimasto in pensiero per qualche tempo. «Dimmelo tu» ha detto poi.

«Oh, può fare molte cose» ho ripreso allora, ma lentamente, per mettere solennità nelle parole mie, «può smettere di comporre, oppure, se non lo fa, deve cambiare la sua musica, perché capisce che, dopo di voi, una musica come quella che si suona oggi appartiene al passato». Mi sono mosso, ma egli continuava a tenere una mano premuta sulla mia e non mi permetteva di allontanarmi dall'ombra dello scudiscio.

«Voi siete l'ultimo di un'epoca e il primo di un'altra, questo voglio dire. La vostra musica, tra qualche anno, sarà ricordata come il primo seme di una nuova rinascenza. Ricordate: siete l'ultimo, e chi è l'ultimo è anche il primo, per chi viene dopo».

«Tu sei l'ultimo dei tuoi fratelli: i tuoi genitori ti hanno maledetto e dopo di te non ci sarà nulla». Ha posato lo sguardo sul mio corpo storto, e un moto di ribrezzo gli ha piegato le labbra.

«Ma pensate alla differenza che c'è tra gli Ardytti e i Gesualdo!»

«Non mettere quei due nomi uno accanto all'altro!» ha urlato, sollevando lo scudiscio.

Mi sono protetto la testa con la mano libera: «Non mi permetterei mai: siete voi che avete cominciato il paragone. Voi sarete ricordato come colui dopo il quale niente è stato come prima: la musica e il blasone. L'ultimo dei Gesualdo è anche colui che ha modificato la musica del suo tempo, l'uomo con cui dei mondi sono finiti affinché ne cominciassero altri... dopo di voi, il vuoto».

La frusta è calata repentinamente sulla mia testa, aprendomi un piccolo taglio fiammeggiante sull'orecchio.

«Ma perché mi picchiate?» ho urlato. «Perché vi sfogate su di me?»

«Vattene, Gioachino. Non voglio vedere quel tuo corpo orrendo e non voglio ascoltare la tua lingua indecente: tu non mi consoli, mi maledici».

Mi tenevo una mano sull'orecchio, da cui usciva un po' di sangue che mi macchiava le dita. Mi sono pulito sulla camicia: «Padrone, io e voi abbiamo fatto molte cose insieme, abbiamo vissuto lunghi anni l'uno accanto all'altro. Non mi scacciate in questo momento, fatemi restare con voi, per prendermi cura della vostra gamba e della vostra anima».

Ha di nuovo sollevato lo scudiscio, ma io adesso ero lontano da lui di qualche passo e sapevo che non si sarebbe alzato. Si è dato allora un altro colpo sulla gamba, ma debole, fiacco, poi si è guardato intorno, e intanto urlava: «Della mia anima? Tu te la sei mangiata, l'anima mia!»

«No» ho protestato. «Ce l'avete addosso, ed è integra. Io le sono stato soltanto un compagno fedele: l'ho servita con devozione e l'ho ascoltata con pazienza. Non l'ho intaccata».

«Vattene» ha detto allora. «Non voglio sentirti nominare l'anima mia, perché tu maledici ogni cosa di cui parli». Il suo sguardo è caduto sul liuto, che da giorni dormiva nell'angolo. «Ho cercato di scrivere la musica di Dio. La voce di Dio: questo è stato ciò che ho voluto comporre, e ora non mi rimane più niente. Vattene, ti ho detto. Lasciami solo».

Eppure io sono da sempre il suo servo più fedele, quello che gli è stato accanto in ogni momento e l'ha amato e curato e ascoltato. Anche adesso è così: egli non lo sa, ma questa mia cronaca è un altro grande atto di amore e di giustizia che io faccio nei suoi confronti. L'ultimo, forse, ma non importa che sia l'ultimo o il primo, importa soltanto che la sua vita rimanga impressa in queste poche pagine.

Il Carlini è tornato da Taurasi pieno di inchiostri e di oli con cui lubrificare il carrello del suo torchio. Egli ha saputo della morte di Emanuele mentre era in viaggio dallo stesso messo che era partito da Venosa per dare la notizia al principe e diffonderla nei feudi. Carlini è un altro che, come i liutai, quando tutto questo sarà finito sarà costretto a smontare i suoi macchinari e a tornare a Napoli, da dove manca da qualche tempo. Dovrà reimpiantare la sua bottega in quella città affamata e sporca e provare a darsi di che vivere senza più l'appoggio di don Carlo. L'ho trovato appoggiato al suo torchio, circondato dai suoi inchiostri e dai fogli, e sembrava pensoso, mentre di solito è un uomo pratico, allegro anche quando il principe lo sfinisce con il suo puntiglio di musico e gli fa ricomporre molte volte una battuta o gli butta via un foglio stampato di fresco perché gli sembra che una chiave sia venuta sbiadita e urla: «Queste pagine devono durare per secoli! La musica mia deve essere stampata perfettamente, perché nessun dubbio di nessun interprete la deve rovinare». Il Carlini, allora, pazientemente ricompone, e lavora con gli occhi feroci di Carlo piantati sulle mani: «No» dice a volte il principe. «No, non così, aspetta». Si raccoglie in se stesso, e io lo vedo che ricompone nella mente una frase, un passaggio. Poi ordina: «Modifica qui», e Carlini sposta gli insetti neri delle note, le loro gambe rovesciate, finché sulla pagina il madrigale non ha assunto una nuova forma, una nuova voce. «Bene così» dice don Carlo. «Continua, poi stampami il foglio che me lo voglio cantare».

Idea di comporre una traduzione strumentale di alcuni madrigali di Gesualdo. Da quanti anni penso di voler fare una cosa di questo tipo? Dall'epoca dei mottetti. Ma il lavoro su «Illumina nos» e sugli altri due canti sacri fu tutto sommato semplice: si trattava di completare qualcosa di esistente, provando a immergersi nella maniera di un compositore morto da secoli, e trovando una mia via personale per rendere giustizia alla sua musica (o per combattere le tarme che si mangiarono la carta su cui erano scritte le ultime due parti). Ora è diverso: non avrebbe senso riprendere Gesualdo per fare un lavoro uguale a quello fatto sulle «Sacrae cantiones». Se voglio tornare a lui, devo rifarlo. Naturalmente, la prima cosa è togliere le voci. Ma poi arrivano questioni meno ovvie e più spinose: la musica dei madrigali di Gesualdo ha un carattere esclusivamente vocale, e qualunque tentativo di sostituire le voci con degli strumenti potrebbe rivelarsi goffo. La musica non deve, perciò, essere semplicemente trascritta per strumenti, ma va riscritta, nuovamente immaginata. È un lavoro possibile? La musica del principe è molto spesso sovraccarica: corro il rischio di accumulare suoni, di gonfiare le orecchie di chi mi ascolta e di non trovare una forma.

Più tardi

Prima di passare dallo stampatore sono tornato nella mia stanza e ho tratto dalla scatola questi fogli. Egli li ha visti sotto il mio braccio e da pensoso si è fatto cupo: «Sei entrato qui dentro e li hai rubati!» ha urlato, e già cercava sulle mensole qualche oggetto con cui punirmi.

«Fermatevi» ho supplicato, e ancora l'orecchio mandava sangue e la camicia mia era sporca. «Fermatevi e state calmo: è per il principe» ho mentito, «è una cronaca che sto facendo per lui».

«Una cronaca?»

«Egli vuole che la stampiate».

«Ed egli scrive sulle mie vecchie bozze?»

«No. Ha chiesto a me di scrivere, e io non potevo certo farlo sulla carta che porta il blasone di famiglia».

«Stai imbrattando di sangue i fogli, hai un aspetto orribile. Vatti a pulire».

«Stampate, vi dico. Ogni giorno, a quest'ora, io vi porterò delle pagine. È l'ultimo lavoro che farete per noi».

Egli ha fatto tanto d'occhi, ma non mi ha chiesto nulla. Ha preso il plico dei fogli e ha letto la frase d'esordio: «Che cos'è?» ha domandato. «Queste sono bestemmie, io non posso stampare cose di questo genere».

«Voi, Carlini, siete uno stampatore e vivete nel castello di un principe: se egli vi dice di stampare, voi stampate».

Che insopportabile manierista è a volte Gesualdo! Che uomo tronfio, pieno di artifici che voleva far passare per sentimenti! Le orecchie dei suoi contemporanei devono avergli molto perdonato in virtù del blasone. Eppure, allo stesso tempo, che meraviglioso tessitore d'incastri, quando sembra trovare una via sincera per esprimere un sentimento! Com'è tutta maniera in certi momenti del quinto libro: ma poi, all'improvviso, come s'apre a inimmaginabili dolcezze sonore («Gioite voi col canto», «Asciugate i begli occhi»), o s'inabissa dentro suoni brevi, duri, spezzati, da cui vengono capolavori accidentati («Ma tu, cagion di quella», «Mercé!» grido piangendo). Ecco i miei preferiti del quinto libro. Qui egli è per me genuino, a volte ancora sovraccarico per maniera, ma non per posa: sento che questa è davvero la musica che voleva fare, e che ha fatto nei migliori momenti della sua ispirazione. Che dire del sesto libro? Sono ventitré tartine di caviale, molte delle quali inadatte al mio scopo perché troppo lus sureggianti: toglierví le voci senza dubbio le impoverirebbe, anche se dovessi riuscire a comporre una musica sbalorditiva.

Verso buio

«Attraversando la piazza di San Domenico Maggiore, quella mattina di maggio, mentre tenevo la mano nella mano di mia moglie, io mi sentii, per un istante, perfettamente felice». Così, con questa frase danzante, Carlo mi parlò del giorno del suo matrimonio con Maria: pochi minuti prima, lo zio Giulio era uscito dal suo mezzanino con un ghigno soddisfatto sulla bocca. Ma io non voglio anticipare le cose e, se desidero davvero che questa cronaca sia un atto di giustizia verso Carlo e verso me stesso, devo raccontare i fatti con ordine, e perizia, e verità.

Essi vissero per molto tempo come due ragazzi che si scoprono, e io rimasi escluso: Carlo non mi volle quasi mai accanto a sé né come accompagnatore, né come il confidente e amico che sono stato e sono tuttora. Vagavo per il castello, o per le nere stanze di Palazzo di Sangro, e vagavo solo, senza nemmeno la creatura a cui dare nutrimento, perché essa non era ancora venuta al mondo. Li sentivo ridere, a volte, e parlare, e cercarsi, li seguivo nei corridoi da lontano, ed ero la loro ombra (proprio io!, che temo l'ombra più di ogni cosa, e che per almeno tre anni camminai rasente ai muri, senza quasi la possibilità di parlare con il principe mio).

«Tu spaventi Maria» mi disse una volta a Napoli, quando la pancia di Maria era già gonfia di Emanuele. «Torna al castello: ti metto a disposizione una portantina». Non partii: gli promisi che sarei stato buono, accucciato nella mia scatola, finché egli non avesse avuto bisogno di me.

Chiuso nel mio angolo, li guardavo, invidiando Laura

Scala che poteva entrare e uscire dalla camera di Maria e, in seguito, Silvia Albana, che fu chiamata come nutrice di Emanuele. Ma in certi particolari momenti, Carlo lasciava aperta la porta della camera. Egli non mi diceva nulla, e nulla mi domandava, ma era chiaro che mi voleva con lui. Accadde la prima volta dopo qualche settimana dal giorno del matrimonio, a Napoli: lo vidi che saliva le scale dal suo mezzanino e bussava alla porta di Maria. Io gli tenni dietro, e sono sicuro che egli si accorse di me dal primo momento, perché guardò dalla mia parte con un mezzo sorriso. Maria gli disse di entrare, e lo accolse che era già nel letto, con indosso una vestaglia leggera che lasciava trapelare la forma d'oliva dei capezzoli. Carlo si avvicinò a lei, mentre io, in piedi, accostavo delicatamente la porta e guadagnavo l'angolo della stanza dietro il paravento. Maria teneva i capelli sciolti, buttati con noncuranza su una spalla, e sfilò le gambe da sotto le coperte mostrando a Carlo (e a me) i suoi piccoli piedi nudi. Carlo quasi corse dentro al letto, aveva addosso un furore che solo quando componeva gli avevo visto: si mise in ginocchio sul materasso e tolse la veste a Maria, mostrandomela per la prima volta nuda. Le afferrò un piede e lo baciò. Poi si fermò, si guardò intorno, ma non era me che cercava, perché mi sapeva lì. Chiese: «Laura Scala?»

«È nella sua stanza, non verrà se non la chiamo io» rispose lei, mentre il suo seno palpitava e con le mani cominciava a infilarsi nella camicia di Carlo. Rimasero così, lei nuda in ginocchio, con le braccia dentro la camicia del mio padrone e avvolte attorno al suo tronco. Lei schiacciava i seni contro il petto di lui e lo baciava mentre lui giocava ad annusarla dietro il collo e, muovendo le dita delicatamente come quando si pizzicano le corde, la accarezzava in un punto che non potevo vedere e la faceva sospirare. Pochi minuti durò quel gioco, che la costringeva a inarcare la schiena in modo innaturale e che presto le strappò delle piccole grida e un affanno. Quando si staccarono, ella era rossa in viso, congestionata, e mi parve che le sue labbra fossero divenute più spesse. Lo aiutò a togliersi i vestiti, ed egli finalmente rimase nudo, dritto davanti a lei. Si baciarono a lungo, e quasi subito cominciarono a ridere mentre con le dita riprendevano a toccarsi, giocando con i loro corpi come fanno i bambini. Poi lui la rovesciò sul letto, e io vidi il taglio del sesso di Maria che mi chiamava. Lo guardai, e il mio padrone lo guardò con me, abbassandosi e avvicinandogli il naso, e gli parlò come si parla a un'amante, ma sottovoce, tanto che io non sentii quello che diceva, e adesso Carlo e Maria non ridevano più, ma lei si lasciava parlare e annusare e tutto il suo corpo era come in ascolto, e anche il mio, ci ascoltavamo, lei giocò con il corpo di Carlo, lo prese tra le mani e in bocca, e nella stanza si fece caldo, io avevo caldo dietro il paravento, mentre con le sue lunghe mani Carlo le accarezzava la testa, i fianchi, con le punte delle dita le toccava le terga, la pancia dove ancora non dormiva Emanuele, e poi la voltò, le passò il suo corpo di maschio sopra la schiena, sulle gambe, sulle piante dei piedi e infine la prese come si prendono le lupe, mentre io mi tenevo dietro il paravento, con una tensione e una foia che mi tiravano fino alle dita dei piedi, e ascoltai le loro voci che si lasciavano andare anche se non capivo che cosa si dicevano, e Carlo stava aggrappato ai suoi fianchi di femmina e di lupa, e i piedi e i seni di lei erano sospesi, abbandonati nel vuoto sopra il letto fino a che, affondando la faccia dentro il cuscino, ella soffocò un urlo per non svegliare Laura Scala e lui le mollò i fianchi per afferrare la testiera del letto. Rimasero così, fermi ad ascoltare i loro corpi che si rilassavano, per un minuto, poi Maria si mise seduta sul bordo del materasso, lasciò scolare il seme dentro un panno e gli si sdraiò accanto. Ancora a lungo durò quella piccola festa, che era loro, ed era un po' anche mia: poi le coperte mi nascosero il corpo di Maria e, tenendosi vicini, i due sposi si abbandonarono al sonno. Lentamente uscii dal paravento e dalla stanza e raggiunsi il mezzanino, dove c'era la mia scatola, ma l'agitazione, l'eccitamento che mi aveva preso non mi fecero dormire: così mi alzai, trovai sul tavolo di Carlo un pennino, lo intinsi nell'inchiostro e disegnai sulla parete interna del mio giaciglio, con la mano che spasimava e tracciava linee sghembe, ciò che avevo appena visto. Era l'orribile fregio di due corpi umani che si uniscono, nient'altro che uno sgorbio osceno: ma quando l'ebbi finito mi calmai e fui felice di potervi dormire accanto.

Come ho detto, furono anni felici e io non vi presi parte che marginalmente. Dunque non ne posso parlare, anche perché io non la so descrivere la felicità: essa non mi appartiene, come non è mia la normalità della vita tra due sposi giovani e felini come erano Carlo e Maria all'inizio.

Venne Emanuele, che assomigliava alla madre ed è stato bello come un dio antico finché è vissuto nonostante avesse impressa, in certe espressioni degli occhi e in un certo modo di piegare la bocca, l'ombra austera del padre. La bolla della pancia di Maria si gonfiava e le sue guance si riempivano, la rendevano simile a una bambina i cui istinti si sono pacificati; Carlo mi vietava di avvicinarmi a lei: «Deve stare serena» diceva, «e sono certo che il tuo corpo deforme turberebbe il normale corso della gravidanza. Se la incontri, ti ordino di cambiare immediatamente stanza». Poteva però avvicinarla il poeta, che comparve nella casa di Napoli per la prima volta due anni dopo il matrimonio e che da tutti, in Italia, era giudicato un folle. Me ne lamentavo con il mio padrone: «Permettete a quell'uomo di frequentare vostra moglie, ma egli dice che vede larve alla sua finestra, e diavoli, e folletti che danzano sui lampadari. Tutti l'hanno scacciato, e ha trascorso molti anni chiuso nello Spitale di Sant'Anna: come potete pensare che egli sia meno dannoso di me per la salute di Maria?»

«Egli parla quasi solo con me, Gioachino. E, soprattutto, viene e poi se ne va: la lontananza lo rende innocuo».

Si presentò ben vestito a Palazzo di Sangro in un momento in cui faceva il giro delle corti napoletane per trovarvi rifugio e protezione: la sua fama di genio e di folle lo precedeva, e Carlo, su suggerimento del padre, acconsentì a riceverlo. Era un uomo brutto, scarno, con un leggero tremore negli arti che ne rivelava la pazzia anche quando, all'apparenza, era tranquillo. Rimase in piedi per tutto il tempo in cui parlò con il mio padrone, e il suo atteggiamento era umile, compreso, anche se non mi sfuggì che, di tanto in tanto, i suoi occhi cadevano nel solco che la gravidanza aveva scavato tra i seni di Maria.

«Ma non sono venuto a mani vuote, Eccellenza» disse, quando la conversazione languì e sembrò essere avviata verso la conclusione. Si infilò una mano nella bisaccia e trasse dei fogli manoscritti: «So che componete madrigali, e ho sentito dire che non dite no ai poeti». Ebbe come un singhiozzo negli arti superiori, il tremore delle mani si fece spasmo mentre allungava all'Adinolfo il plico che aveva portato. Il segretario consegnò i fogli a Carlo, che non li degnò di uno sguardo e congedò il poeta nel modo più gentile. Anni più tardi, nel secondo libro di madrigali, Carlo avrebbe accolto *Se così dolce è il duolo*, l'unico, tra i testi che Tasso compose apposta per lui, che al mio padrone sembrò degno:

Se così dolce è il duolo,
Deh! qual dolcezza aspetto
D'imaginato mio novo diletto.

Ma, s'avverrà ch'io muoia
Di piacere e di gioia,
Non ritardi la morte
Sí lieto fine e sí felice sorte.

Musicandolo, però, ritenne utili soltanto i primi tre versi. «Egli mi affascina» disse a Maria quando Tasso se ne fu andato, «anche se ormai non è molto di più che un accattone».

Maria si teneva le mani sul ventre gonfio: se le era tenute per tutto il tempo in cui il poeta era stato loro ospite. «Il bambino si è agitato per tutto il tempo che egli è rimasto qui» disse. «Ora che siamo soli, si è calmato».

Carlo si fece dare dall'Adinolfo i fogli che il poeta gli aveva regalato e per qualche minuto li lesse. Poi li gettò da parte: «Ci si aspetterebbe qualcosa di meglio da chi ha composto uno dei più grandi poemi della cristianità, non credete?»

L'Adinolfo, che non aveva letto, allargò le braccia.

«Qui si parla quasi soltanto di bellezza, e di amore» continuò Carlo. «È chiaro che egli mente».

«Cosa volete dire?» domandò l'Adinolfo.

Carlo si alzò dalla sedia dov'era seduto e cominciò a passeggiare per la stanza: «Con l'eccezione di un madrigale, questi sono i versi di un uomo felice, conciliato. Leggi, Adinolfo, e leggi anche tu, Maria». Distribuì i fogli alla moglie e al segretario, aspettò che leggessero, poi aggiunse: «Egli mi prende in giro, mi sfotte: questi sono versi che si donano agli sciocchi per farli divertire. Leggete, leggete ancora, e ditemi: dov'è, lì dentro, il poeta? Dove sono gli anni che trascorse a Sant'Anna, dov'è la lotta che ha condotto per il suo poema e la disperazione per essere stato cacciato da Ferrara? Egli ha scritto, altrove: *Vivrò fra i miei tormenti, e fra le cure, mie grandi furie, forsennato errante. Paventerò l'ombre solinghe e scure e del Sol, che scoprì le mie sventure, a schivo ed in orrore avrò il sembiante. Temerò me medesmo, e da me stesso sempre fuggendo, avrò me sempre appresso.* Ebbene, questo è Tasso: un uomo che si dispera, si contorce, e che su questa disperazione e contorcimento scrive strofe bellissime e dolorose, che io conosco a memoria». Riprese i fogli dalle mani dell'Adinolfo e disse: «Questa non è che una pappetta predigerita a uso degli imbecilli. Egli è stato qui mezz'ora, si è comportato in modo gentile, compìto, da uomo che sa perfettamente come ci si muove in società. Ma egli non è così!» Indicò il ventre di Maria: «Il figlio che porti in grembo l'ha sentito! Lui ha percepito la vera natura di quell'uomo, e si è mosso, si è agitato tutto il tempo dentro la pancia di sua madre! La natura di quell'uomo è questa, e rende inquieto perfino chi non è nato!»

«Questi versi non sono brutti» lo interruppe Maria, che teneva ancora in mano la sua parte di fogli.

«Sono falsi!» urlò Carlo, e Maria si mise subito le mani sul ventre. «Non gridare» disse, «lo spaventi anche tu».

Allora Carlo abbassò la voce e continuò: «Anni fa, a Ferrara, egli si presentò spontaneamente dall'inquisitore per esporgli i suoi dubbi sulla fede. Capite? Dall'inquisitore!» Si voltò verso l'Adinolfo: «Lo faresti, tu? Metteresti a rischio la tua pelle di prete per un dubbio su Dio? E magari proprio mentre stai componendo uno dei più grandi poemi della cristianità? Ebbene, lui l'ha fatto, e per due volte: si è presentato, ha chiesto un incontro, si è inginocchiato e "Padre" ha detto, "ho dei dubbi. Assolvetemi". Potevano metterlo sulla forca la mattina dopo, ma a lui non importava, o forse non gli è nemmeno passato per la testa. Ditemi, allora: chi compie un atto del genere, è un uomo per cui tutto il mondo è bello e obbedisce all'amore?»

«Ma Carlo» disse Maria, «questi sono gli argomenti di cui sono soliti parlare i madrigali...»

La interruppe: «Egli vede folletti, animali mitologici

che riposano sotto le sue coperte. Spasima per una ferrarese, ma è stato esiliato da quella città. Batte la testa contro il muro per la maggior parte del tempo e scrive versi saturi di tutto questo dolore, anzi: egli prova un dolore che io...» si guardò attorno come per cercarmi, perché né alla moglie né al segretario egli poteva dire il verbo che avrebbe chiuso quella frase.

Ma venne Maria: si levò, si era fatta pallida, e parve voler domandare qualcosa che non si poteva. Se ne accorse l'Adinolfo, che intervenne con la mano a tacitarla: «Non ci badate, donna Maria» disse, «il signore è sicuramente stanco».

Carlo prese i fogli dalle mani di Maria e quelli che aveva gettato da parte e si rivolse all'Adinolfo: «Dite a Tasso, se si presenterà per riscuotere dei denari, che ho bisogno di ben altro, se vuole che i suoi testi vengano messi in musica».

Quindi strappò i fogli e li gettò per terra, uscendo dalla stanza senza rivolgere un saluto.

D'improvviso, leggendo di questo incontro, mi viene in mente Dostoevskij. Dostoevskij era un buon amico di mio padre, e qualche volta, negli ultimi anni della sua vita, frequentò la nostra casa sul canale Krjukov. Non è rimasta quasi traccia di queste visite, che erano amichevoli e che di solito avevano luogo dopo una serata in cui lo scrittore aveva sentito papà cantare al Marinskij: l'unica, piccola testimonianza di questo rapporto consisteva di una foto seppiata in cui lo scrittore è ritratto mentre siede sul divanetto della sala da pranzo, lo stesso dove così tante volte io, da ragazzo, mi sono seduto per guardare fuori dalla finestra e indovinare, tra i palazzi in fondo e tra gli alberi, le cipolle dorate della chiesa di San Nicola. Credo fosse l'inverno tra il 1880 e il 1881, cioè pochi mesi prima di quando Dostoevskij sarebbe morto. Nella foto, egli sta seduto in un angolo, le mani sulle ginocchia e lo sguardo fisso verso l'obiettivo: sembra un uomo molto anziano, provato dagli anni – invece non ne aveva che 59. Accanto a lui mio padre ha la cravatta allentata; sorride e solleva una mano, sembra voler dire qualcosa al fotografo nel momento dello scatto. Mia madre, dietro di loro, è in piedi, appoggiata allo schienale del divano, e ha l'aria stanca, forse annoiata: indossa una larga veste che ne nasconde il corpo (da piccolo, guardando questa foto, credevo di indovinare, nelle rotondità delle pieghe della veste, il ventre gonfio: mi dicevo che io ero stato accanto a Dostoevskij, benché schermato dalle membrane del corpo di mia madre. Naturalmente, ciò non è possibile: sono nato quasi un anno e mezzo dopo la sua morte). Non ci sono bambini, nell'immagine, e non c'è Bertha, che probabilmente aveva già messo a letto i miei fratelli. Dostoevskij è magro, le ossa degli zigomi sporgono sotto i suoi occhi piccoli; ha pochi capelli, che sembrano scuri, mentre li so rossicci; nella piega della sua bocca si legge un'inquietudine, una voglia inarresa e forse disperata: nelle ultime settimane prima della morte, fu colpito più volte dagli attacchi del suo male, che lo prostrarono e lo dimagrirono. Forse egli, consapevole della prossimità della fine, volle dare un ultimo saluto alla mia famiglia, con cui aveva da tempo rapporti cordiali benché, come diceva mio padre, non capisse quasi nulla di canto e preferisse Musorgskij a Glinka. Forse fu lui a chiamare il fotografo, e io, per tutti gli anni dell'adolescenza, sono andato immaginandomi quest'uomo di genio, perennemente malato e a corto di denaro, che nelle ultime settimane della sua vita, mentre portava a termine il più grande romanzo della cristianità, prendeva commiato da amici e conoscenti e chiedeva loro un'ultima fotografia insieme.

La foto con Dostoevskij è sempre stata, per me, l'emblema di un'occasione perduta: egli frequentava i miei genitori, chiedeva loro soldi per finanziare delle letture pubbliche dei suoi libri che irrimediabilmente annoiavano a morte mia madre, si sedeva sullo stesso divano dove, anni più tardi, mi sarei seduto io. Non l'ho mai conosciuto, ma sono stato a un anno e mezzo dalla possibilità di finire sulle sue ginocchia.

La foto, come la casa e molte occasioni, è andata perduta.

A buio, ricordando Napoli

Posso però raccontare gli ultimi mesi, e un ballo, e la fine. Questi mi appartengono, a questi presi parte. Emanuele aveva allora pochi mesi, e Silvia Albana si occupava di lui per la maggior parte del tempo. E tuttavia Maria, recuperata nel fisico dopo il parto e senza l'obbligo di accudire il figlio durante le notti, per alcune volte si negò a Carlo. Era una cosa che non era mai avvenuta prima. Carlo, dopocena, la invitava a lasciare aperta la porta della camera e lei fingeva di non capire. Quando lui, poco più tardi, provava a entrare nella stanza da letto di lei, trovava la porta inchiavata e per quanto forzassimo i cardini e picchiassimo sugli stipiti, da dentro non arrivava un segnale (oh, le porte delle camere di Palazzo di Sangro, che tanto ruolo avrebbero avuto in quella sera che, a breve, dovrò pur raccontare). Ma non fu sempre così: in certe sere la porta era appena accostata, Carlo e io entravamo e, da dietro il paravento, li guardavo spasimare nel letto. Ma, tornato nella mia scatola, non avevo nulla da disegnare: essi facevano l'amore come si consuma un pasto.

Una sera vidi Laura Scala scendere le scale che dalla camera di Maria portavano allo studio dell'Adinolfo e la sentii bussare delicatamente alla porta. Si guardava intorno come se temesse di essere vista. L'Adinolfo aprì la porta e chiese in dialetto alla donna che cosa volesse.

Laura Scala, sottovoce, gli disse che la padrona voleva parlargli, perché era successa una cosa su cui voleva consiglio. Tenni loro dietro mentre salivano verso la stanza di Maria. Ella era là, seduta su un divanetto, e dava le spalle alla specchiera, perché guardava dritto verso la porta come in attesa. Non appena fummo dentro, congedò Laura Scala con un gesto della mano e si alzò quasi correndo incontro all'Adinolfo. Egli stava fermo sulla soglia senza sapere che fare, ma ella lo prese per mano e disse: «Entrate, e per l'amor di Dio chiudete la porta».

Io mi sistemai al mio solito posto, accanto al paravento.

«Che vi succede, donna Maria?» disse l'Adinolfo.

Ella lo condusse vicino al letto nuziale e io vidi brillare, negli occhi di quell'uomo di Dio, un'irrettitudine improvvisa, forse una speranza sciocca. Ma già Maria metteva le mani tra le coperte e i suoi movimenti, la sua agitazione, non erano di una donna che si offre.

«Guardate» disse.

Dalle coltri, trasse un piccolo quadro, il ritratto di donna bionda che forse le somigliava, ma che io non vidi bene perché il corpo dell'Adinolfo me lo nascondeva in parte.

«Che cos'è?» chiese l'abate.

«Un regalo» rispose lei. Fece con la mano un gesto come a dire "Voltatelo", e l'Adinolfo eseguì. Sul retro del quadro v'era scritto qualcosa che non potei leggere e che non ho letto mai, perché il quadro fu distrutto dall'Adinolfo quella stessa notte e i suoi pezzi furono bruciati. Egli, dunque, lesse, e le sue orecchie si fecero rosse.

«Chi vi scrive queste cose?» domandò. Donna Maria si era seduta di nuovo davanti alla specchiera e non rispose.

«Chi vi fa questi doni?» insisté l'Adinolfo.

«È arrivato questa mattina mentre Carlo era fuori. L'ha portato un messo di casa Caracciolo» disse lei, ma la sua voce era un sibilo quasi impercettibile. «Appena ho visto il ritratto, ho capito che ero io. E quando ho letto il messaggio impresso sul retro...»

«Don Giulio?» disse l'Adinolfo.

«Da tempo mi fa regali». Aprì un cassetto della specchiera e vi trasse alcune lettere. «Sono tutte sue» disse, «ma vi prego: non leggete. Potete immaginare da voi ciò che contengono».

L'Adinolfo era rimasto immobile, il quadro rivoltato tra le mani, e non sapeva cosa dire o domandare.

«Aiutatemi a disfarmi di queste compromissioni, ve ne prego. Esse mi fanno danno e mi vergognano» disse ancora Maria. «Non c'è bisogno che vi dica che non ho mai risposto a queste lettere, ma capite che devo liberarmene e che siete l'unica persona qui a Palazzo a cui posso affidare il compito di distruggerle».

«E il quadro?» domandò l'Adinolfo.

«Conto su di voi perché abbia la stessa sorte delle lettere».

Il segretario si infilò il ritratto e le carte nella casacca. «Signora, fidatevi di me. Entro domattina tutto sarà scomparso. Darò disposizione affinché le prossime comunicazioni in arrivo da casa Caracciolo passino prima per il mio studio».

Fece un leggero inchino, quindi si voltò e stava per uscire, ma lei lo richiamò.

«Laura Scala ha visto il ritratto, ma non sa leggere: dunque non sa di don Giulio. Farò in modo che si dimentichi del quadro, ma voi non dovete fare parola con nessuno di quello che avete visto stasera».

«Fidatevi di me» ripeté lui. Se ne andò senza che trapelasse, se mai c'era, la delusione per le sue speranze di poco prima ormai frustrate.

Quando fu sola, Maria passeggiò a lungo per la stanza. Sono certo che, dietro la porta di servizio che conduce alla camera della servitù, Laura Scala stava in attesa e da lì, forse, aveva ascoltato il colloquio con l'Adinolfo. Mi avvicinai alla specchiera, perché Maria aveva dimenticato aperto il cassetto da cui aveva tratto le lettere di don Giulio: alcuni fogli, fittamente scritti con una grafia vezzosa che non era quella dello zio di Carlo, erano impilati vicino a un portagioie. Volli allungare la mano per afferrarli ma, dal fondo della stanza, il respiro di Maria si fece più sostenuto e «Chi c'è?» domandò la mia padrona con voce incerta. Mi ritrassi velocemente dietro il paravento, mentre lei attraversava la stanza a grandi passi e chiudeva il cassetto con una piccola chiave che si mise in seno.

«Chi c'è?» ripeté.

La voce di Laura Scala arrivò attutita da dietro la porta: «Sono io, padrona, se ha bisogno».

Maria si guardò intorno e mi parve perfino che indugiasse troppo a lungo sul paravento, ma senza osare avvicinarsi. «Vieni, Laura» disse allora ad alta voce, «aiutami a cambiarmi per la notte».

Impossibilitato a mandare i suoi messaggi a Maria, don Giulio cominciò a scrivere a Carlo: di tutta questa faccenda, la cosa che ancora oggi non so è come avesse fatto a cogliere i segni, che nessuno di noi aveva colto, dell'amore nascente tra la mia signora e Fabrizio Carafa, duca d'Andria. Si erano visti in società solo poche volte e sono certo che nella prime occasioni Maria fosse ancora gravida di Emanuele; inoltre, Fabrizio non era mai venuto solo, ma accompagnato dalla moglie Maria, una donna sformata da cinque parti e che ogni volta, a metà della sera, aveva chiesto al padrone di casa di potersi ritirare in una stanza tranquilla per dire le sue orazioni. Evidentemente, ma queste sono congetture, mentre ella pregava e Carlo era intento a parlare con qualcuno o a suonare, Fabrizio e la mia signora avevano lavorato con gli occhi.

Ma, nel mese di giugno del 1590, il Viceré Juan de Zúñiga y Avellaneda invitò tutta la nobiltà napoletana, come da tradizione, al ballo che si tiene a ogni solstizio d'estate nella sua residenza di Chiaia. Vi andammo, accompagnati da un grosso seguito che comprendeva il Bardotti e Laura Scala, che ci venivano dietro su un'altra carrozza insieme all'Adinolfo. Durante il tragitto, che fu breve, Carlo e Maria non dissero una parola. La sera prima, la porta della camera di lei era rimasta chiusa e, molto tempo dopo, Carlo e l'Adinolfo, discutendo dei fatti di quell'anno, si sarebbero ricordati di una strana agitazione che da due giorni aveva colpito Maria, che era come in preda a una foga nuova e a tavola aveva parlato a voce più alta del solito e con frasi brevi e spezzate che non appartenevano al suo contegno abituale. Nella carrozza, adesso, sedevamo di fronte a lei. Tra me e Carlo stava il liuto, che egli si era portato perché sapeva che durante la festa avrebbe dovuto suonare: stavamo dunque stretti, ma il sedile di fronte, dove Maria sedeva tormentando con le mani il ventaglio che si era portata per resistere al grande caldo, era invaso dall'ampia gonna azzurra che ella indossava e che cadeva fin quasi a terra come un grande pesce di mare aggrappato a uno scoglio. Per tutta via Toledo, Maria guardò fuori dal finestrino, e io notai delle piccole gocce di sudore sopra il suo labbro superiore – labbro che ella mordicchiava delicatamente mentre osservava le persone, i vetturini e i bambini che entravano e uscivano dagli acquartieramenti degli spagnoli. Solo una volta si voltò verso Carlo, ma più che lui guardò il liuto. Quando la carrozza si fermò davanti all'ingresso della villa dei Toledo, Maria fu la prima a scendere e, come si conviene, io fui l'ultimo. Da tempo non vedevo il vulcano di Napoli, quell'immane montagna bucata che ci sovrasta e che molti credono sia la porta dell'inferno e che adesso era lì, al di là del golfo. Spesso con Carlo eravamo andati a caccia nella zona del cratere di Astroni, che il mio signore considerava un'ottima riserva nonostante i fumi della solfatara di Pozzuoli avessero sulla sua salute, a volte, l'influsso malefico della Mefite di Gesualdo. Ma il piccolo cratere di Astroni non è la porta di nulla, è solo un buco, e non dorme: muore. Lo attraversano volpi, donnole, a volte lupi e cinghiali, lo sorvolano il falco pellegrino, la poiana, lo sparviero. Sulla vetta del vulcano, invece, non volano uccelli e non mette piede nessuno: la montagna sta là, addormentata attorno al suo buco, e fa bollire il suo mare di fuoco.

«Che guardi?» mi chiese Carlo, vedendo che rimanevo fermo.

«Il vulcano, padrone. C'è una nuvola che ne copre la cima».

Egli gettò un'occhiata distratta verso la montagna, e disse: «Resta fuori in giardino. Voglio che sia una festa tranquilla».

La carrozza di don Giulio arrivò con il suo seguito poco dopo la nostra. Scese per prima la moglie, Laura Caracciolo, e poi don Giulio, che si trascinò fuori dalla portiera e venne subito incontro a Carlo per salutarlo. Rimasero per un attimo in silenzio, poi don Giulio parlò sottovoce ma in modo sufficientemente chiaro.

«Ho incrociato la carrozza dei Carafa poco fa: portava Fabrizio, donna Maria e i due figli maggiori. Sta' in guardia!»

Carlo non rispose, solo contrasse le sopracciglia. Poi si recò insieme allo zio verso don Juan, che li attendeva sulla porta della villa per salutarli. Passeggiai per il giardino, ancora illuminato dalla luce del sole, mentre altri ospiti arrivavano con le loro carrozze, venivano accolti dal Viceré e salivano l'ampia scala di marmo che conduce al salone dove si teneva la festa. Dalle finestre aperte arrivavano voci, e risa, e il suono stridulo di qualcuno che accorda uno strumento. Ma non vidi mai, quella sera, ciò che accadeva nel salone, perché mai osai contraddire il mio padrone e salire le scale. Rimasi in giardino, vagando e avvicinandomi talvolta ai vetturali per avere la compagnia delle loro voci. La sagoma azzurra di Maria comparve la prima volta sulla grande terrazza che dal salone s'apre sul mare pochi minuti dopo che eravamo arrivati. Si faceva aria con il ventaglio e guardava verso il golfo. Adesso sarebbe facile scrivere che cercava qualcuno, che lo aspettava, ma io allora non avevo che un sospetto e, dal basso, finsi di non pensarci. Appoggiata alla balaustra, ella non si accorse che don Giulio, già concluso il primo giro di saluti, le si avvicinava. Lui dovette dirle qualcosa, o forse lei lo percepì, con quell'istinto felino che le conoscevo, e si voltò di scatto. Egli volle baciarle la mano, ma lei si ritrasse: la vidi muovere la bocca, ma non sentii che cosa diceva allo zio di suo marito. Rientrò subito e velocemente nella sala e scomparve dalla mia vista per un po'.

«Era lei?» sentii che diceva qualcuno.

«Ah, donna Maria d'Avalos» rispose un altro. «Non l'avevi mai vista?»

Erano due vetturini della famiglia Colonna, li riconobbi dallo stemma di famiglia impresso sulle livree. Stavano seduti sul predellino della carrozza e si scambiavano un fiaschetto. Il primo che aveva parlato bevve un lungo sorso, poi si pulì la bocca con il dorso della mano e tirò un rutto.

«Fa' silenzio!» disse l'altro. «Tutte le finestre della villa sono aperte. Non voglio passar guai».

«Quelli non ci sentono» disse il primo, «sono tutti presi a guardare le minne della d'Avalos!»

Scoppiarono a ridere e si ripassarono il fiaschetto mentre un uomo, con indosso lo stemma vicereale, ci passò accanto e attraversò il giardino. Teneva chiuso nel palmo di una mano, in modo che non facesse rumore, un grosso mazzo di chiavi, e si dirigeva a passo svelto verso un casotto che a tutta prima mi sembrò un capanno dove la servitù depositava gli attrezzi ma che invece, come notai girandovi attorno, si estendeva per una certa lunghezza e conteneva alcuni vasi lunghi e stretti entro cui qualcuno aveva buttato della terra e probabilmente seminato, visto che, in certi vasi più che in altri, spuntavano alcune piantine dalle forme strane, forse orientali e, sono quasi certo, anche dei pomodori. L'uomo (oggi so che era il giardiniere del Viceré) aprì la porta della serra (oggi conosco anche il nome comune di quel luogo), diede un'occhiata veloce all'anticamera che introduceva alla stanza delle piante e io ebbi il tempo di notare che solo questa anticamera, che poteva essere considerata uno spogliatoio, aveva un tetto; il resto dell'edificio stava sotto una volta di vetro. Fatta la sua veloce ricognizione, l'uomo se ne andò, lasciando però la porta dell'ingresso solo accostata.

Tornai vicino ai vetturali, che avevano scolato il fiaschetto e ne avevano già un altro per le mani. Lo nascosero subito, ma non per me: all'ingresso del grande cancello della villa era comparsa una grande carrozza con lo stemma dei Carafa. I servi dei Colonna si alzarono in piedi e si tolsero il cappello. Dalla carrozza scese per prima Maria Carafa, che trascinò il suo corpo di monaca sulla ghiaia seguita da due ragazzini e dal marito. Fabrizio rimase fermo un secondo sul predellino e si guardò attorno come se volesse abbracciare ogni cosa prima di entrare a farne parte. Guardò verso le finestre, dove le prime luci dei candelabri cominciavano a brillare e dove, forse, si aspettava di vedere affacciata la moglie del mio padrone. Poi scese, diede il braccio alla moglie e si incamminò. Fu trattenuto da una voce che chiamava il suo nome: una voce maschile. Tutti ci voltammo verso l'ingresso del giardino e vedemmo la sagoma di Torquato che varcava la soglia a piedi: teneva il cappello tra le mani in segno di riverenza.

«Don Fabrizio» chiamò. «Lasciate che saluti per prima la vostra devotissima moglie. È molto tempo che non ci vediamo».

«Sapevo però che eravate a Napoli» rispose il duca d'Andria.

«Avrò il piacere, se me lo consentite» disse il poeta, «di venire a farvi visita uno di questi giorni».

Fabrizio Carafa non rispose: sorrise al poeta e si voltò verso la moglie avviandosi verso la scalinata. Tasso rimase indietro di qualche passo, i due vetturini dei Colonna lo guardarono ed egli guardò loro, poi fece per proseguire ma si fermò. Mosse due passi verso di noi, verso la carrozza, e i vetturini si irrigidirono.

«Desiderate qualcosa, messer Tasso?» chiese uno, ma il poeta non rispose. Guardava un punto indistinto accanto a una ruota.

«Cercate qualcosa?» ripeté il vetturino.

Tasso strabuzzò gli occhi, e ci guardammo per un lungo momento. Poi si ricompose, si passò una mano sul mento e cercò nella tasca una moneta per il vetturino.

«Niente» disse. «Mi era sembrato di vedere un'ombra».

S'incamminò a larghe falcate verso lo scalone, di tanto in tanto voltandosi nella mia direzione, mentre i due servi dei Colonna si scambiavano occhiate eloquenti. Uno dei due, quando il poeta fu inghiottito dalla villa, si portò un indice alla tempia e lo batté delicatamente un paio di volte.

«Ha voluto venire a piedi per essere l'ultimo a entrare» disse l'altro, poi bestemmiò, si schiacciò una zanzara sul braccio e fece una sorsata. «Scommetto però che, al ritorno, vorrà farsi dare un passaggio».

Il suono di un clavicembalo risuonò nella sera, e sembrò un saluto per il duca d'Andria. Cominciai di nuovo a girare per il giardino, e rividi l'uomo delle chiavi. Stava appoggiato al muro accanto a una porta sul retro ed era come in attesa di qualcuno. Così mi sedetti sull'erba, poco distante da lui e, mentre faceva sempre più buio, aspettai. Dopo alcuni minuti, la porta accanto alla quale egli stava si aprì, e comparve una sagoma femminile: i due si misero a parlare in dialetto, e io fui costretto ad avvicinarmi per cogliere almeno in parte il loro discorso.

«Dovete dir loro di sbrigarsi» disse l'uomo. «Già da tempo avrei dovuto accendere i lumi in giardino. Tra poco lo noteranno».

«Avete lasciata aperta la porta della serra?»

«Non vi dovete preoccupare di nulla».

La donna mise le mani in una tasca della veste, ne trasse qualcosa e la diede all'uomo.

«Sono per voi, da parte della mia padrona».

«Ringraziate la signora da parte mia» disse lui.

La donna scomparve dietro la porta ma io, benché non l'avessi vista in volto, ne avevo riconosciuto la voce. Rumori di risa, intanto, e voci e canti e chiacchiericcio provenivano dal piano superiore della villa. Ma all'improvviso, in alto, si fece silenzio. La voce di don Juan si udì distintamente fin nel giardino. Egli domandò attenzione, e fece il nome del mio padrone, mentre il suono di una corda di liuto riverberò.

«Ho chiesto a don Carlo» diceva intanto il Viceré, «di farci dono di alcune sue composizioni, ed egli ha accettato».

Rumori di sedie, di leggii che venivano spostati facevano da sfondo alla voce spagnola dell'ospite. Mi tenni lontano dai rutti dei vetturini e rimasi dov'ero. Sul terrazzo, mentre nella sala ci si preparava ad ascoltare, le voci di alcune donne, tra le cantanti migliori di tutta Napoli, gorgheggiarono per scaldarsi, e fu tra quei gloglottii che ascoltai la voce di Carlo annunciare che avrebbe eseguito due o tre madrigali di recente composizione «di cui uno» concluse, «basato su un vecchio sonetto di messer Torquato». Nella sala ci fu un mormorio di approvazione, e io immaginai il poeta che si schermiva e che, forse, pensava alla beffa che Carlo gli tirava: egli aveva rifiutato i madrigali che aveva composto per lui, ma recuperava e metteva in musica un sonetto scritto molti anni prima e pensato per la lettura, non per la musica. Solo ora mi rendo conto dell'atroce ironia di quel momento: non parlo di Tasso e del suo scorno, ma del fatto che Carlo decise proprio quella sera di presentare per la prima volta in pubblico *Mentre madonna il lasso fianco posa*.

Anni più tardi, quando ci trovammo dallo stampatore Baldini, in Ferrara, per dare alle stampe il primo e il secondo libro di madrigali, Carlo, forse ripensando a ciò che era successo quella sera a Chiaia, esitò a inserire *Mentre madonna* nel volume; pensò di cercare un altro sonetto per sostituire il testo tassiano, e a lungo titubò: ma egli amava, allora, la lingua di quella composizione, su cui aveva giocato scomponendo e ricomponendo i versi a seconda del loro suono, creando contrasti e inceppi che non avrebbe saputo ritrovare dentro un altro testo. Così lo mantenne, dicendomi che in fin dei conti quel primo libro era firmato da tal Giuseppe Piloni e non da lui, e che pochi avrebbero osato ridere ascoltando quella storia di un'ape audace che usa il suo pungiglione penetrando madonna... dunque la musica cominciò, il giardino si piegò alle note dei madrigali del mio padrone: egli dava, con il liuto, la tonalità esatta, e poi lasciava che le voci delle cantanti si inseguissero sopra le parole. Aveva tenuto per sé, come molte altre volte avrebbe fatto, la linea del basso: così la sua voce di maschio forniva l'appoggio alle quattro voci femminili, che gli saltavano sopra, si riposavano, ripartivano e a lui tornavano.

La porta delle cucine si aprì di nuovo, e il giardiniere, che come me era rimasto in ascolto, si riscosse e se ne andò. Vidi distintamente, ora, ciò che non era necessario vedessi: la testa di Laura Scala spuntò dalla soglia come la testa del picchio esce dal suo buco, si guardò attorno, poi rientrò. Uscì in compagnia del grande pesce azzurro, lo teneva per mano: le due donne non si dissero nulla, Laura Scala sembrò controllare che il giardiniere fosse davvero scomparso e poi, corricchiando, condusse la padrona verso la serra. Quindi anche lei scomparve girando dietro la casa. Il primo dei tre madrigali promessi si era concluso, ci fu una pausa per permettere al pubblico di approvare ciò che aveva sentito, e anche nel giardino non accadde nulla. Poi, di nuovo, le mani di Carlo fecero vibrare le corde, e subito le cinque voci intonarono il primo verso di *Baci soavi e cari* e io mi chiesi se, da dentro il piccolo spogliatoio dove Maria attendeva e, forse, già si slacciava il corsetto, ella sentiva la voce di suo marito cantare

Baci soavi e cari
Cibi de la mia vita

e se, ascoltando, ella si eccitasse pensando alle labbra di Fabrizio o rimpiangesse di trovarsi dov'era pensando agli anni felici che Carlo le aveva regalato dopo la vedovanza. Ma non potei cercare una risposta, perché dalle cucine, come uno sguattero qualunque, il duca d'Andria Fabrizio Carafa, solo, scivolava nel giardino e, senza preoccuparsi di guardarsi intorno, correva come un ragazzo verso la serra. Egli si fermò sulla soglia, bussò tre volte, mentre dall'alto cadevano i versi

Per voi convien ch'impari
Come un'alma rapita
Non sente il duol di morte

La porta si aprì e si chiuse in un battito, e non ebbi quasi il tempo di avvicinarmi alla serra, che già Fabrizio aveva la camicia slacciata e Maria, rossa in volto e felice (sì, felice), lo baciava e gli diceva parole che non sentivo.

E pur si more

La musica terminò, e di nuovo si levò un brusio nella sala della festa. La voce di Carlo chiese attenzione: «È arrivato il vostro momento, messere» disse, e sono sicuro che si rivolgeva a Tasso, e io non so come scrivere la sensazione che provai davanti al mio padrone che si prendeva una piccola, feroce rivalsa nei confronti del poeta che, secondo lui, lo sfotteva, e che nello stesso momento, con la sua musica, copriva i gemiti di sua moglie e dell'amante.
Attaccò:

Mentre madonna il lasso fianco posa

e Maria, adesso, si offriva a Carafa in una posa oscena, occultata dalle lunghe pinne del pesce azzurro che nascondevano le loro vergogne alla mia vista. Ella si teneva a una mensola, una mensola da servo, mentre lui, con le brache calate, sembrava colpirla, e c'era in loro la stessa gioia, lo stesso entusiasmo di ragazzi che si scoprono che avevo notato i primi anni, quando stavo nascosto dietro i paraventi, guardavo Carlo e Maria amarsi e trovavo materia per i miei disegni. Per farsi spazio, e per guardarla, egli le sollevò un po' la gonna azzurra e allora io vidi, o mi parve di vedere, un gonfiore che le incurvava il ventre e, nel buio, mi figurai una striscia nera che dall'ombelico le cadeva fino a Venere. Così mi parve, o forse fu suggestione, e gioco d'ombre. Non rimasi a guardare oltre: per la prima volta nella mia vita l'intreccio di due corpi che si amano mi disgustò. Feci qualche passo verso la villa, da dove mi trovavo adesso potevo sentire il sonetto che prendeva forma grazie alle voci e vedere le ombre di Maria e Fabrizio che si agitavano, si spingevano nella serra. Furono corna, anzi, fu una caricatura di corna, e io pensai, non so come ma lo pensai, mentre i movimenti dei due corpi si facevano più veloci e il madrigale si avviava alla fine, che i versi del Tasso erano sciocchi e la musica che Carlo vi aveva costruito attorno era brutta, informe, era una caricatura di musica, e che l'idea di farla firmare da Giuseppe Piloni era un colpo di genio e insieme una resa, l'ammissione implicita di aver composto qualcosa da cui ci si deve nascondere.

Spossata ma con una luce nel volto, Maria uscì presto dalla serra. Si era ricomposta e, se non fosse stato per un ricciolo che si ribellava (ma che Laura Scala, evidentemente, mise a posto prima che la mia padrona tornasse nella sala), si sarebbe detto soltanto che soffriva il caldo della sera. Attraversò il giardino come saltando, e bussò alla porta della cucina dietro la quale, scoprii, Laura Scala l'attendeva. Don Fabrizio, invece, passeggiò a lungo per il giardino prima di riguadagnare il primo piano: non voleva, evidentemente, farsi vedere vicino a Maria; voleva anche aspettare che il suo corpo tornasse normale. Mentre lui prendeva aria, il giardiniere comparve da dietro la villa: teneva in mano una torcia che gli accendeva il volto e con quella, con lentezza, mentre le cinque voci, in alto, si contendevano il verso che dice

Vile ape, Amor, cara mercé mi toglie

accese a uno a uno tutti i lampioni, illuminando a giorno la grande volta di vetro della serra e gettando, come sempre succede, delle ombre negli angoli più remoti del giardino. Quando fu vicino all'ingresso dello spogliatoio si fermò, trasse di tasca il suo grosso mazzo di chiavi e con due mandate chiuse la porta.

Calmatosi, Fabrizio finse d'ascoltare il madrigale che finiva nel mezzo del parco illuminato, e non so cosa vide quando sollevò lo sguardo verso la terrazza: probabilmente nulla, visto che nessuna preoccupazione sembrò turbarlo.

Eppure, da alcuni minuti, don Giulio stava appoggiato alla balaustra e guardava verso la serra.

Che meravigliosa scena romantica e funesta, questo ballo. Quale assoluto presagio di fine c'è in questo sotterfugio della serra. La loro morte, a ben guardare, è già tutta inscritta qui (e nell'incidente del cavallo, che arriva tra poco). Intanto questa cronaca procede a gran velocità verso il momento annunciato della carneficina. Mi scopro a pensare, a volte, che finirò per saltare quelle pagine: se Gioachino è così morboso nel descrivere il corpo, gli odori e le orribili condizioni in cui vive quell'essere nelle segrete, se è tanto preciso nella messa in scena dell'incontro tra Maria e Fabrizio nella serra, non so cosa aspettarmi dal racconto della macellazione dei due amanti. Anzi: lo so. Per questo sento, in anticipo, una certa ripugnanza, e provo una ritrosia dovuta anche al fatto che, di tutta la cronaca, questa sarà l'unica scena del cui esito sono certo. Dunque perché leggerla?

Ma almeno ricevo buone notizie: mentre pranzavamo, oggi, telefonata da Basilea. Herr Weber ha mandato il saldo per i «Movements» che mi aveva commissionato. In tutto, fanno circa quindicimila dollari, e ho la sensazione che, se avessi un po' insistito, avrei potuto guadagnare di più. Ma non è facile trattare con gli svizzeri. Hanno con il denaro una confidenza che li fa ogni volta sentire in difetto. Non credo di aver mai scritto, o raccontato, come andò la trattativa per i

«Movements» – che sono, dal punto di vista ritmico e di costruzione, i dieci minuti di musica più avanzata che esista. «Ma sono soltanto dieci minuti!» mi disse Herr Weber, seppur sorridendo, quando gli presentai il progetto e chiesi il denaro. Io non sapevo cosa rispondere, ma per mia fortuna sua moglie Margit era con noi. «Signora» le dissi. Buttai giù su un foglio alcune delle idee che avevo in testa, e che mi erano venute a Venezia mentre provavamo «Threni», e gliele mostrai. «Questa non sarà la forma definitiva del primo movimento» dissi, «ma è la strada che intendo percorrere». Lei si sedette al pianoforte, si tolse un grosso anello che aveva alla mano destra, e accennò la mia partitura improvvisata. «Karl, mio dio» disse al marito quando ebbe finito di suonare «Anche solo questo minuto vale tutta la somma che Herr Stravinsky ti ha chiesto». Ci accordammo per un acconto di diecimila dollari e altri cinquemila a saldo alla consegna. La signora Margit è un'eccellente pianista: esegue Brahms come se Brahms avesse scritto per le sue mani, e Martinů stravedeva per lei. Eseguiremo i «Movements» a New York in gennaio: è stato del tutto naturale, per me, chiederle di sedersi al pianoforte e accompagnare l'orchestra. Non arrivo a dire di aver concepito i «Movements» per lei, perché sarebbe un'ingiustizia nei miei stessi confronti; tuttavia, l'idea che potesse essere proprio lei la prima esecutrice mi ha tenuto compagnia mentre componevo, anche tenendo conto del fatto che, senza la sua presenza, avrei ottenuto un compenso minore. Con ogni probabilità, in dicembre lei e il marito saranno nostri ospiti per qualche giorno in modo che io e Margit potremo provare le sue parti con calma prima di mescolarci con l'orchestra. Ma non ho dubbi sul fatto che Margit Weber sarà all'altezza di questa musica nuova. Lei stessa, via lettera, si è detta molto onorata dell'invito a Hollywood e mi ha confessato che, ormai, conosce i «Movements» a memoria: «E tuttavia – mi scrive – sono convinta che trovarmi in una sala prove con lei

modificherà totalmente l'approccio che ho avuto fin qui alla sua opera». Margit non sa che le opere di Stravinsky, a Hollywood, si provano a casa Stravinsky. Tutti sembrano stupirsi che io inviti musicisti e cantanti qui nello studio per provare: forse è qualcosa che viene percepita come una violazione – una violazione della mia vita privata. In America (ed evidentemente anche in Svizzera) non si entra nelle case degli altri, e suona strano che sia io stesso a patrocinare questa violazione. Mi ricordo lo sguardo impacciato, perfino impaurito, che aveva Marylin Horne la prima volta che varcò la soglia dello studio, cinque o sei anni fa: aveva diciannove o vent'anni, e i suoi occhi spaventati dicevano che voleva essere ovunque tranne che qui. Ma poi l'accolsi in vestaglia, indossando il mio berretto, e credo di esserle suonato, prima che buffo, «domestico», accogliente. Si sciolse dopo tre o quattro prove in cui, con pazienza, le insegnavo la corretta pronuncia russa delle parole di certe vecchie cantate, e lo studio si riempiva di «AWWWWWSSSSSH» e «AWWWWWARK» che ci facevano ridere. È una cantante di enorme talento, e sa anche ridere di sé. (Recentemente mi ha confidato che, a conquistarla definitivamente, fu però la cucina di Evgenija Petrovna).

28 agosto

La sera del 16 ottobre, finito di consumare una cena leggera in compagnia dei figli, Maria Carafa si alzò da tavola, in silenzio li abbracciò e li baciò tutti facendo con il pollice un segno della croce sulle loro fronti, quindi si chiuse nella sua stanza a palazzo Ducale; alle serve che domandavano se avesse bisogno di aiuto disse che si sarebbe preparata da sola per la notte e alla domestica più anziana, sua fedele servitrice fin dai tempi in cui, poco più che bambina, pensava di essere destinata al convento, disse che voleva pregare perché, sentiva, «Stanotte accadrà». La domestica, una donna che aveva con lei la confidenza di chi ha visto qualcuno crescere, capì che non doveva fare domande e si ritirò nella sua camera, lasciando donna Maria sola con il suo rosario. Per tutta la notte, si dice, le serve e i figli dormirono accompagnati dalla ninna nanna delle sue orazioni. Era già successo altre volte che la padrona trascorresse una notte di veglia inginocchiata davanti al crocifisso, dunque nessuno, tranne la serva anziana, a cui Maria aveva appunto detto quella frase ambigua, si preoccupò.

Ma si dice anche che, alcuni giorni prima del 16 ottobre 1590, una lettera con il sigillo dei Carafa era arrivata a Palazzo di Sangro: era indirizzata a Carlo, dunque l'Adinolfo non l'aprì nonostante lo stemma e la calligrafia femminile lo incuriosissero. In quella lettera, Maria Carafa diceva al padrone mio che sapeva della malapratica tra suo marito e Maria d'Avalos. Lo scongiurava di essere clemente ma diceva, con malizia, che era perfettamente consapevole che egli aveva il diritto di farsi giustizia e che niente e nessuno avrebbero potuto impedirlo: dunque, la devotissima moglie del duca d'Andria avallò il massacro, anzi, lo istigò e lo benedisse. Io non ho mai visto quella lettera, ma le dicerie del popolo napoletano la vogliono scritta. Poco tempo dopo la morte del marito, Maria, non so dire se per fede o per volontà di espiazione, si ritirò in un convento domenicano dove, se non è morta, ancora oggi vive in clausura. Al popolo napoletano interessa poco di quella lettera, che aggiunge soltanto un po' di colore a una storia che ne ha già in eccesso: ciò che riempie le bocche, quando si pensa a Maria Carafa, è semmai la sua facoltà oracolare. C'è anche chi dice che ella organizzò l'omicidio con Carlo, e che dunque quel «Stanotte accadrà» non fu un presentimento ma un annuncio; ma Carlo e

Maria non si parlarono quasi mai, e io sono quasi certo che il principe non rispose a quella lettera e non ebbe con lei nessun contatto.

Se ella sia una strega o una santa è un problema che non mi toglie il sonno: ciò che bisognava fare è stato fatto, la legge e l'onore del casato lo imponevano; il duca d'Andria non manca al mondo, che ne ha registrato la morte dentro qualche sonetto e ballata, ma che pensa a tutt'altro quando immagina una tragedia.

Tornammo da Chiaia che era sera tardi, Maria ci stava di fronte nella carrozza e il rossore delle guance le era scomparso, così come scomparso, forse, era il senso di colpa (se mai l'aveva provato) per essere entrata nella serra. Avevamo appena superato il Gesù Nuovo quando ci fu uno scossone che per poco non ci fece rovesciare e un lungo, lamentoso nitrito rigò il silenzio: ci affacciammo e, nel buio illuminato dalla torcia del vetturino, vedemmo il corpo del cavallo che ci trasportava piegarsi su un lato, sostenuto soltanto da una delle stanghe. Una zampa gli era finita in una buca: il vetturino lo sbrigliò, gli si fece vicino mentre da una delle carrozze del seguito scendeva di corsa il Bardotti. Il cavallo stava a terra, snasava e si lamentava, mentre il Bardotti e il vetturino capivano che si era rotto una zampa. Mandammo per un maniscalco che aveva la sua bottega sul decumano: a volte i cavalli non si rompono davvero, si feriscono, si storpiano leggermente ma riescono a portarti a casa. Dopo alcuni minuti, il maniscalco comparve insieme a un suo compare, che in seguito avrei saputo essere un macellaio. I due uomini, il Bardotti e il vetturino illuminarono la zampa dell'animale, che era una delle migliori bestie delle scuderie di Calitri, e la studiarono per un po'. Poi il Bardotti si staccò da quel piccolo consiglio e venne al finestrino, dove disse che per il cavallo non c'era niente che si potesse fare. Ordinammo che fosse macellato, e che fosse il Bardotti a contrattare per la macellazione.

«Eccellenza» disse il Bardotti, «devo chiedere a lei e alla signora di scendere e di proseguire fino a casa sull'altra carrozza. Manderemo un altro cavallo a recuperare questa».

«Possiamo aspettarlo qui» rispose Carlo.

Il Bardotti fece una smorfia, guardò donna Maria e con delicatezza rispose: «Non possiamo trasportare fino alla macelleria il cavallo vivo».

«Lo macellano qui per strada?» disse Carlo. Maria fece un verso simile al nitrito che avevamo sentito poco prima, se ne vergognò e tacque.

«No. Ma da morto è più facile caricarlo su un carro, ed è meno doloroso per lui».

Tutta la notte e il giorno successivo il macellaio lavorò alla nostra bestia, che ci fu consegnata in blocchi a Palazzo di Sangro due giorni più tardi. Don Giulio era atteso per pranzo: aveva mandato un biglietto in cui diceva che aveva cose importanti da riferire. Si sedette dall'altra parte del tavolo con aria grave, ma anche con un ghigno, una piega della bocca che dissimulava tastandosi il mento. Per tutto il pasto cercò di non guardare Carlo negli occhi ma, quando il Bardotti entrò con le pietanze, fece schioccare l'archibugio della lingua.

«Oh, ma che odore è mai questo?» aprì le braccia per accogliere il piatto, quindi chiuse gli occhi e annusò a lungo. «È carne di cavallo, non è vero? È una vera prelibatezza, questa che tu mi offri, nipote mio. Una vera prelibatezza».

Carlo stava in silenzio, conficcato dentro la sua poltroncina. Don Giulio infilzò il primo pezzo di carne e, prima di metterselo in bocca, lo guardò a lungo, rigirandolo e annusandolo. Poi lo inghiottì e fece un altro schiocco. «Non si mangia molto spesso una carne tanto tenera, a Napoli» disse. «Qui si mangia carne d'asino, a volte di cavallo vecchio: dai macellai arrivano soltanto bestie sfinite dalla fatica, nervose, con poca polpa».

«Era uno dei miei cavalli» disse Carlo, «si è azzoppato l'altra sera, mentre tornavamo dal ballo del Viceré».

Don Giulio smise per un istante di masticare, si pulì la bocca con un tovagliolo mentre Carlo, dall'altro lato del tavolo, ingoiava il suo primo pezzo di carne.

«È sempre spiacevole quando un cavallo s'azzoppa» disse don Giulio, masticando il suo secondo pezzo. «Sono bestie fedeli. E dimmi, lo usavi per la caccia?»

«No, non per la caccia. Questo trainava la carrozza: molte volte mi ha portato qui da Gesualdo».

Don Giulio trangugiò ancora qualche pezzo di carne, mentre Carlo mangiava lentamente, come in attesa, e pareva non gustare la pietanza.

«Che mi volevate dire?» chiese infine.

Don Giulio si sistemò sulla sedia facendo rumore, quindi si fece serio: «Vorrei che fossimo soli mentre parliamo» disse, alludendo al Bardotti, che era rimasto in un angolo in attesa di servire il vino. «Manda il tuo cameriere a prenderci qualcos'altro».

Carlo fece cenno al Bardotti di sparecchiare e gli disse di tornare tra qualche minuto con un'altra portata.

Così Giulio poté raccontare al mio padrone di ciò che aveva visto dalla terrazza del Viceré. Egli aveva tenuto d'occhio i servi, disse, Laura Scala e il giardiniere della villa, perché fin da subito aveva notato come, a mezzo di occhiate e ammiccamenti, essi tramavano qualcosa.

«Non so, caro nipote» disse, sorseggiando il vino e distendendosi mollemente sulla poltroncina, «come fu fatto l'accordo: ma stai certo che, per quello che ho visto, donna Maria e il duca d'Andria arrivarono alla villa già sapendo che si sarebbero incontrati nella serra». Il suo viso si allargò e ne uscì un sorriso molle, mentre Carlo guardava fisso la tavola e, sotto, si tormentava le mani.

«Così dite che furono i servi, furono i servi a organizzare tutto! Ma io la sbatto in un convento!» urlò il padrone mio quando il racconto fu terminato, e si riferiva a Laura Scala.

Don Giulio attese che Carlo finisse di sfogarsi, poi, con tutta calma, disse: «Ma i servi, caro mio, per quanto subdoli e inaffidabili fanno soltanto ciò che i padroni chiedono loro».

«Che cosa volete dire?»

Don Giulio si mise dritto. Prese tempo mentre Carlo, ora fermo, aspettava.

«Da molti mesi prosegue quest'affare» disse Giulio. «Io te ne scrissi quando non era più che un sospetto, una chiacchiera. Ma tu sai bene che, benché questa sia una città fondata sulle chiacchiere, raramente vi circolano voci prive di fondamento. Come Maria e il duca si incontrassero non lo so; e non so nemmeno come abbiano fatto a tenersi in contatto senza che tu o qualcuno dei tuoi si sia messo in sospetto. Ma tutta Napoli parla di questo loro amore».

«Non chiamatelo amore».

«Come vuoi. Ma tutta Napoli sospetta da tempo, e anche tu, se non sei uno sciocco, devi esserti accorto di qualcosa. L'altro giorno, a Chiaia, io ho avuto la prova che aspettavamo».

«Che aspettavamo?»

La porta si aprì, e il Bardotti entrò con un portavivande dai bordi alti, dai quali si sprigionava un odore di stufato e spezie. Guardò don Carlo come a chiedere il permesso di avvicinarsi alla tavola, e Carlo disse: «Vieni avanti, servici e poi rimani».

«Abbiamo ancora delle cose da dirci» disse don Giulio.

«Ditele. Egli è il mio servo più fedele: sta con me da quando ero ragazzo». Il Bardotti posò il vassoio sulla tavola. «Lo autorizzo ad ascoltarci da qui in poi».

Don Giulio si levò leggermente, buttando lo sguardo dentro il portavivande. Il suo volto si illuminò e si rivolse al servo: «Ma quelli...?»

«Sì, Eccellenza» rispose il Bardotti.

«Davvero?»

«Davvero: sono quattro zoccoli di stallone irpino, stufati per voi».

«Cuociono da ieri sera?» chiese don Giulio.

«Da ieri pomeriggio».

Don Giulio si guardò intorno per un po', osservò le pareti e il pavimento.

«Dove?» domandò al Bardotti.

Il servo indicò la parete dove io mi trovavo, che era priva di quadri e rivestimenti: «Là» disse. «È pietra, non si ammacca».

Don Giulio parve esitare un istante e guardò Carlo in volto per l'unica volta durante il pasto. Poi, visto che il nipote rimaneva in silenzio, si alzò e si avvicinò al portavivande.

«Posso fare io per voi, se consentite» disse il Bardotti, ma Giulio prese un tovagliolo pulito e afferrò uno zoccolo fumante lasciando colare la pappetta che lo avvolgeva. «Ecco» disse poi. Si voltò, parve valutare la distanza, poi con una forza che non gli indovinavo scagliò lo zoccolo contro la parete nuda. Il pavimento si sporcò della salsa in cui era stufato, e il muro restituì uno schiocco simile a un colpo di archibugio.

«Ah, non si è rotto» disse Giulio. Andò verso lo zoccolo che giaceva a terra e lo afferrò. Fece alcuni passi all'indietro e lanciò di nuovo. Lo zoccolo si scalfì, ma non si ruppe, mentre sulla parete due larghe macchie di unto sembravano due occhi neri che ci guardavano.

«Più è faticoso romperli, più sono buoni. Così si dice» disse don Giulio. «Ne ho mangiati soltanto un'altra volta, molti anni fa, a Palermo. Bisogna lanciarli stando lontani almeno tre metri dalla parete, sai? Non si può sapere dove finiscono le schegge quando si spezzano».

Di nuovo tirò contro il muro, mettendoci ancora più forza. Finalmente lo zoccolo fece il rumore di qualcosa che si rompe, e brandelli del piede del nostro cavallo si sparsero sul pavimento. Don Giulio, prevenendo il Bardotti, si affrettò a raccogliere tutti i pezzi e a metterli nel tovagliolo.

«Il vero problema di questa pietanza» disse, «è che più lanci richiede più si raffredda. È lo scotto che si paga per cibarsi di queste delizie». Si mise a succhiare rumorosamente il midollo dallo zoccolo, imbrattandosi il mento e il colletto della camicia. Finito che ebbe si guardò e disse, con un sorriso: «Ci si sporca, caro nipote. Ma ne vale la pena».

Il Bardotti prese uno zoccolo dal vassoio e lo lanciò contro la parete. Al terzo lancio una scheggia partì e quasi mi colpì, mentre Carlo, dentro quel rumore di passi di cavallo, diceva allo zio: «Continuate».

«Me ne spetta un altro, è vero» rispose quello.

«Continuate il discorso che stavate facendo».

Don Giulio si alzò, prese il secondo zoccolo mentre il Bardotti raccoglieva i frammenti del suo e li portava a Carlo.

«Ella ti tradisce. Ne va del gran cognome. Tutto il casato è in pericolo quando una moglie tradisce un marito. La discendenza...»

«Tacete! Ella può aver fatto quello che dite, ma certo non sarà così sciocca da avere un figlio fuori dal matrimonio!» sbottò Carlo, mentre rimuoveva il midollo con una forchetta.

«È una donna, nipote mio. E, come sai, davanti alla

passione, per una donna non esistono il nome né il diritto: dimenticano il proprio ruolo così come dimenticano il marito».

Carlo mi cercò nell'angolo buio della stanza.

«Che cosa devo fare?» domandò.

«Tu sbagli, figliolo, a lasciare che sia il tuo servo a spaccare gli zoccoli di cavallo. Uno dei più grandi piaceri nel sorbire questa pietanza eccezionale è proprio quello di procurarsi il midollo da sé. Prova, fai come me». Don Giulio lanciò, poi disse, mentre si chinava per raccogliere lo zoccolo ancora integro e come continuando il discorso che egli stesso aveva interrotto: «Soltanto una cosa, in questi casi, salva l'onore e il casato» fece con le dita sporche di sugo un gesto inequivocabile, perfino osceno nella sua eloquenza, quindi riguadagnò il centro della stanza e lanciò di nuovo. Lo zoccolo si spaccò in tre pezzi: «Pensaci, ma non far passare troppo tempo: quando la cosa avrà smesso di essere una voce e sarà diventata un fatto conclamato, sarà molto più complicato porvi la parola fine».

«Che volete dire?» chiese Carlo.

«La legge ti consente di farti giustizia, ma non consente la premeditazione. Quando tutti sapranno, non potrai che sapere anche tu».

Allora Carlo si alzò, prese l'ultimo zoccolo rimasto nel vassoio, lo pulì con il tovagliolo e lanciò.

Poco dopo il pranzo era finito, don Giulio domandò al Bardotti di scendere in cortile e mandare il suo vetturino a casa a prendergli una camicia pulita.

«Un pasto eccezionale, nipote» disse, «davvero eccezionale. Ora, se non ti dispiace, andrei a stendermi sul divanetto in attesa che arrivi la mia camicia». Detto questo, uscì dalla stanza lasciandoci soli.

Carlo si voltò dalla mia parte. Mi avvicinai a lui, entrando nel cono di luce della finestra. Mi sentivo gli occhi del cavallo sulla nuca, e mi voltai per un istante a osservare le macchie di unto sulla parete.

«Che cosa ha voluto dire prima di andarsene, Gioachino?» chiese.

«Avete capito benissimo, padrone: sapete come stanno le cose».

Un solco nero gli rovinò la fronte. «Egli viene qui, mi rivela che mia moglie, la madre di mio figlio, mi mette le corna, mi fornisce a mezza bocca una soluzione e poi se ne va».

«Non a mezza bocca, padrone. Ma credetegli: è l'unica soluzione possibile. Pensate a cosa succederà quando tutto verrà alla luce del sole – e non manca poi molto. Già essi sono stati così sfrontati da incontrarsi in un luogo dove tutta Napoli era radunata: si sono fatti beffe di voi, e di noi tutti. Ho visto anch'io ciò che ha visto vostro zio: si sono dati appuntamento sotto una cupola di vetro, quando ancora la notte non era del tutto scesa. E così, impuniti, forse proprio in questo momento si scrivono biglietti d'amore...»

«Taci! Non ti voglio ascoltare. E non voglio ascoltare neanche lui».

«Ella vi appartiene, ma il suo cuore, e il suo corpo, sono di un altro» dissi.

«Taci, ho detto! Come posso sapere che egli non mente? Pensi che io non sappia che, nell'ultimo anno, egli ha fatto regali a Maria, e l'ha chiesta, e che dunque probabilmente viene a dirmi queste cose perché è folle di gelosia?»

«Ma Maria e il duca d'Andria, padrone, si amano: è cosa certa. Convocate Laura Scala, minacciatela, mettetela in ceppi: è furba, ma è soltanto una serva e parlerà».

«Tu li hai visti davvero?»

«Foste voi a ordinarmi di rimanere nel giardino».

Si mise le mani sul volto, in un gesto che era di disperazione e di pensiero ma che poteva sembrare una preghiera.

«Aspetteremo il loro prossimo convegno» dissi, «e irromperemo nella stanza: solo così potrete avere giustizia».

Staccò le mani dal volto e mi guardò: «Solo così? Devo dunque vedere mia moglie che giace con un altro uomo? Anche questo mi devo infliggere?»

«È come ha detto vostro zio: la legge non vi consente la premeditazione. Gli amanti vanno colti in flagrante, altrimenti rischiate una condanna».

«È assurdo. È crudele che io debba vederla con un altro uomo ora che so».

«Così è, padrone. Li aspetteremo e, quando saranno addormentati, li colpirete».

Si guardò i lunghi palmi bianchi, li soppesò. Mi chinai e raccolsi alcune schegge dal pavimento.

«Non sarò solo, vero Gioachino?» domandò Carlo. «Tu verrai con me. Queste mani hanno già sparato e ucciso, ma si trattava di cinghiali, di volpi. Non sono nate per uccidere, ma per comporre».

«Non sarete solo, padrone. Altri verranno con noi».

«E mi processeranno?»

«Ci sarà un'inchiesta, ma sarà breve e ne uscirete pulito».

«Come puoi saperlo?»

«Lo so: è adesso, con queste voci e questi sospetti, che siete sporco. Il sangue lava ogni cosa».

«Vattene via, non ci voglio pensare».

«Me ne occuperò io» dissi, posando alcune schegge sul tavolo. «Voi dovrete soltanto essere presente e sferrare l'ultimo colpo».

«Io? L'ultimo colpo?»

«Noi siamo servi, padrone. Un servo non può uccidere un nobile. Ne va del vostro nome. Ricordate: voi uccidete in nome del blasone, non potete infangarlo lasciando che sia un servo a compiere l'estremo atto di giustizia che vi viene chiesto».

«Lasciami solo, adesso» disse, e non mi guardava.
Mi avviai verso la porta, ma appena fui oltre la soglia lo sentii che chiamava di nuovo il mio nome. Così mi voltai e feci due passi dentro la stanza.
«Gioachino, tu ci sarai?»
«Ve l'ho già detto, padrone: io sono dove siete voi».

Nell'ora del riposo

Poco fa Staibano è uscito dalla stanza dove tutti stanno radunati per redigere il testamento del principe e mi è venuto a cercare. Mi ha trovato qui, nella mia cella, che trascrivevo il colloquio che ho avuto con il mio padrone a Palazzo di Sangro più di vent'anni or sono. Concentrato com'ero, non l'ho sentito arrivare e non ho fatto in tempo a nascondere i fogli e a buttarmi nella scatola. Egli deve aver capito che redigo un manoscritto, perché, mentre mi parlava, i suoi occhi guardavano la penna, il calamaio, il panno con cui asciugo le sbavature dell'inchiostro; e tuttavia non ha fatto domande, e non ha voluto che gli mostrassi le carte che tenevo sul tavolo.
«Ho bisogno, Gioachino, che tu mi accompagni» ha detto.
Sono sceso dalla sedia, badando a non rimettere a posto le carte: qualunque mia cura nei confronti del manoscritto lo avrebbe incuriosito e spinto a chiedere. L'ho seguito per i corridoi che portano al suo gabinetto e «Ti ho chiamato» mi diceva mentre li percorrevamo, «perché dobbiamo fare qualcosa per lui».
Sono rimasto in silenzio, perché non capivo che cosa avremmo potuto fare per Carlo se non adempiere ai suoi voleri come abbiamo sempre fatto.
«Egli si agita, si scuote ormai da molte ore, lo senti?» ha

continuato. «Probabilmente la ferita che tiene sulla gamba si è aperta, la catena farà infezione o forse si romperà».

Da tempo non ascoltavo i suoni che riempiono il castello in queste ore nere. Ma ora lo sentivo di nuovo ululare nella sua cripta, e sbattere ferocemente per terra il campanello che lo rivelava al mondo.

«Avete abbandonato la vostra riunione per scendere fino a lui?» ho domandato.

«Ho chiesto un'ora di riposo, e tutti sono andati a mangiare».

Ha tratto da una tasca la lunga chiave che apre il suo gabinetto e ha lasciato che vi entrassi insieme a lui.

«Non ci vorrà molto» diceva intanto, mentre infilava le mani dentro uno scaffale colmo di boccette di vetro. «Ecco» ha detto poi, posandone una sul tavolo, «tienila, Gioachino, non farla cadere».

«Che cos'è? Puzza di vino acido».

«Laudano».

Ha messo un'altra boccetta vicino alla prima, poi si è chinato, entrando quasi dentro la bocca nera di una credenza, da dove è provenuto un rumore insistente di ferri che si toccano. Ha cercato per un po', poi si è alzato con in mano una piccola scatola di metallo: «Andiamo» ha detto.

L'ho seguito di nuovo per i corridoi, e abbiamo sceso le scale che portano verso la tana. Egli probabilmente deve aver sentito che ci stavamo avvicinando, perché il rumore del batacchio è aumentato, e lunghi fischi, e ululati, e respiri spezzati ci hanno accompagnato fino alla sua soglia. Ci siamo infilati nel budello che conduce a lui, Egli si copriva gli occhi con i palmi delle mani perché la luce del corridoio, che è debole ma è pur sempre luce, non lo ferisse. Staibano ha appeso la torcia alla parete della cripta, illuminando una piccola pozza di sangue ed escrementi. Egli ha gridato, sempre schermandosi gli occhi, poi si è voltato verso la parete perché la luce della torcia gli era insopportabile. O forse teme il fuoco, per un istinto che si porta dietro da quando il processo di imbestiamento lo ha reso selvaggio. Da piccolo, Egli amava il fuoco, come se capisse che la torcia era l'unico momento di luce possibile nelle sue giornate: lo guardava, perché non poteva sapere che non si devono guardare le fiamme, tirava la catena allungando un braccino verso la torcia, che tuttavia era troppo lontana perché la potesse raggiungere. Si avvicinava il più possibile alle fiamme, perché lo riscaldavano. Oggi no: Egli odia il fuoco, lo evita, si rintana il più possibile lontano da lui come se sentisse, nel crepitio delle fiamme e nell'oscura luce che da esse promana, un anticipo di quell'inferno dove senza dubbio Egli è destinato a vivere per l'eternità.

«Ha fatto infezione» ha detto Staibano osservando la gamba da lontano.

Egli ci guardava di sottecchi, respirando forte. Non avendo sentito l'odore del cibo, probabilmente si stava chiedendo per quale motivo eravamo entrati nella sua cripta. Ho preso il bastone con cui lo tengo lontano e, istruito da Staibano, gliel'ho puntato tra le scapole, spingendo più che potevo per schiacciarlo contro la parete. Egli ha guaito, ma non per il dolore: per la paura. A passi lenti, Staibano si è avvicinato a lui. Teneva in mano una pezza imbevuta di laudano, il cui odore acidulo ha presto impestato tutta la cripta. Egli teneva la testa schiacciata al muro, stava appena voltato di lato per respirare, ed è stato con un balzo che Staibano gli si è fatto vicino e gli ha messo la pezza sul naso. Per alcuni secondi Egli, preso da una furia improvvisa, ha tentato di divincolarsi, strabuzzando gli occhi di bestia e mugolando dietro la pezza, ma io spingevo più che potevo con il bastone e Staibano non ha mollato mai la presa. È caduto a terra con un tonfo, addormentato. Lo abbiamo disteso con delicatezza e c'era nel suo volto la beatitudine del sonno adulterato. Staibano si è inginocchiato di fianco a lui, stando attento a non macchiarsi le vesti di sangue ed escrementi, poi mi ha detto: «Resta vigile. Egli non si sveglierà, ma tieni pronto il bastone». Quindi, prendendo la ciotola dentro cui Egli beve, ha rovesciato l'acqua sulla caviglia pulendola sommariamente, poi, con fatica, l'ha liberata dalla catena. Il sonaglio ha fatto un suono discendente, e un odore marcio ha per un istante coperto l'odore del laudano. Staibano ha imbevuto un'altra pezza di acqua e di una soluzione alcolica e ha pulito la ferita, togliendo sangue, croste e sporcizia e rivelando la pelle marcita della gamba e il bianco dell'osso dentro la ferita. Per molti minuti Staibano è stato impegnato in questa pulitura, che immagino sia dolorosissima se subita a mente sveglia: Egli invece dormiva e stava immobile, tanto che io, preso coraggio, mi sono abbassato verso la sua testa e, tenendogli premuta sul petto la punta del bastone, con un dito gli ho sollevato il labbro superiore, che è coperto di una peluria di ragazzo, per guardargli i denti. Molti ne mancano, alcuni sono neri, ma ha canini bianchi e forti, incastonati dentro gengive rosse come il sangue del costato di Cristo. Staibano mi guardava di sottecchi, e c'era in quello sguardo una domanda.

«Egli non ha denti di lupo» ho detto allora, sentendomi immediatamente stupido. Staibano ha buttato in un angolo la pezza completamente imbrattata di sangue e sozzura, quindi ha preso dalla scatola ago e filo, si è avvicinato alla torcia e strizzando gli occhi si è preparato all'operazione. Ho guardato la caviglia, perché nella mezzaluce mi era sembrato che Egli avesse mosso il piede: invece era rimasto fermo, ma la ferita, essa sola, si era mossa. Mi sono avvicinato facendo leva sul suo petto con il bastone, e non ho avuto bisogno di chinarmi per vedere che, appena sotto la sua pelle, qualcosa si muoveva: dalla ferita, è uscito un piccolo verme bianco-giallo, un bigattino, come mi avrebbe poi detto Staibano, e io ho lanciato un grido che è risuonato nella cripta come un canto. Staibano è corso verso di me, pensando che Egli si fosse svegliato: gli ho indicato la larva che si muoveva nella gamba ed egli ha scosso la testa, ha cercato di nuovo la pezza e si è chinato sulla ferita per ricominciare la pulitura.

«Sta marcendo» ha detto. «L'unica soluzione sarebbe tagliare il pezzo di gamba, ma oggi non lo possiamo fare».

«Morirà?»

«È un essere forte. Ma dovremo prendere in fretta una decisione non appena le cose saranno tornate al loro corso».

Con la punta dell'ago, Staibano ha infilzato il bigattino. Ha lavato di nuovo la ferita e si è alzato, si è avvicinato alla fiamma della torcia e vi ha appoggiato l'ago, su cui il corpo del vermetto ha spasimato per qualche secondo prima di diventare nero e di rimpicciolirsi, ormai abbrustolito. Il medico è tornato verso di noi, si è chinato tenendo sempre ago e filo nella mano, e ha bucato la pelle della caviglia, cominciando a cucire i bordi del solco che la catena e il sonaglio avevano prodotto. È stata la seconda volta che ho osservato così da vicino qualcuno cucire, e anche la prima volta eravamo in penombra, ma una penombra diversa da quella umida e fredda della cripta del castello: stavamo a Napoli, allora, era il mese d'ottobre del 1590, e il Bardotti rientrò una sera a Palazzo portando sulle spalle una grossa gerla di vimini che odorava di bestia. Salì nel gabinetto di Staibano, che lo aspettava alzato e aveva liberato il tavolo dove ancora, a cadenze regolari, egli provava le sue pulegge e carrucole sul mio corpo. Bardotti entrò e posò la gerla per terra. Disse: «Non è stato facile recuperare tutto» e io, che lo avevo seguito fin nello studio, non capii. Continuò: «Il macellaio non aveva tutto e ci è voluto del tempo per trovare le pelli».

Scoprì la gerla, che era tappata da un telo ruvido, e io potei avvicinarmi e osservarne il contenuto: c'erano, accatastate l'una sull'altra, alcune pelli di animali che il Bardotti cominciò a tirar fuori.

«Vanno lavate ancora molte volte con l'aceto» disse. «Così ha detto il macellaio. È l'unico modo per togliere l'odore di selvatico».

Con l'aiuto di Staibano, il Bardotti distese sul tavolo due pelli di lupo, due di cinghiale, e una più piccola, nera, che sulle prime non capii a quale animale fosse appartenuta ma che era l'unica da cui non proveniva quasi nessun odore se non quello, abituale per noi, dei vicoli di Napoli. Staibano afferrò una pelle, la rivoltò; l'animale era stato completamente svuotato: conservava la forma che aveva da vivo, con le zampe, la coda e la testa, ma tutti gli organi, compreso il cervello, erano stati cavati.

«Ha estratto gli occhi» disse Staibano, osservando due buchi neri al centro della testa.

«Non ha potuto conservarli» rispose il Bardotti, «scavando per tirar fuori il cervello, se ne sono venuti via anche loro: così ha detto».

«Bisognerà cucire le orbite, allora, in modo che sembri che le bestie dormano. Non so se a don Carlo questa soluzione piacerà».

Esaminarono a una a una tutte le pelli, lasciando per ultima quella piccola e nera, che Staibano sollevò per la coda. «Non capisco a cosa gli serva una pelle così piccola» disse. «La lavoreremo per prima, come banco di prova».

Prepararono un grande vacile riempiendolo d'acqua e d'aceto e vi immersero i lupi e i cinghiali. Nello studio si diffuse un odore acre, che feriva gli occhi. Staibano aprì la finestra e con l'aiuto del Bardotti vi tirò vicino il tavolo e il lume. Poi entrambi si sedettero, presero forbici, aghi e filo, e Staibano afferrò la pelle nera per la testa. «Cominciamo dagli occhi» disse. Con il pollice e l'indice chiuse una palpebra dell'animale, che il Bardotti teneva fermo come se pensasse che la bestia potesse svegliarsi dal suo sonno e fuggire; poi la infilzò con l'ago e diede il primo punto.

«Tieni premuto qui» ordinò. «La pelle della testa deve essere tesa mentre cucio».

Dopo pochi minuti, le palpebre della bestiola erano serrate per sempre. Voltarono l'animale, e io vidi che l'interno della sua pelliccia era di un rosso che ancora pareva pulsare come se appartenesse a una cosa viva. Il Bardotti estrasse dal fondo della gerla una lunga fascia di pelle già conciata e la posò sul tavolo.

«Basterà?» domandò.

Senza rispondere, Staibano cominciò a tagliarne una fetta, ma in modo grossolano, poi l'appoggiò sopra l'animale rovesciato e parve riflettere su come proseguire. Ricominciò a tagliare, dando alla pelle conciata una forma simile a quella di un gatto, e ve la cucì sopra, foderando l'interno della pelliccia mentre, dalla vasca dell'aceto, gli occhi cavi di un lupo osservavano la scena da una lontananza che pareva un sonno e che forse, invece, era un abisso.

Pensieri funebri mentre il momento si avvicina. Come può, egli, aver scritto una musica tanto bella e aver compiuto un gesto tanto orribile? Possono le convenzioni e, forse, uno stato che oggi definiremmo di paranoia, portare a tanto un uomo che aveva nelle dita dei suoni così stupefacenti? Leggo queste pagine mentre, nel giradischi, gira il Libro VI. Il suono mi distrae da questa inesorabile marcia di avvicinamento all'inevitabile. Ma mi accorgo solo ora (è per questo che mi sono fer-

mato e prendo questo appunto) che, leggendo, non ho ascoltato almeno cinque madrigali, che mi sono passati tra le orecchie senza che me rendessi conto: ricordo «O dolce mio tesoro», e poi un silenzio, benché carico di rumore, finché non mi ha ridestato l'attacco ridanciano di «Ardita zanzaretta». Basta leggere con musica di sottofondo: bisogna rispettare Gesualdo, chiunque egli sia stato.

29 agosto, ora Sesta

Io sono una creatura infelice, un inscatolato, un beffato dal destino. Trovo una consolazione, a volte, restando accanto al mio padrone, ascoltandolo, consigliandogli ciò che è giusto e seguendolo anche in ciò che credo sia sbagliato. Ma è, appunto, una consolazione, non una felicità: credo anzi di non essere stato felice una sola volta – ma non è il mio ruolo e nemmeno il mio compito. Provai però qualcosa che sta vicino alla contentezza, quella sera fatale, e non mi duole confidarlo a queste pagine. Sono passati molti anni, avevamo scoperto che donna Maria si incontrava con il duca d'Andria anche nelle sue stanze private di Palazzo di Sangro, e dunque non si poteva più stare a guardare. Perché provai della contentezza? Perché bisogna fare ciò che è giusto, anche se è doloroso e anche se le conseguenze saranno terribili come terribili sono state. Ma soprattutto perché anch'io, quella sera, mi appropriai del suo odore, e ancora lo sento, specialmente la sera, quando mi corico nella mia scatola dove da tempo non ho più né spazio né modo di tracciare i miei disegni, perché il mio padrone si è ormai ritirato a una vita di monaco in cui entrano solo la musica e il silenzio, io lo sento, sento l'odore del suo corpo che si aprì a me fino a mostrarmi le viscere, sento il tuo profumo di femmina sulle mie braccia, Maria, e mi ricordo e mi immagino le rotondità del corpo tuo, il biondo colore dei tuoi capelli, il timbro della tua voce, che non aveva nulla diverso da quello di molte altre dame, ma che abbinato al moto delle tue labbra diventava un emblema di desiderio, il compendio animale di tutto ciò per cui si spasima e si muore. Eravamo a tavola, e lei chiamò a sé Laura Scala, che attendeva in un angolo: la serva le si fece vicino e si chinò, quasi appoggiando l'orecchio alla bocca di Maria. Le mani di Carlo si aggrapparono al legno del tavolo mentre guardavamo le due donne senza riuscire a capire che cosa la moglie del mio padrone sussurrasse alla sua cameriera. Laura Scala uscì e Maria, senza dire nulla, senza nemmeno rivolgere uno sguardo di spiegazione o complicità a suo marito, finì di sorbire ciò che aveva nel piatto. Carlo si fece forza, coprì con un piatto la pietanza che stava consumando, chiamò il Bardotti con un gesto delle dita e chiese che gli fosse versato del vino nella coppa. Il pranzo proseguì in silenzio finché, da dietro la porta, si sentirono i passi di qualcuno che si avvicinava e la voce di un bambino che rideva. Laura Scala entrò per prima nella sala da pranzo, seguita da Silvia Albana che teneva in braccio il piccolo Emanuele e che si fermò sulla soglia.

«Entra, entra» le disse Maria, «abbiamo finito».

Il piccolo Emanuele guardò la madre che gli allungava le braccia e, d'istinto, posò la testa sul petto della nutrice.

«Stavo per farlo addormentare» disse Silvia Albana, come a voler giustificare il gesto del piccolo.

«Posalo a terra» disse Maria, e poi, rivolgendosi al figlio. «Vediamo se vieni da solo fino alla tua mamma».

Silvia Albana accompagnò Emanuele a terra, lo aiutò a mettersi a quattro zampe, poi gli diede un buffetto sul sedere. «Su, vai dalla tua mamma!» disse.

Emanuele rimase fermo per un istante, come interdetto.

Si guardava le manine schiacciate sul pavimento e ogni tanto sollevava la testa e vedeva Maria, che adesso si era inginocchiata e lo aspettava a braccia aperte e lo chiamava.

«Signora, vi sporcherete il vestito» disse Laura Scala, ma Maria sembrò non sentire, così la serva fece alcuni passi indietro verso la porta, avvicinandosi alla nutrice e osservando il piccolo che adesso aveva portato avanti una manina sul pavimento e guardava la mamma, e quasi rideva, e spingeva con il sedere senza riuscire a muoversi.

«Su, amore, vieni dalla mamma! Metti avanti l'altra manina!» ripeteva intanto Maria che, camminando sulle ginocchia, si era nel frattempo avvicinata al piccolo di qualche passo. Emanuele lanciò un verso, forse una piccola risata, e mosse all'improvviso le mani e le gambe: fece un passo, forse due, e si stupì egli stesso di ciò che aveva fatto. Così si fermò, si mise goffamente a sedere e, guardando ora la madre ora Silvia Albana, si mise a ridere e accennò un breve applauso – cosa che probabilmente aveva imparato a fare insieme alla nutrice. Maria non resistette e corse verso il figlio, lo prese tra le braccia che ancora applaudiva e lo riempì di baci sulla guancia. Poi si voltò verso Carlo, per un istante madre e figlio guardarono il mio padrone, e la madre, sul cui volto, adesso, stava la stessa luce che hanno le madonne nei dipinti del pittore delle annegate, disse:

«Hai visto Emanuele? Hai visto cos'ha imparato a fare?»

Carlo, che per tutto il tempo era rimasto seduto e in silenzio, sorrise e fece per dire qualcosa, ma fu interrotto da un grido improvviso di Emanuele, che si era messo a piangere. Maria tentò di consolarlo dandogli dei colpetti tra le scapole, mentre Silvia Albana, immobile sulla porta, guardava madre e figlio senza poter intervenire, e in quello sguardo io colsi un lampo di sufficienza. Il bimbo non si calmava, dalla sua faccia congestionata colavano lacrime e bava, ed egli guardava un punto preciso dentro la sala da pranzo: il punto da dove, ritto in piedi, il mio corpo aveva osservato tutta la scena. Infine Maria si decise, consentì a Silvia Albana di entrare nella sala da pranzo e le mise in braccio il figlio. La nutrice lo trasse a sé, gli pulì il viso con un fazzoletto, poi appoggiò l'ampio seno alla guancia del piccolo e cominciò a fare con la bocca il verso che si fa per chiamare i gatti, ma con lentezza, e alternandolo a una breve nenia che ai miei orecchi suonò come un «No no no» ripetuto sottovoce. Ben presto il piccolo si calmò, lo sentimmo respirare profondamente: si era addormentato sul petto di Silvia Albana.

«Dorme, padrona» disse lei, tenendo una mano sulla testa del piccolo, come a proteggerla.

«L'ho fatto piangere» disse Maria, dal cui volto era scomparsa la luce.

«Ma no, padrona: era solo stanco. Quando ci avete chiamati, lo stavo facendo addormentare».

«Si è divertito, con me?» domandò allora Maria, rianimandosi.

«Certo che si è divertito» rispose Silvia Albana. «Siete la madre. Avete visto come vi è venuto in braccio? È solo che questa è l'ora in cui lo metto in culla».

«Va', allora: fallo dormire. Passerò da voi più tardi».

Più tardi

Proseguo nel racconto di quella sera. Poco dopo che Emanuele fu messo in culla, Maria chiese al marito il permesso di ritirarsi, poiché aveva della corrispondenza da sbrigare; quando si alzò, la guardammo che scompariva oltre la porta e, sono sicuro, tutti pensammo che era una delle ultime volte in cui la vedevamo. Me lo dissero gli occhi del padrone mio, che si piegarono ai lati come se già patissero per un rimpianto. Il Bardotti, che aveva assistito a tutta la scena tra Maria ed Emanuele, restava a capo chino, e non so dire se lo facesse per un anticipo di contrizione o perché, invece, aveva osservato il corpo tondo, languido di Maria che si allontanava e vi aveva fatto pensieri che non si possono scrivere.

«Pietro». Il mio padrone lo chiamò a sé, e il Bardotti si risvegliò. «Pietro, avvicinati. Dimmi: da quanti anni servi la nostra famiglia?»

«Fanno ventott'anni, signore» rispose quello, ma come titubando, perché non si aspettava la domanda.

«Tu hai conosciuto mio padre quando era un giovane uomo, sei stato accanto a mia madre fino al giorno della sua morte, e hai visto nascere me, Luigi e le mie sorelle. Conosci tutto di noi: ci hai seguiti, accompagnati e serviti in ogni momento della nostra vita. Non è forse così?»

«È così, signore».

«E dimmi, Pietro: quanta parte della tua vita hai trascorso senza i Gesualdo?»

«Ho preso servizio che avevo circa dodici anni».

«Così si può dire che la tua vita siamo noi, che la tua famiglia siamo noi».

«È così, signore. Ricordo poco di ciò che fu la mia vita prima di incontrare il principe Fabrizio vostro padre».

«E dimmi, Pietro: ci ami?»

Il Bardotti spalancò gli occhi, di nuovo stupito da una domanda inattesa. Per un istante non seppe che cosa rispondere, ma dovette capire che non poteva farsi vedere esitante: dunque si inginocchiò al cospetto del mio padrone, gli prese delicatamente una mano e la baciò. Poi disse: «Non esiste un Pietro Maliziale fuori di casa Gesualdo, mio signore». Parve voler aggiungere qualcos'altro, ma Carlo gli fece cenno di alzarsi:

«Tu sai, come tutti sanno, che presto, forse prima di quanto io stesso pensi, tra queste mura dovremo compiere un atto di giustizia».

Il Bardotti rimase immobile, le mani intrecciate all'altezza della cintura. Carlo fece una pausa, come se cercasse le parole per continuare, ma io vidi un'increspatura nelle pieghe della sua fronte che me lo disse in ambasce. Così mi avvicinai a lui in modo che mi potesse sentire e vedere accanto. Si tormentava le dita delle mani e io gliele toccai: erano fredde, ma non come quelle dei morti, perché erano percorse da un tremito che mi parve, sul principio, di furore, e invece era di paura.

«Io la amo, Pietro» sussurrò. «La amo da quando siamo ragazzi».

«Padrone, io...» disse il Bardotti.

«So che sono cose che non si dicono a un servo, ma ciò che sto per chiederti, e che tu sai ti chiederò, merita una confidenza, una complicità».

Feci un passo di lato, e notai che Carlo faceva di tutto per non guardarmi.

«Per lo stesso motivo per cui la amo» continuò, «io la odio, la disprezzo. È una sgualdrina che per il proprio piacere vuole rovinare il casato mio: non pensa a me, al futuro di suo figlio, al buon nome della famiglia. Sacrifica tutto ciò che abbiamo costruito a un fremito dei suoi lombi, a una passioncella di ragazzina, a un capriccio».

«Signore» disse il Bardotti, «non avete bisogno di dare spiegazioni. Chiedetemi qualunque cosa, e io la farò».

«E invece sì, Pietro: ne ho bisogno. Tutta Napoli vuole che io compia questo sacrificio, ma so bene che, una volta compiutolo, verrò lasciato solo: si parlerà della bellezza perduta di Maria e di quell'altro, si canterà la loro morte, si piangerà per i figli lasciati orfani. E c'è dell'altro». Carlo si passò una mano sulla fronte, come se volesse lisciare la crepa che la turbava. «Io, Pietro, non voglio uccidere».

«Lo farò io per voi, se è necessario ed è ciò che chiedete» disse prontamente il Bardotti.

Carlo chiuse gli occhi e scosse la testa: «No. Non te lo chiedo. Questa è una cosa che spetta a me. Ma voglio che tu sappia che io la uccido come marito e come futuro principe di Venosa ma, come uomo, la perdono, la accolgo di nuovo nel mio letto e nella mia casa, e la amo».

Il Bardotti, nell'ascoltare queste parole, arrossì violentemente e rimase zitto mentre Carlo, per un minuto, parve piombare in pensieri cupi e rimase fermo, rincagnando il mento sul petto come un penitente.

«Trova un grimaldello, o un piccolo succhiello da falegname» disse infine, «e, oggi stesso, quando Maria sarà da Emanuele, o al più tardi domattina, quando lei e le sue serve saranno uscite per la loro passeggiata, manometti le serrature degli appartamenti di mia moglie. Ma fa' attenzione: voglio potervi entrare quando più mi aggrada, ma non voglio destar sospetti in lei o Laura Scala. Deve essere un lavoro delicato, preciso, che dia l'illusione che sia possibile chiudere la porta a chiave». Prese dal tavolo carta e penna, e vi scrisse sopra alcune parole. Poi disse: «Va' dal macellaio, e ordinagli queste pelli. Mi raccomando, solo le pelli. Dirò poi a Staibano che cosa ne voglio fare. Infine, consigliami: ho bisogno, per ciò che devo fare, dell'aiuto di alcuni creati. Chi vorresti con te, Pietro, se dovessi fare ciò che io ho da fare?»

Il Bardotti si mise in tasca il foglietto che il mio padrone gli passava e poi disse: «Pietro da Vicario, Ascanio Lama e Francesco de Caposele: loro vi sono fedeli e vi aiuteranno».

«Bene, li convocherai per me quando avremo finito».

«Padrone» disse il Bardotti, «perdonate l'insolenza, ma io vi ho visto nascere, vi ho seguito nei vostri primi studi da musicista, vi ho servito a Napoli come a Gesualdo. Vi chiedo, umilissimamente, di potervi seguire anche in quest'ultimo momento della vostra vita».

«Non credere che non abbia pensato a un ruolo per te, Pietro. Tu ci seguirai, illuminerai la via portando le torce, ma non toccherai né lama né archibugio: ci farai da testimone. È possibile, anzi, è certo secondo quanto sostiene mio zio Giulio, che nei giorni successivi al fatto la Vicaria istituirà un breve processo, in cui verranno chiamati a deporre dei testimoni. Ebbene: io voglio che tu sia uno di quei testimoni, e che dia ai magistrati una convincente versione dei fatti. Per far questo, dalle tue mani non deve colare sangue. Tu sarai, al processo, la voce mia».

«E dove vi troverete, padrone, mentre io deporrò per voi?»

«Partirò per Gesualdo la notte stessa. Ma questa è l'unica cosa su cui ti chiedo di mentire alla Vicaria: ti chiederanno dove mi trovo e tu dirai che non lo sai, che nella confusione di quelle ore mi hai visto fuggire a cavallo senza sapere dove fossi diretto».

«Se voi pensate, signore, che questo sia il miglior modo che ho per servirvi, io vi servirò» disse il Bardotti.

«Ora va'» disse Carlo, «mandami i creati, uno alla volta».

Per alcuni giorni di seguito, trovammo padre Carlo Mastrillo, un gesuita che aveva frequenti contatti con la nostra famiglia e con quella dei Carafa, che passeggiava lungo il percorso che dal Gesù Nuovo porta a piazza San Domenico: egli percorreva le vie e le piazze avanti e indietro come se l'unico scopo delle sue giornate fosse misurare i passi che separano la chiesa dei gesuiti da quella dei domenicani; avanzava tenendo le mani infilate nelle falde della sua casacca, salutava ora un povero, ora un bottegaio, ora invece carezzava un bambino che passava per strada, ma non dava aiuto a nessuno né chiedeva denari. Talvolta, una donna del popolino osava baciargli una mano o genuflettersi davanti a lui, allora egli si fermava, le poneva tre dita sulla fronte e le impartiva una benedizione che Dio sa s'ella meritava. Poi tornava a girovagare per Napoli come se Dio, per qualche giorno, l'avesse dispensato dai suoi uffici. Incrociò Carlo tre volte e per tre volte fu sul punto di dire qualcosa al mio signore, ma Carlo non fece mai fermare la portantina, fingendo di non averlo visto tra il brulichio di persone dei vicoli. Si diceva che egli, il padre gesuita, spasimasse per Maria d'Avalos, e che, ogni volta che il suo servizio glielo consentiva, se sapeva che i Gesualdo si trovavano in quel periodo a Napoli, si dirigeva verso Palazzo Di Sangro con l'intenzione di incrociare la moglie del padrone mio e di scambiare qualche parola con lei. Addirittura girava una voce, una pazzia: si diceva che il popolo venisse a sapere della presenza dei Gesualdo in città proprio grazie alla comparsa del padre in certi luoghi del centro.

«C'è padre Mastrillo in piazza San Domenico».

«Ah, allora la d'Avalos è in città!» Così diceva la gente.

Su di lui cadde una specie di jattura in seguito all'assassinio di Maria e Fabrizio: comparve nei pressi del palazzo, probabilmente grazie alle sue ansie peripatetiche, all'alba del 17 ottobre e fu il primo, così racconta il popolo, a vedere i corpi straziati di Maria e Fabrizio, che erano esposti al pubblico ludibrio, nudi, sulla grande scalinata; fu lui a dare l'allarme, ma non prima, si dice, di aver abusato di quanto rimaneva del corpo della sua amata che non gli corrispondeva. Insomma: trovata Maria d'Avalos sulle scale, nuda e aperta come un accordo in maggiore, egli non fece troppo caso alle ferite che l'avevano dissanguata né tantomeno al fatto che fosse morta ma, approfittando della prima luce e di un desiderio che gli era salito nello scoprire, tra le carni dilaniate di Maria, alcune parti intatte, splendidamente tonde e inermi, egli volle darle un ultimo saluto sollevandosi la veste e coronando il suo sogno d'amore. Niente di più falso. Lo scrivo non per proteggere padre Mastrillo, ma Carlo: egli non ordinò che i corpi fossero esposti sulla scalinata. Li abbandonammo lì dove li avevamo trovati, Maria sul letto, Fabrizio ai suoi piedi. Vero è che padre Mastrillo fu ammesso, così mi è stato raccontato, negli appartamenti di Maria su richiesta dello zio di Fabrizio, Vincenzo Carafa, e che, dopo che il corpo del nipote fu lavato e rivestito con un paio di calze di seta e una veste di velluto nero, lo benedisse e lo portò via per organizzare il funerale e la sepoltura. Tuttavia, questi continui giri del prete, nei giorni precedenti la sera del 16 ottobre, ci inquietarono. Egli camminava e osservava le finestre del palazzo come qualcuno che sa o che prevede. Questo disse l'Adinolfo a Carlo una sera.

«Egli cerca il contatto con voi, vuole parlare con voi».

«Non c'è nulla di cui dobbiamo parlare» rispose Carlo, tagliando corto.

Ma la mattina dopo, egli era vicino al portone d'ingresso del palazzo proprio mentre io e Carlo uscivamo con la portantina. Era come se ci avesse atteso a lungo, perché un lampo di gioia gli attraversò gli occhi non appena vide il mio padrone. Carlo dovette fermare la portantina, permettendo a padre Mastrillo di avvicinarsi.

«In Luca sta scritto» disse quello, «*È inevitabile che vengano scandali, ma guai a colui a causa del quale vengono*».

Carlo lo osservò, e aveva sul volto un disprezzo che non gli avevo visto mai quando si rivolgeva a uomini di Chiesa. Disse soltanto: «Non sono io, quello» e diede immediatamente l'ordine di proseguire.

Rimanemmo di cattivo umore per tutto il giorno: pieni di presagi, non parlammo quasi. Più tardi, l'Adinolfo ci disse che il padre ci aveva dato, forse inconsapevolmente, un segnale eloquente: non potevamo più aspettare. Era il 15 ottobre. La mattina del giorno successivo Carlo avrebbe detto a Maria e alla servitù che sarebbe uscito per andare a caccia di cinghiali nella zona di Astroni, e che sarebbe stato lontano da Napoli per almeno tre giorni.

30 agosto, in tutti i momenti

Ma io dovrò pur raccontare, se da quasi ventitré anni la memoria e l'odore di quella sera infestano i miei sonni e muovono le dita del padrone mio lungo le corde dei suoi liuti. La mattina lo cercai a lungo, perché, al risveglio, non l'avevo trovato nel suo letto. Già andavo immaginando, mentre percorrevo i corridoi e aprivo le porte dei suoi appartamenti, che egli fosse partito prima dell'alba insieme ai creati lasciandomi a Palazzo solo con l'Adinolfo e il Bardotti, e Maria fedifraga e le sue serve complici. Invece, presto, sentii la sua voce provenire dallo studio dell'abate segretario. Egli recitava il *Confiteor*. Aprii la porta con delicatezza, la poca luce dell'alba investì il corpo di Carlo, che stava senza copricapo e inginocchiato davanti all'Adinolfo. *Mea culpa, mea culpa, mea maxima culpa*: questa era la litania che usciva dalla sua bocca. Come avevo fatto a Roma alcuni anni prima, gli guardai le mani, per scovare nelle sue dita il saltellio di una solmisazione. Ma egli le teneva ferme, strette intorno a un crocifisso di legno, e aveva gli occhi chiusi e il capo chino, mentre l'Adinolfo, con un gesto di confidenza che era anche di benedizione, gli posava la mano destra sulla nuca e l'ascoltava.

«Padre, assolvimi dai miei peccati, che peccati fino in fondo non sono e non saranno» disse Carlo, dopo che entrambi ebbero recitato l'amen.

L'Adinolfo staccò il palmo dalla testa del mio padrone, e fece un ampio segno della croce mentre diceva: *«Ego te absolvo a peccatis tuis...»*

«Con l'acqua, desidero che ci sia dell'acqua» chiese Carlo.

L'Adinolfo sospese l'assoluzione, si avvicinò a una coppa, impartì la benedizione a ciò che vi era contenuto e vi immerse un crocifisso d'argento. Carlo era rimasto in ginocchio, a capo chino, in attesa, e non si mosse nemmeno quando, dal crocifisso, le prime gocce d'acqua benedetta gli bagnarono i capelli.

«*Ego te absolvo a peccatis tuis in nomine Patris et Filii et Spiritus Sancti*» disse l'abate, e rimase in attesa che il mio signore rispondesse. Poi Carlo s'alzò, s'infilò il crocifisso di legno nella veste e si mise il copricapo.

«Adinolfo» disse, «saremo presto di ritorno per fare ciò che bisogna fare. Arriveremo forse già oggi, se ci giungerà notizia della venuta del duca a Palazzo. Perciò tu devi agire in fretta: trova Maria in un momento che sarà sola, e confessala, e perdonala in nome di Dio». Parve riflettere, poi aggiunse: «E anche in nome mio».

Così partimmo per un viaggio che non ci avrebbe mai portato al cratere di Astroni, bensì a casa Caracciolo, dove don Giulio ci attendeva già alzato e dove ci mettemmo in attesa di una notizia da Palazzo. Non mette conto di raccontare come trascorremmo quella giornata, che del resto ho quasi dimenticato perché la sera e la notte successive si sono mangiate tutto lo spazio dei ricordi. Probabilmente Carlo camminò a lungo avanti e indietro, come fa da sempre quando qualcosa lo mette in agitazione; non ho ricordi nemmeno di don Giulio, che pure sicuramente ci fece compagnia in quelle ore di attesa, e dei suoi discorsi. So però che cosa accadde a Palazzo di Sangro mentre noi eravamo suoi ospiti, perché, in seguito, il Bardotti e l'Albana raccontarono al padrone come si era svolta la giornata.

Sorbita la cena, donna Maria, verso la hora quarta, disse alla sua cameriera che voleva ritirarsi per riposare. Laura Scala l'accompagnò nella sua camera e l'aiutò, come d'abitudine, a spogliarsi e a indossare la camicia per la notte. Pochi minuti dopo che si era ritirata nella sua stanzuccia, che comunicava con quella della padrona, Laura Scala si sentì chiamare: era donna Maria che le chiedeva di aiutarla a cambiarsi di nuovo, perché aveva sudato e voleva mettersi qualcosa di fresco; Laura Scala vide che la padrona aveva aperto la finestra che dà su piazza San Domenico, e pensò, appunto, che Maria avesse sofferto il caldo; trovò una nuova veste, e di nuovo spogliò Maria e la rivestì. Maria chiese alla serva di lasciare su una sedia una candela accesa e di ritirarsi, e di non entrare nella sua stanza per nessuna ragione. Da quando Maria si era chiusa nei suoi appartamenti, il Bardotti vagava per piazza San Domenico. Egli, così disse, non sapeva più stare in casa, e da tutto il giorno diceva all'Adinolfo che voleva far qualcosa per il padrone. Era arrivato perfino a pensare di seguire Laura Scala in un momento, durante la mattina, in cui la cameriera era uscita di casa. Ma l'abate l'aveva trattenuto: «Ci dobbiamo comportare come se fosse una giornata normale» aveva detto. Così, dopo cena, non sapendo più resistere all'attesa era sceso in piazza, si era seduto davanti alla cappella dei Brancaccio e lì era rimasto.

«Dopo poco tempo che stavo lì» ci avrebbe raccontato poi, «sentii come un moto d'ali, ma la sera era già buia, e non riuscii a vedere bene di cosa si trattasse. Sulle prime mi spaventai, perché mi era sembrato il fruscio della mantella di qualche birro, ma poi vidi sopra di me le ali bianche di un gabbiano che se n'era venuto via dal mare. Mi ero portato un pane, che sbocconcellavo per ingannare il tempo e perché la foia di quei momenti trovasse per così dire uno sfogo suo, e forse erano le briciole che avevo disseminato ai miei piedi che avevano attirato l'uccello. Via Mezzocannone era deserta, e così i vicoli, e io tenevo d'occhio tutta la piazza così che nessuno avrebbe potuto camminarvi dentro senza che io me ne accorgessi. Suonavano le cinque hore di notte quando il gabbiano si posò a terra, e cominciò a camminarmi intorno. Feci per allontanarlo con un calcio, ma quello s'inalberò, spalancò le sue grandi ali bianche e lanciò una specie di fischio che voleva essere una minaccia. Mi spaventai, mi spostai di qualche passo, ma quello mi camminava dietro, apriva il becco e lasciava uscire come un sibilo. Pensai che mi stesse chiedendo del pane, così gliene lanciai un pezzetto e lui, nel buio, lo agguantò con il becco e lo ingollò. Mentre l'animale mangiava sentii, all'improvviso, un altro fischio, ma questa volta non era di gabbiano: era umano. Mi feci vicino al muro e guardai dentro la piazza: c'era una figura alta, snella, con un cappello a larghe falde che guardava su, verso le finestre del Palazzo. Lanciai lontano il mio pane, così da levarmi di torno l'uccello e da metterlo a tacere. La figura nella piazza aspettò un poco, poi fece sentire un nuovo fischio, e poi ancora: per tre volte fischiò. Allora, Eccellenza, successe che dalla finestre della camera di donna Maria sporse una testa bionda che mandò una luce dentro l'oscurità della notte. La vidi che faceva un segno alla figura giù nella piazza, e quest'ultima si avvicinò al portone, cercò qualcosa dentro una tasca e l'aprì. Capii cos'era andata a fare Laura Scala la mattina, quando l'Adinolfo mi aveva impedito di seguirla: aveva dato le chiavi del Palazzo al duca d'Andria. Aspettai che don Fabrizio Carafa aprisse il portone e vi s'infilasse, quindi mi misi a correre per mandarvi un messo mentre, a pochi passi da me, le ali del gabbiano frusciavano di nuovo perché, penso, egli aveva già finito di mangiare il mio pane e ne voleva dell'altro».

Alle cinque hore e mezza giunse il messo a casa Caracciolo e noi, che eravamo rimasti con indosso i vestiti da caccia, partimmo, ma non con i nostri cavalli: essi rimasero nella stalla di don Giulio. Una carrozza dei Caracciolo ci portò fino a piazza del Gesù Nuovo. Da lì io, il mio padrone, Pietro da Vicario, Ascanio Lama e Francesco de Caposele proseguimmo a piedi perché nessuno doveva accorgersi del nostro arrivo.

Intanto, come ci disse poi Silvia Albana, «Io me ne stavo nella mia stanzuccia con il piccolo Emanuele, che quella sera, mio signore, mi perdoni, ma quella sera sembrava che se lo sentisse che stava per capitare qualcosa di brutto alla sua mamma, perché per più di un'ora non aveva voluto saperne di entrare nel suo lettuccio e mettersi a dormire. Era agitato, si aggrappava alla culla e provava a tirarsi su, e piangeva, io gli davo il latte mio che lui aveva sempre bevuto e questa volta non lo voleva, rifiutava perfino, mi perdoni, di attaccarsi al seno, ed era una cosa che non aveva mai fatto perché Emanuele è un bambino sano, che mangia e dorme e non dice mai di no. Ma quella sera proprio non ne voleva sapere. Gli ho guardato nella bocca, perché ho pensato che se si comportava così forse stava mettendo i dentini, e aveva male, e allora Staibano poteva darci un unguento per dargli sollievo. Ma di dentini, alla luce della candela, non ne ho visti, e poi il bambino non faceva bava, e tutti sanno che quando mettono i dentini i bambini piangono e fanno bava. "Che tieni, picceré?" gli domandavo, e quello stava proprio agitato, non voleva quasi che mi avvicinassi a lui. Avevo anche paura che con tutti quei pianti svegliasse e facesse paura alla mamma sua che era di là a riposare. C'è voluta un'ora, signore, per farlo calmare: me lo sono tenuto in braccio e ho cantato sottovoce una canzone. Così finalmente s'è addormentato. L'ho messo nel lettino e ho illuminato la faccia sua con la candela: dormiva sereno, come se l'ora prima di pianti e disperazioni non fosse mai esistita. E in quella, mentre mi preparavo per coricarmi, ho sentito che arrivavate voi».

Carlo camminava veloce, come se volesse arrivare subito a Palazzo. Le vie erano buie, nessuno le batteva, e tuttavia io mi guardavo attorno, guardavo dentro i vicoli e sui balconi, perché non sta bene, per un uomo che sarà principe, farsi vedere nella notte mentre cammina per le strade in compagnia di gente del popolo. Ma arrivammo presto in San Domenico e ci fermammo sul limite della piazza, come se qualcosa avesse ordinato a tutti noi di aspettare. Per star dietro agli altri avevo corso, e la mia gamba breve adesso stava tutta in tensione. I creati guardarono Carlo senza poterlo vedere in volto per via dell'oscurità: lui si sentì addosso il loro sguardo, sospirò, sollevò la testa e guardò la sagoma nera di Palazzo di Sangro che stava là, immobile come un simbolo. Indicò la finestra della camera di Maria: le persiane lasciavano trapelare la luce di una candela, e la luce ce la diceva ancora sveglia.

«È là» disse Carlo soltanto, come se noi non sapessimo dove si trovasse la camera di Maria. «Non è sola» disse ancora, con la voce di chi sta inghiottendo qualcosa.

Nella bocca nera del portone brillò una piccola luce. Mi avvicinai al padrone mio, gli sfiorai una gamba per fargli coraggio: «È tempo, padrone».

«Sì, è tempo» ripeté lui, ma senza comando, come se lo pensasse tra sé.

Pietro da Vicario si tolse dalle spalle un grosso sacco e lo posò a terra con attenzione. Allentò le corde che lo tenevano chiuso e io vidi, come se fossero stati dissepolti da una buca, gli occhi cuciti di un lupo che non mi guardavano, perché niente potevano vedere.

Pietro infilò le mani dentro il sacco, afferrò il lupo per le zanne e, con lentezza, lo trasse fuori. Un leggero odore d'aceto mi arrivò alle narici, ma forse io soltanto lo sentii, perché nessuno degli altri fece una smorfia né strizzò gli occhi.

«Signore» disse Pietro, mostrando la pelle a Carlo.

Carlo si voltò, dando la schiena al servo, e lasciò che questi lo vestisse. Poi Pietro distribuì le pelli ai creati, tenendo per sé l'altro lupo. Guardai Ascanio mentre si bardava da cinghiale: teneva le labbra strette e un leggero tremore del sopracciglio me lo disse in agitazione. Francesco de Caposele se ne accorse, gli sistemò bene il muso sulla testa e gli toccò un braccio con un gesto che li fece complici.

Quando tutti furono pronti, ma prima che Pietro da Vicario si rimettesse il sacco sulle spalle, Carlo vi rovistò dentro: trasse dal fondo una pelle nera di gatto, con un occhio ben cucito e l'altro da cui, invece, la cucitura era in parte saltata via lasciandolo un poco aperto. Me la schiacciò sulla testa e disse: «Questa è per te, Gioachino». Era piccola anche per un corpo minimo come il mio, perché la mia testa è grossa come quella di un uomo adulto. Tentai di legarmi le zampe sotto il mento, ma erano troppo corte per girare attorno alla mia testa: così le fissai sulla fronte, e adesso avevo per cappello un gatto che si riposava appoggiato mollemente alle sue zampe intrecciate, e lasciava che la coda mi corresse lungo la schiena fin quasi al culo.

Attraversammo così tutta la piazza, diretti verso il lume che ci indicava la via nell'oscurità: lo reggeva il Bardotti, che fece un leggero inchino al primo lupo e poi, senza parlare, ci fece strada sulle scale. Tutto era silenzio, a Palazzo. Nessuno avrebbe detto che al piano superiore, al lume di una candela, si consumava un tradimento. L'Adinolfo ci aspettava sulla cima delle scale. Teneva tra le mani lo stesso crocifisso d'argento con cui la mattina aveva benedetto il mio padrone. Quando gli fummo vicini, egli chiuse gli occhi e annuì, poi porse a Carlo e ai creati il crocifisso, e lo baciarono tutti, anche il Bardotti, benché lui non fosse in predicato di uccidere. Chino sopra il Cristo maltrattato, don Carlo sollevò leggermente la testa e guardò l'abate.

«L'avete assolta in nome di Dio?» domandò.

L'Adinolfo annuì di nuovo, ma lentamente, e l'ombra della sua testa si genuflesse sulla parete che gli stava dietro. Poi l'abate segretario fece un passo di lato, come a lasciarci libera la via, e noi salimmo fino agli appartamenti di Carlo, dove il Bardotti, durante il giorno, aveva radunato gli archibugi, i pugnali e le alabarde che avremmo usato per salvare il gran cognome. Fu lì, nello spogliatoio del mio padrone, che potei guardarmi in uno specchio: il gatto accoccolato su di me mi dava l'aspetto di un saltimbanco, ma quell'occhio mal cucito e rimasto semiaperto faceva della sua testa qualcosa di vivo nonostante alcuni brandelli di filo che penzolavano dalla palpebra. Questo pensai, ma durò un attimo, perché Carlo mi mise in mano una lama lunga come un avambraccio e mi svegliò. Mi voltai, e improvvisamente compresi che il gatto non mi guardava più, e non guardandomi non mi giudicava, bensì imponeva la sua condanna su tutti coloro a cui avrei rivolto il viso. Decisi di non volgermi verso Carlo finché non mi fossi liberato della pelle: il mio gatto nero avrebbe condannato soltanto Maria e il suo amante il duca d'Andria. Poi cominciò un rumore di ferraglia, di alabarde che, nello spazio piccolo dello spogliatoio, si toccano, e di calcatoi sospinti dentro le canne degli archibugi.

Uscimmo nel corridoio, ed eravamo nel piano ammezzato dove si trovano gli appartamenti del mio padrone. Cominciammo a salire per lo stretto caracò che porta alle stanze dove donna Maria consumava il suo inganno, e non ci fu solennità in quella nostra ascesa, ma fatica, e sbuffi, e rumori d'inciampo, perché le alabarde, le vesti ingombranti e gli archibugi rendevano difficile la salita: ripetutamente i creati si impigliavano nella ringhiera e facevano scricchiolare il legno dei gradini con il loro passo. «Ssssst!» diceva continuamente Pietro da Vicario agli altri due, ma anche quel suo sibilo era un disturbo. Così non potemmo entrare d'impeto nella stanza maledetta: la nostra fatica ci annunciò e, da dentro, venne presto il trambusto di due corpi che non stanno facendo l'amore ma che rovinosamente si ravvivano, cercano le camiciole e cercandole fanno cadere qualcosa per terra. Maria e Fabrizio dovettero capire che cosa stava per accadere e tentarono, se non la fuga, almeno di presentarsi innanzi alla morte con il decoro di una veste. Forse, ma questo non lo saprò mai, Fabrizio tentò anche di nascondersi nella stanzuccia di Laura Scala e non ne ebbe il tempo. Solo, prima che con un calcio Pietro da Vicario spalancasse la porta e desse il via al macello, la figura bianca, pesante di Silvia Albana comparve sul pianerottolo: seminascosta dalla porta della sua camera, era illuminata dalle torce che il Bardotti portava con sé. Essa ci guardò, e aveva negli occhi un orrore, e si copriva la bocca con la mano. Capì, perché non poteva non capire, e dentro quel suo spavento riuscì a trovare soltanto queste parole: «Per carità, signore, fate piano, non svegliate il bambino». Ma già Vicario e de Caposele erano dentro la camera, e io ero dietro a loro, insieme al padrone mio e ad Ascanio Lama.

«Eccoli!» urlò Carlo, con una voce che gli era diventata di tenore. «Corna in casa Gesualdo!»

Immediatamente, dopo che Carlo ebbe lanciato il suo grido e prima che gli amanti potessero proferire parola, un colpo d'archibugio rimbombò nella stanza, e io non so chi o cosa colpì, perché persi gli occhi dentro un fumo nero e puzzolente, e tutto ciò che vidi lo vidi come vedeva il gatto che portavo in capo: mi parve di intravvedere i creati che si accanivano coi pugnali e le alabarde su Fabrizio che già stava in terra accanto al letto, indossando una veste che non era sua. Oggi so che, nel panico dei secondi che precedettero l'urlo di Carlo, egli, nudo, si era levato dal letto e aveva indossato il primo capo che aveva trovato: la veste di seta nera dentro cui Maria, aspettandolo, un'ora prima aveva sudato. Vidi, ma confusamente, Maria che era ancora dentro il letto dove aveva peccato contro il gran cognome: anch'essa era vestita, ma di una veste sua che già le avevo visto quando Carlo mi permetteva di osservarli da dietro il paravento. Aveva sul volto il rossore pieno, sano, di chi ha appena amato, e ricevette i primi colpi come ingoiandoli, stupefatta che tutto questo stesse accadendo davvero. Poi il dolore le liberò delle grida acutissime, chiese pietà e già piangeva mentre qualcuno, forse Carlo, a cavalcioni sopra di lei dentro il letto nuziale, la puniva con la lama. Venne, nel fumo e nel rumore, l'odore nudo del sangue, e io lo annusai, me ne riempii, e questo mi mise in corpo una foia che non mi conoscevo: cominciai a muovere il coltello, mirando a cose e corpi, e non so dire quanti colpi infersi davvero. Ciò che contava, per me, era menar fendenti senza quasi poter vedere, e una ferita nel petto di Fabrizio è figlia mia, che non ero salito sul letto perché era troppo alto e arrampicarmi mi costava fatica, e avevo dunque puntato al corpo del duca d'Andria. Lo colpii con tutta la forza che possedevo e fu una gioia, quella che provai, quando il coltello gli s'infilò tra le costole dure e andò a sbeccare l'impiantito sotto di lui. Sono forte, pensai, mentre guardavo quel corpo lacerato con un orgoglio che mai prima d'allora avevo provato. Mentre ristavo a contemplare sentii – e non so come potei, dentro quella catastrofe di urla e colpi – qualcuno che bussava alla finestra. Mi voltai e, dietro gli scuri della finestra, nel buio, vidi due ali bianche e un becco giallo, lungo come una mano, che mordeva il legno lasciando partire urli lunghi come fischi. Eccitato dall'odore del sangue, un gabbiano chiedeva di partecipare alla nostra festa nera: egli pensava di poter cavare cibo dalla mattanza.

Poi tutto si calmò. Le urla cessarono, un colpo di tosse di Ascanio Lama sancì che il lavoro era compiuto. Rimasero soltanto i nostri respiri grossi, e l'odore, e il fumo, e i colpi di becco. Mi allontanai dalla finestra, e vidi Carlo ancora a cavalcioni su donna Maria. Aveva abbandonato la sua daga sul lenzuolo lordato di sangue. Buttava respiri brevi e continui, e fu Pietro da Vicario a mettergli una mano dolcemente sulla spalla, con una confidenza che non gli era permessa ma di cui solo oggi, a molti anni di distanza, ho avvertenza, e a dire: «Padrone, è finita. Venite via».

Carlo si fece aiutare a scendere dal letto, e fissava il corpo aperto di Maria, che stava disteso supino, con gli occhi fuori dalle orbite e una smorfia inumana sulla bocca. Rimase in piedi accanto a lei, e mormorava qualcosa con le labbra chiuse quando, ecco, dalla gola tagliata di Maria uscì un sibilo, come se qualche parte del suo corpo fosse ancora viva e lottasse per afferrare l'aria. Tutti sentimmo freddo, ma dopo un istante il sibilo di Maria fu coperto dall'urlo del gabbiano che, folle di fame, continuava a picchiare sulla finestra. Con un gesto lento, sfinito, Carlo si allungò per riprendere la daga dal letto, e fu allora che, come ho già scritto, io gli dissi: «Date a me, lasciate che sia io a finire».

Mi arrampicai sul letto aggrappandomi alle gambe nude, inermi di Maria, e fui sopra di lei come poco prima era stato il mio padrone.

«O mio unico amore mia grande follia» mormorò lui, stavolta aprendo le labbra un poco. Aveva gli occhi ancora fissi sulla gola e sul volto di colei che gli era stata moglie.

Risalendo lungo le gambe, dentro le quali io percepivo uno spasimo nervoso che era di vita che sta correndo via, mi portai dietro la sua veste scoprendole il ventre tondo. Le spalle di Maria cominciarono a scattare come scattano le anguille dopo i primi troncamenti, e un fiato debole, insaporito del sangue che le colava di bocca, mi arrivò al naso.

«Gioachino» disse una voce di maschio, e io non so dire se fu quella del padrone o fu soltanto un pensiero mio: non lo so dire nemmeno oggi, a così tanti anni di distanza. «Cavale fuori la creatura che forse porta in grembo». Sollevai la mia daga sacrificale ma all'improvviso, da quell'altro mondo che era la stanza di Silvia Albana, arrivò il pianto bianco di un bambino, si confuse con le grida del gabbiano e per un istante fermò la mia mano mentre stava per scagliare il colpo supremo. Non fui il solo a sentire piangere Emanuele, perché gli occhi di Maria si spinsero in quel momento ancora più fuori dalle orbite e mi videro, persero una lacrima e domandarono qualcosa che la sua bocca non ebbe la forza, né il tempo, di chiedermi.

Parte seconda
La giostra di Ferrara

31 agosto, a Mattutino

Ce lo insegnarono al Collegio, durante una vita che più non m'appartiene e che quasi ho dimenticato, a intingere la penna dentro al calamaio e a redigere, con diligenza e umiltà, la cronaca dei nostri mali. «Dovete, con pazienza, guardare dentro voi stessi ed estirpare ogni turpitudine e indegnità» ci dicevano. «Deve trattarsi di un esercizio quotidiano, fatto magari a sera, quando la giornata non può quasi più offrire motivi di vergogna e di peccato. Esaminatevi la coscienza, esercitatevi e vedrete: anche le ore più miti, trascorse nello studio e nella preghiera e apparentemente senza nessun pensiero malvagio che vi abbia attraversato l'anima, nascondono il diavolo e le sue tentazioni».

Ma io, a volte, non scrivevo.

«Vedo in te della pigrizia, figliolo» mi diceva allora il padre tutore quando, nell'ora in cui tutti consegnavano i quaderni, io protendevo le mie mani bianche e vuote, «quando invece vorrei vedere perseveranza».

Tenevo il capo chino e non parlavo, anzi: mi concentravo perché il padre non cogliesse, nei moti del mio volto o delle mie mani, l'impazienza di essere congedato. E mi sentivo addosso, come conficcati, i suoi occhi bianchi di vecchio quando mi rimproverava dicendo:

«Esistono due bandiere, figliolo, l'una è quella di Cristo, nostro sommo capitano e Signore: egli ci attende a Gerusalemme; l'altra è di Lucifero, nemico mortale della natura umana: egli ha dimora a Babilonia. Entrambi ci chiamano, ci vogliono sotto la loro bandiera. Noi dobbiamo scegliere dove andare. Cristo siede in un grande campo: è un luogo umile, bello, da cui partono per il mondo i suoi discepoli per predicare la virtù e la grazia; Lucifero, invece, siede su una scranna avviluppata da fuoco e fumo come in una pira, e ha un aspetto orribile e spaventoso: anch'egli è circondato dai suoi discepoli, ma non insegna loro la virtù e la grazia, li fornisce invece di reti e catene, infonde in loro superbia, e cupidigia, e vizio. Dove vuoi tu andare, figliolo? In quale campo vuoi entrare, in quello maledetto di Babilonia, o in quello pieno di grazia di Gerusalemme?»

Ma la sua voce mentre mi malediceva era calma, carezzevole, e io quasi, al cospetto di quei suoni, prendevo sonno.

Mi ridestavo: «Scriverò, padre» mentivo. «Ora beneditemi, e lasciate che io torni nella mia cella a esercitar lo spirito».

Così mi alzavo, e trascinavo la gamba breve su per le scale, con lo sguardo bianco che, sapevo, mi seguiva dal basso e la parole Gerusalemme e Babilonia che si ripetevano nella mia testa e quasi componevano una litania.

Ma chissà che cosa direbbe, oggi, il padre tutore, di questa mia cronaca così saltabeccante e che io scrivo non per esaminarmi la coscienza, ma per render noti fatti di cui sono stato insieme osservatore e partecipe? Padre, tu che ora hai sicuramente raggiunto, e da tempo, il campo della Gerusalemme celeste, dimmi: sto io peccando di nuovo? Sto ancora tradendo la mia porzione quotidiana di esercizi, il mio esame di coscienza, e mi sto dilungando in una cronaca impura, allogena, che, anziché salvarmi, accelererà il processo della mia dannazione?

Ecco. Quel che è fatto, è fatto. Maria e Fabrizio sono morti, Emanuele è un orfano, Carlo un assassino a cui non rimarrà che comporre la più bella musica del suo tempo. Ero curioso di sapere come Gioachino avrebbe proseguito nel racconto dopo il momento dell'omicidio: lo fa invocando un padre spirituale che, forse, non ha mai avuto e, se leggo le pagine che seguono, parlando di canti penitenziali e di pianto. Vera ha bussato, è entrata per avvisarmi che Evgenija Petrovna sta servendo in tavola. Le ho chiesto qualche minuto, ha risposto con una carezza, e una domanda: «Com'è questa cronaca che stai leggendo?» Ha chiuso con il tappo la bottiglia di scotch che avevo lasciata aperta e mi ha ricordato che il dottor Lax mi consiglia di bere dopo i pasti, non prima. «Ricordi che ti ho parlato dell'idea di fare una traduzione di alcuni madrigali?» le ho chiesto. «Ecco, lui non lo sa ancora, ma adesso che l'ha uccisa sta per entrare nel momento più fulgido della sua vita di musicista. È un paradosso, ed è ancora più paradossale il fatto che io senta più di prima di dover fare qualcosa per lui».

A Terza

Una nota è filtrata dalla porta dello zembalo: era il mio padrone che intonava, con la sua voce di basso, un si. Egli canta, ho pensato, e da tempo non glielo sentivo fare. Con un secondo si, la sua voce ha composto la parola *Plange*, e poi ha aggiunto un terzo si che è immediatamente caduto nell'abisso di cupezza di un mi per intonare la parola *quasi*, che prelude a un risalita quando le voci di questo canto dicono *virgo*. *Plange quasi virgo*, il terzo responsorio del Sabato santo. Sono rimasto seduto accanto alla porta, dentro la grande bocca del teatro la luce bianca del giorno si sporcava per il filtro dei tendaggi scuri che l'Adinolfo, da quando il principe si è chiuso nella stanza sua, vuole tirati. Dice: «La luce non deve entrare in questo luogo dove probabilmente nessuno suonerà più né intonerà un canto». Qualunque cosa il principe stia facendo, e tra queste non c'è il nutrirsi, mentre invece so che Castelvetro, ogni sera e ogni mattina, lascia fuori dalla porta una brocca d'acqua fresca che Carlo si porta in camera, qualunque cosa il principe stia facendo in queste giornate di silenzio e dolore, egli secondo l'abate segretario non deve essere disturbato da suoni né da luci.

Invece il principe mio, oggi, ha cantato. Mi sono seduto fuori dalla sua porta cercando di non far rumore e l'ho ascoltato intonare *Plange quasi virgo*, e ben prima che la sua voce pronunciasse le parole *plebs mea*, che chiudono il primo verso, ho sentito nella mia mente, ma come all'improvviso, le voci che lui non può cantare salire sopra la sua, le ho immaginate o forse soltanto ricordate, e dunque lì, nello zembalo, una sola voce ne chiamava altre cinque, le voci sublimi delle donne e degli uomini che nel corso di questi anni hanno eseguito i mottetti, i madrigali, i canti sacri del padrone mio.

«Se fate sei voci» gli dissi una volta mentre lo ascoltavo comporre, «significa che dovete riscrivere la stessa musica sei volte».

Egli si fermò, lasciò cadere il calamaio sulla carta da musica, e mi guardò come si guarda un demonietto che ci tormenta il sonno. Volle che mi avvicinassi a lui, e io lo feci titubando e guardandomi attorno per scovare, tra gli strumenti, le carte e gli oggetti che riempivano lo zembalo, il frustino. Ma esso era là, appoggiato sul divanetto, lontano dalle mani del principe. Egli volle che io guardassi la carta da musica su cui andava tracciando quei segni tondi pieni di zampe fini che assomigliano a insetti. Domandò: «Dimmi, Gioachino, anche se non capisci nulla di musica e non la sai leggere: ti sembra che su questi pentagrammi io abbia riscritto sei volte la stessa cosa?» Erano sei gruppi di cinque linee, ognuno aperto da un simbolo oscuro e su cui le note erano disposte nei modi più vari.

«Leggi in verticale, Gioachino» disse ancora il principe, facendo scorrere il dito dal basso verso l'alto. «Queste sono le sei voci che compongono la canzone». Indicò il pentagramma più basso: «Questo sono io. E canto così». Fece partire il si di *Plange* e subito si fermò. Poi disse: «Questo è il secondo tenore, e fa così» fece una nota più alta della prima. Poi, puntando il dito sul terzo pentagramma: «Questo è il primo tenore. Ascolta», e questa volta la prima sillaba di *Plange* era su una nota alta. «Capisci?» disse. «Questa nota è uguale a quella del primo soprano, mentre il secondo soprano canta come il secondo tenore. Poi c'è il contralto, che fa così» e cantò. «Tutte queste sei voci cantano insieme, e a ciascuna di loro io assegno un percorso per ogni sillaba. Mi capisci?»

Non lo capivo. Eppure adesso, da dove mi trovavo, le voci mi stavano arrivando, le sentivo nonostante il fatto che, dentro lo zembalo, a cantare ci fosse una voce sola. Ho atteso, con un breve spasimo, il movimento improvviso del canto, la vibrazione animale che il principe ha messo sulla parola *ululate*, che inaugura il secondo verso e dove davvero sembra che le voci dei maschi si facciano di lupo, e ho aspettato che i bassi tacessero quando nel testo si nomina il nome di Dio, perché Dio va cantato soltanto dalle voci più alte e più pure, mentre ai bassi è dato di esprimere il dolore, l'amarezza, la morte.

Due anni fa, dopo che li ebbe composti e mandati in stampa, il principe Carlo volle che i suoi *Responsoria* fossero eseguiti per la prima volta nella sua chiesa di Santa Maria delle Grazie, in occasione dell'Ufficio delle Tenebre. Così per tre giorni, nelle sere del Mercoledì Santo, del Giovedì Santo e del Venerdì Santo, dopo Mattutino ci radunammo nella piccola chiesa il cui altare è sovrastato dalla Pala che il principe mio commissionò al Balducci, e con noi si ritrovò il popolo di Gesualdo, che quasi mai aveva visto il mio padrone. Fuori, prima che l'Ufficio cominciasse e prima di indossare i paramenti sacri, l'Adinolfo aveva raccolto alcune richieste che il popolo avanzava al suo signore trascrivendole su alcuni fogli e ordinando che i questuanti si presentassero alle porte del castello tre giorni dopo la Pasqua per ricevere risposta. Poi era entrato nella chiesa, si era cambiato d'abito nella piccola sagrestia e, insieme al padre priore, aveva dato inizio alla liturgia. Le donne del popolo tendevano il collo per vedere dove fosse seduto il principe, che non avevano mai visto. Lo cercavano nella prima fila, ma egli non era seduto davanti all'altare: stava in piedi dove stanno i cantori, e indossava una lunga veste penitenziale. Per tre sere egli cantò la sua musica dentro la chiesa che aveva edificato. Io stavo vicino a lui, seduto sopra un gradino che lui stesso mi aveva indicato, e osservavo gli occhi delle donnette e dei contadini dilatarsi quando capivano che quell'uomo alto, austero, che riservava alla propria voce i momenti più cupi del canto e aveva negli occhi una fiamma spaventevole, era il principe. Illuminata dalla sola Saetta, la nostra piccola chiesa fu travolta dall'incedere lento, solenne, delle prime parole di *Sicut ovis*, il primo responsorio del Sabato, perché è il Sabato che io mi ricordo e di cui scrivo: il Sabato, che comincia raccontando lo scempio del corpo di Cristo, portato al sacrificio come un capro. Un giovane frate, mentre la liturgia proseguiva dentro le note concepite dal mio padrone, spegneva, soffocandole una a una sotto un cappuccio di ferro, le candele della Saetta. Ogni fiammella che moriva aggiungeva un'ombra: così io mi facevo sempre più vicino a Carlo mentre, nell'aria piena di voci e di respiri, si diffondeva l'odore del fuoco che muore e le teste delle donne e degli uomini del popolo diventavano macchie scure e immobili. Rimase accesa, alla fine, una sola fiammella, quella di Cristo: alla sua debole luce si cantò *Sepulto Domino*, l'ultimo responsorio, che di tutte le composizioni del mio padrone mi è sempre sembrata la più cupa e dolorosa. Termina con i miliziani che custodiscono il Santo sepolcro, dove il corpo di Cristo giace prigioniero della pietra mentre noi, raccolti e sommersi di voci, guardavamo tutti la fiamma della candela come se questa fosse una bandiera, l'unico simbolo di vita dentro il buio sepolcrale di Santa Maria delle Grazie. Quando la liturgia si concluse, dopo il *Benedictus* e il *Miserere*, noi eravamo ancora avviluppati nel buio, e la voce del padre priore ci giunse all'improvviso (quasi mi spaventai) e ci guidò tutti, noi e il popolo di Gesualdo, dentro la preghiera che chiude l'Ufficio delle Tenebre e dà inizio alla veglia. Adesso erano le voci degli uomini e delle donne a rimbombare sotto la volta della chiesa: una massa nera di corpi e respiri recitò l'orazione quindi, all'unisono, diede l'Amen e io in quell'ultima parola sentii un fremito, una gioia che strideva con la contrizione e il dolore e il buio dell'Ufficio, ma sapevo che il popolo non aspettava altro che il momento che i padri chiamano *strepitus*. Gli uomini cominciarono a battere forte i piedi per terra, a picchiare sulle panche, le donne lanciarono urla e qualcuno, sono convinto, nel buio cominciò a percuotere una colonna con degli zoccoli d'asino o di cavallo, perché ci arrivò, nella confusione, il suono storto di un galoppo. Lo strepito durò poco più di un minuto: l'Adinolfo sostiene che in questo momento di rumore non vi sono gioia né caos, ma il popolo vi riproduce i tuoni e il fragore della terra che, secondo quanto scrive san Matteo, tremò quando il Cristo, sulla croce, rimise l'anima al Padre. Così, tutto è lecito, nello strepito, perché maggiore è la confusione, maggiore è l'amore che si dimostra di provare per Dio. Tornarono a far silenzio e, senza che il padre priore dovesse dire una parola, ordinatamente uscirono sul sagrato e si avviarono verso le loro case, le schiene inseguite dalla poca luce della fiammella del Cristo che avevano appena adorato.

Ecco ciò che mi sono ricordato mentre ascoltavo, nell'ora chiara del giorno, il principe mio cantare il suo *Plange* dentro lo zembalo. Le celebrazioni della Settimana Santa del 1611 furono l'ultima occasione in cui Carlo mise piede fuori dal castello di Gesualdo. Egli da tempo si diceva malato, ma la descrizione della sua malattia coprirà così tanta parte della cronaca che segue che non mette conto di parlarne ora. Egli si chiuse al castello, compose e curò la stampa dei *Responsoria*, si sedette allo scrittoio e cominciò una corrispondenza verso Milano: scriveva al cugino, il cardinale Federico, lettere brevi e accorate che impiegava molto tempo a redigere. In esse, egli si diceva infermo, affetto da gravi e continue indisposizioni che gli avevano impedito, tra l'altro, di affrontare il viaggio che gli avrebbe permesso di assistere personalmente alla canonizzazione di Carlo Borromeo, suo zio per parte di madre, fatto santo da papa Paolo V sul finire del 1610. Per tutto l'inverno di quell'anno – un inverno che fu rigido, e che spinse Staibano a dotare di coperte l'Essere nei sotterranei, coperte che Egli, in totale spregio del freddo e della digestione, cominciò a mordere e a mangiucchiare restando per giorni impegnato in quest'opera di demolizione –, Carlo rimuginò sul fatto che aveva compiuto un sacrilegio non presentandosi alla canonizzazione, e chiese perdono allo zio in modo indiretto confessandosi a più riprese con l'Adinolfo e maturando, come scrisse a Federico, *l'ardente desiderio di avere un ritratto naturale del gloriosissimo santo Carlo* da cui cavare un quadro di grandi dimensioni da appendere nella galleria accanto al Cristo bianco. A marzo 1611, egli scrisse al cugino che avrebbe desiderato, oltre al ritratto, una reliquia da adorare e da utilizzare come ristoro per le sue infermità. Arrivò nel mese di agosto, per mezzo del vescovo di Venosa, un ritratto di san Carlo sufficientemente vicino al vero, ma fu soltanto nella piena estate dell'anno successivo che giunse al castello un messo vescovile con il regalo che per quasi due anni Carlo aveva atteso: un sandalo che il Borromeo aveva indossato durante gli anni della peste di Milano, quando, come si raccontava già ai tempi in cui il mio padrone era un bambino e ascoltava queste storie dallo zio Alfonso, avuta notizia dell'epidemia nella sua città, Carlo Borromeo vi era tornato precipitosamente da Lodi e l'aveva trovata sopraffatta dal contagio, pullulante di untori e di malati e di cadaveri.

«Con questo sandalo» diceva Carlo ammirando la reliquia che aveva fatto chiudere dentro una teca di vetro, «lo zio Carlo ha camminato in mezzo agli appestati e ha portato loro ristoro e benedizione». Si inginocchiava poi davanti alla teca, congiungeva le mani e rimaneva assorto in preghiera. Poi, pronunciato l'Amen, prima di alzarsi baciava il vetro e mi ficcava in corpo uno sguardo di cui non so dire, ma al quale faceva seguito la minaccia di non avvicinarmi alla teca. Raccontò molte volte della processione che san Carlo fece in mezzo agli ammalati portando sulle spalle un crocifisso e camminando a piedi nudi sulla terra appestata, come un Cristo. Egli non si era infettato, perché Cristo lo sorvegliava e, anzi, lo zio Alfonso raccontava che dal giorno dopo il morbo si era placato.

«Questo sandalo, Gioachino» diceva a volte il padrone mio, «salverà me come ha salvato la città di Milano».

Non è così. Non c'è salvezza, io ora lo so.

Prima di coricarmi

Tenni con me Ignazio – poiché Egli ha pure un nome: anche se nessuno l'ha mai chiamato e l'acqua del battesimo non l'ha toccato, Egli porta questo nome che io stesso gli ho attribuito con un rito pagano e nascosto, officiato dentro la mia scatola con acqua di pozzo, non appena tornammo a Gesualdo dopo essere fuggiti da Napoli la notte stessa del massacro. Rileggendomi, non capisco perché finora io l'abbia taciuto: Egli durante il viaggio mi stette in seno, avvolto dentro il mantello, ed era soprattutto a Silvia Albana che questa creatura che io avevo strappato dalle viscere di Maria doveva rimanere ignota; ma, pure, un nome ce l'ha, ed è pesante: è il primo che mi è venuto in mente e così Egli se lo tiene, anche se non lo dice, e non risponde se lo si chiama. Era minuscolo, il suo petto stava tutto dentro la mia mano di nano, aveva occhi come punte di spillo e, infilandogli l'unghia nella bocca, gli scoprivo un palato chiuso, quasi privo di lingua; soprattutto, non aveva sesso: a lungo lo frugai (ma con delicatezza!), per scovargli un'escrescenza, o il taglio delle femmine, ma trovavo soltanto un buchino, che non è cazzo e non è fica, e da cui ancora oggi Ignazio (gli ho dato un nome maschile, perché è di maschi che ha bisogno il cognome) espelle un liquido giallo e denso, che picchietta sulle pietre nere del sotterraneo e le colora. Cercavo in quella sua faccia non ancora formata i tratti dei Carafa, e non li scoprivo. Non eravamo ancora usciti da Napoli, e viaggiavamo di notte, incuranti dei possibili attacchi di predoni e briganti, per un ordine che il mio padrone aveva dato di arrivare al castello il prima possibile, ed egli prese a succhiarmi l'unghia con cui l'esploravo: vi ristagnava, sotto, un po' del sangue della madre, di cui sia io che il mio padrone eravamo coperti poiché, nella concitazione della fuga, non avevamo avuto il tempo di ripulirci. C'era nella carrozza l'odore persistente del ferro e del fumo che ci aveva avvolto le vesti quando era stato sparato il primo colpo d'archibugio. Ma Ignazio sembrava non accorgersene, con quella sua mezza bocca succhiava il dito e dal dito il sangue: egli si svegliava al mondo strappato dal ventre di sua madre e si teneva vivo bevendone il sangue.

«Mangia piccolino» gli dicevo, «se il destino ha voluto che tu rimanessi vivo devi mangiare, ti devono crescere gli occhi e le mani, devi diventare grande in mezzo a noi».

Mi pulì, durante il viaggio, di tutte le sozzure che mi si erano attaccate al corpo, e molti anni più tardi, quando già da tempo egli viveva legato dentro la cripta, mi sarei ricordato di questo suo istinto famelico perché una sera, mentre trascinavo fin dentro la pancia del castello il secchio con le frattaglie, sentii provenire dalla sua cella il suono di una suzione, intervallato da momenti in cui la voce di Ignazio si esasperava e diventava un grido trattenuto; mi avvicinai e posai l'orecchio sulla porta: sono certo che Ignazio percepì la mia presenza, perché l'urlo gli si bloccò nella gola e anche la suzione si fermò. Ma poi riprese, annunciata da una nota acuta, un ululato breve che mi spaventò e mi fece cadere il secchio con il suo pasto. Mi guardai intorno, la luce piena della luna entrava da una feritoia posta all'altezza del cortile, e io mi avvicinai a lei, mi avvicinai alla luce per cercarvi un po' di conforto mentre, da dentro la cella, quei suoni animali continuavano e coprivano lo sferragliamento della catena e lo scampanellio. Tolsi la chiave dal muro e la infilai nella toppa. Di nuovo Ignazio mi percepì e tacque. La porta si aprì, e la luna illuminò il budello e un pezzo di pavimento dove, insieme ai liquidi del corpo del prigioniero, alcune piccole macchie di sangue sembravano fresche, nuove. Presi il bastone e la torcia, ma rimasi sulla soglia, perché i versi che uscivano da quella bocca non erano di Ignazio e avevo paura. Finalmente illuminai la zona dove lui viveva legato, e vidi che tutta la parte inferiore del suo volto era imbrattata di sangue. Pensai che si fosse ferito azzannando le pareti, ma un tubicino lungo e nero gli penzolava dalla bocca. Egli capì, fiutando l'aria, che gli portavo il cibo, ed ebbe quasi un moto di allegrezza che gli fece aprire la bocca e fece cadere a terra la coda del topo che stava finendo di mangiare. Se ne accorse, la riprese muovendosi come un cane e la inghiottì. Poi tornò a guardarmi, e c'era nel suo sguardo guercio una preghiera. Gli avvicinai il secchio con il bastone e gli allungai la ciotola dell'acqua. Mentre pasteggiava, il fuoco e la luce della luna mi permisero di vedere che, sul pavimento, altre code, che probabilmente egli aveva lanciato nel vuoto dopo averle staccate dai corpi, giacevano ciascuna con la sua piccola pozza di sangue nero. Così lo guardai, e per la prima volta capii che non stavo allevando un figlio non voluto o illegittimo, ma un animale fatto schiavo per un capriccio, per un'immaginazione. Ascoltavo i rumori che emetteva con la masticazione, lo vedevo lappare l'acqua, sentivo i suoi ansimi, divenuti bestiali per via dell'eccitazione data dalla miriade di piccoli omicidi di topi che aveva compiuto nell'arco di quella giornata, e un pensiero oscuro mi si fece strada nella testa.

Provo l'irresistibile desiderio, oserei dire il bisogno, di chiamare per un bagno e una minestra calda dopo ogni momento in cui compare la figura di Ignazio (Egli ha un nome, finalmente! E chissà perché Gioachino ha voluto tenerlo nascosto per quasi metà della sua cronaca). Lunga telefonata con Carolina Badalamenti a proposito di certe ricerche che, di sua iniziativa, ha condotto sul principe. A Gesualdo come a Napoli circolano naturalmente numerose leggende su di lui e sulla sua condotta: tra queste, vi è quella dell'esistenza di un secondogenito maschio (il cui nome, e questa è una cosa curiosa, sembra essere ignoto perfino agli inventori di tali leggende), che Carlo, riconosciutolo come figlio naturale di Fabrizio e Maria (ne fa un accenno lo stesso Gioachino all'inizio della sua cronaca), fece morire di stenti nella culla: si racconta che rimase per alcuni giorni legato dentro una cesta appesa alla balconata del cortile interno del castello di Gesualdo, con il divieto assoluto per i servi di avvicinarsi al piccolo che piangeva per dargli conforto e per nutrirlo; in altri casi, si racconta che il bimbo fu ucciso da Carlo su un'altalena (sembra evidente, in questo caso, che, se era in grado di stare seduto sopra un'altalena, doveva trattarsi di un bimbo di almeno due anni): egli la spinse così a lungo e così forte che al piccolo mancò l'aria per respirare o, più probabilmente, venne un attacco di cuore per lo spavento. Eccolo, Ignazio: una figura, forse una proiezione, a cui Gioachino fa fare una fine ugualmente terribile e inverosimile che però non è quella che si narra nelle leggende napoletane. Sono propenso a credere che l'allevamento di un essere umano tenuto allo stato bestiale negli scantinati del castello di Gesualdo sia comunque una fantasia, un gioco gotico e macabro del narratore. Non ne ho, naturalmente, la certezza, ma per quanto Carlo abbia potuto essere un uomo brutale e viziato, il supplizio inflitto a questo Ignazio supera ogni immaginazione: egli è un Giobbe delle segrete, un Petruška animale, e a tratti mi par fin troppo evidente che Gioachino, o chi per lui, l'abbia voluto nella sua cronaca come immagine di qualcos'altro.

Interrompo qui, per oggi, la lettura, che mi mette un'inutile agitazione. Ho chiesto a Ol'ga di preparare il bagno, ascolto arrivare di lontano il gorgoglio dell'acqua che cade e si mescola dentro la vasca.

Mai una volta, durante la nostra fuga a Gesualdo, Carlo si voltò a guardarci: si era calato il cappello fin sugli occhi, si puliva il sangue dalle mani con una pelle e, mi pare, teneva gli occhi ostinatamente chiusi come se dormisse.

A quell'ora, forse, già tutte le torce di Palazzo di Sangro erano illuminate: avremmo scoperto soltanto dopo alcuni giorni, grazie a una lettera del Bardotti, che, approfittando degli strepiti e della confusione, Laura Scala, la prima complice di donna Maria, si era messa in fuga nel momento stesso in cui noi compivamo ciò che è giusto. Il Bardotti l'aveva fatta cercare, aveva mandato dei creati dalla sua famiglia, ma né il vecchio padre né la madre l'avevano veduta. Probabilmente, folle di paura, oppure credendo che l'ira di Carlo si sarebbe rivolta anche contro di lei, aveva chiesto ospitalità in qualche convento, dove se è ancora viva adesso è una monaca non più giovane, che sconta con la preghiera i sotterfugi e le leggerezze che mandarono a morte la sua padrona. Rimase invece a Palazzo Silvia Albana, cui fu ordinato di tenere Emanuele per qualche tempo prima di portarlo a Gesualdo.

Arrivammo al castello dopo un viaggio compiuto quasi soltanto nelle ore notturne, che ci esponevano al rischio di assalti ma ci evitavano, dormendo noi di giorno in luoghi segreti, di incontrare i notabili delle città e di affrontare con loro la questione della nostra fuga da Napoli. L'Adinolfo, che pure ci aveva benedetti sulla scalinata di Palazzo di Sangro, taceva e pareva aspettare, come tutti, il momento in cui il nostro feudo ci avrebbe accolti e tenuti lontani da Napoli e dallo scandalo che senza dubbio laggiù stava scoppiando. Quando entrammo nel cortile, Carlo scese dalla carrozza senza aspettare che qualcuno gli aprisse lo sportello. Salì nella sua stanza, e fu lì che io e l'Adinolfo lo trovammo poco dopo. Si era cambiato d'abito, e aveva mandato per una brocca colma d'acqua e aceto dentro la quale si sciacquava il volto e le braccia. La camera sapeva d'acido, e la pelle di lupo guercio che l'aveva vestito poche sere prima lo guardava dal bordo del letto. Per alcuni istanti, egli proseguì a fregarsi la pelle con una spatola, senza guardarci: nel catino che gli avevano preparato, cadeva un liquido dai toni giallo-arancione che faceva una pappa densa come brodo di gallina.

Rimanemmo in piedi accanto alla porta, in attesa che ci facesse un cenno. Da giorni non rivolgeva la parola a nessuno, e fui sorpreso che la prima cosa che ci dicesse fosse:

«È la spatola con cui si pulisce il manto dei cavalli».

«Come dite?» domandò l'Adinolfo.

«Questa spatola» rispose Carlo, dopo averla risciacquata nel catino, «viene dalle stalle». Si fermò, indicò qualcosa che era inciso sull'attrezzo: «Vedi? È lo stesso simbolo che da generazioni sta impresso sul portone d'ingresso delle stalle di Calitri. Io ho chiesto uno strumento per grattar via il sangue, e mi hanno dato una spatola per cavalli».

«Forse, Eccellenza, nelle cucine possiamo trovare qualcosa di più adatto...»

«Nelle cucine? Forse qualcosa per spennare i polli?»

L'Adinolfo ingoiò una risposta, mentre il rumore del raspamento proseguiva. Ogni tanto, Carlo si fermava e con un angolo della spatola si cavava da sotto le unghie pezzetti di sangue indurito, che lasciava cadere nel catino. Poi si annusava le dita, strizzava gli occhi per il fastidio dell'aceto, e riprendeva a raspare.

«Da dove arriveranno?»

«Chi arriverà?» domandò l'Adinolfo.

Carlo si fermò per un istante, piantò gli occhi dentro il volto dell'Adinolfo: «Pensi forse che i Carafa lasceranno il delitto invendicato?»

«Oh, i Carafa» disse l'abate. «Naturalmente esiste la possibilità che tramino qualcosa contro di voi. Tuttavia, se permettete che esprima la mia opinione, mi pare un fatto piuttosto remoto».

«Cosa te lo fa pensare?»

«Ciò che avete compiuto era nel vostro pieno diritto, mentre un'azione contro di voi li renderebbe colpevoli».

«Così tu ritieni, Adinolfo, che essi lasceranno correre, e staranno chiusi nelle loro case a piangere il morto come delle donnette del popolo?»

«È la cosa più saggia che possano fare: non dovete temere nulla né dai Carafa né dagli Avalos».

Carlo lasciò cadere la spatola nel catino, si asciugò le braccia dentro un canovaccio e si avvicinò alla finestra.

«Se arriveranno da quella parte» disse, e indicava con il mento l'abetaia di Capo di Cando, «non li vedremo che quando saranno in prossimità del castello: allora li vedremo muoversi come bosco fino a questa rocca, e a quel punto sarà certamente troppo tardi per preparare una difesa».

«Aumentate la guardia» disse allora l'Adinolfo, che si era avvicinato a Carlo. «Mandate degli uomini a presidiare i crocicchi, le strade, i sentieri. Date disposizioni affinché nessuno entri nel feudo senza che l'informazione arrivi al castello».

«Farò di più» disse Carlo, «aggiungeremo dei contrafforti alla rocca, irrobustiremo i bastioni e bonificheremo un pezzo di questo colle, affinché la vista sia libera fino alla pianura».

Aveva ripreso la spatola e ricominciava a grattarsi, ma ora, mentre dava disposizioni affinché l'Adinolfo convocasse al castello gli architetti e i mastri carpentieri del feudo, ci dava le spalle. Vedevo la sua schiena sussultare mentre raspava, così, non appena l'Adinolfo fu congedato, mi avvicinai a lui.

«Da molto tempo vi siete pulito del sangue di donna Maria» dissi. Guardavo il suo volto, bagnato di sudore, e le sue braccia, dalle quali la spatola aveva levato un primo strato di pelle che pioveva in minuscoli trucioli nel catino; l'acqua acetata aveva ormai preso il colore scuro del sangue, del sangue di don Carlo.

«Siete pulito, ormai» dissi di nuovo, perché lui era sembrato non accorgersi di me.

Senza mettere gli occhi sul mio volto, egli ebbe come un moto d'ira e accelerò il raspamento, mettendovi una foga che gli carteggiò il braccio sinistro. Per un istinto di cui non so dire, mi lanciai verso di lui, gli afferrai i polsi e glieli tenni come si tengono le zampe dei vitelli. Per un istante ci guardammo negli occhi, entrambi increduli, poi lui urlò: «Non mi devi toccare!» e con un movimento violento delle braccia mi buttò a terra, ai piedi del letto. Mi misi seduto, avevo a fianco la faccia cieca del lupo che non mi guardava e, vicino ai piedi, la spatola sporca di sangue. Carlo stava ritto dietro il catino, da cui un po' di acqua nera era debordata fino a macchiare il pavimento. Teneva le braccia ferite lungo il corpo, e queste gli sporcavano la veste nuova.

«Tu non mi devi toccare» ripeté, ma adesso era calmo: solo, mi puntava alla testa uno sguardo nero, e il suo petto si allargava e si stringeva come un mantice.

«Volevo soltanto che non vi faceste altro male» dissi.

«Non è da te che io voglio sapere ciò che posso e non posso fare». Si appoggiò al tavolo e tirò un respiro lungo, poi continuò, e le parole gli uscirono a fatica. «Mi hanno insegnato a fare penitenza ogni volta che si commette peccato».

«Perdonatemi» dissi.

Egli sollevò le braccia e si guardò le ferite. «Bruciano» disse, «e non so se sia per via del sangue o dell'aceto». Rimase come titubante, lo sguardo perso, poi disse: «Tu pensi che loro abbiano sentito lo stesso bruciore?»

«Io spesso mi sono ferito» risposi, «e sempre ho sentito

come un fuoco fuoriuscire dal mio corpo. Forse è così per tutti: dentro siamo fatti di fuoco, e la pelle lo contiene e lo raffredda; ma quando l'apriamo, esso si sprigiona come un incendio. Così è stato sempre per me e così è per voi ora: dev'essere accaduto per forza anche a Maria e Fabrizio».

«Eppure, dopo i primi colpi, non hanno quasi urlato: stavano fermi, e lasciavano che i nostri colpi li passassero».

«Staibano ci può dire che cosa accade davvero quando si viene trafitti. Ma forse, padrone, essi non hanno avuto il tempo di sentire il fuoco: ho sentito dire che i colpi d'archibugio e le coltellate profonde spaccano l'anima immediatamente. Ed è l'anima che sente il dolore, o il piacere».

Egli buttò da parte il canovaccio, che ormai era impregnato della broda d'acqua, aceto e sangue, quindi si avvicinò al settimino, vi trasse una camicia pulita e mi chiamò a sé.

«Asciugami questo nuovo sangue» disse.

Mi porse le braccia, e io cominciai a tamponarle, mentre lui diceva: «L'anima è immateriale, come puoi dire che può essere spaccata?»

«I Greci, quando avevano un morto in casa, usavano salire sul tetto e togliere una tegola, affinché l'anima del defunto trovasse la via per ascendere. Da questa cosa, padrone, io capisco che, se abbisogna di una tegola levata per cominciare il suo volo, l'anima non è immateriale, o non lo è del tutto».

«Non è ciò che ci insegna Santa Romana Chiesa» disse.

«Non lo è. Infatti non credo che le anime di Maria e di Fabrizio siano rimaste prigioniere di Palazzo di Sangro: esse si troveranno già da alcuni giorni nel posto dove devono stare. Però può darsi, dico, che davvero esista una componente materiale dell'anima che si spegne quando si muore, e che questo spegnimento non faccia percepire tutto il dolore che si sente quando si è completamente vivi». Finii di nettare il braccio sinistro, rivoltai la camicia trovando una parte non ancora imbrattata e aggiunsi: «Ma io non capisco, padrone, perché vi preoccupate tanto per loro».

«Era la madre di mio figlio, Gioachino: voglio soltanto che non abbia provato dolore».

«Ed è per questo che vi ferite?» domandai, «Per provare il dolore che pensate abbia provato Maria?»

«No, non per questo» rispose. Anche il secondo braccio era pulito: rimasi fermo, come in attesa che il mio padrone completasse la frase. Non la completò. «La tua teoria dell'anima materiale» disse invece, «è affascinante ma, come molte delle cose che dici, puzza di paganesimo».

«Staibano pesa i malati terminali, quando le condizioni lo consentono» risposi, «e li ripesa dopo morti. Gliel'ho visto fare più di una volta, nelle case del paese. Credo che voglia stabilire se esiste una differenza di peso tra i due stati».

«Quali stati?»

«La vita e la morte, padrone».

«E perché dovrebbe esistere una differenza di peso tra un corpo vivo e un corpo morto?»

«A questo soltanto Staibano può dare una risposta. Egli, credo, come ogni chimista e cerusico ha bisogno di pesi, misure, rilevamenti: se, morendo, qualcosa si perde, questo qualcosa forse può essere misurato».

«Sei di nuovo eretico, Gioachino. Tu sai bene che, nella morte, non c'è perdita, ma solo un guadagno: il guadagno della vita eterna».

«Questo vale soltanto per coloro i quali ascendono direttamente al Regno dei cieli, padrone. Ma cosa guadagna, ditemi, chi viene sprofondato all'Inferno?»

«Chi finisce all'Inferno non guadagna nulla: ha già guadagnato tutto nelle dissolutezze che ha compiuto mentre era in vita».

«Eppure, forse, nel computo delle perdite e dei guadagni bisogna annoverare anche il corpo, non solo lo spirito».

«Non ti capisco».

«Dico che, se Staibano pesa i moribondi e li ripesa poi da morti, un senso ci deve essere. Domandategli perché lo fa e, soprattutto, quali conclusioni trae da questa pratica bizzarra».

«Dimmelo tu: pare che tu lo sappia».

«Non lo so. Ma mi è parso di capire, benché non abbia letto i fogli su cui egli traccia i suoi rilievi, che qualche differenza tra i vivi e i morti ci sia – e parlo soltanto dei loro corpi». Mi avvicinai a lui, come se gli dovessi una confidenza: «Il corpo morto è di poco più leggero del corpo vivo. Del resto, la prima cosa che si nota in un corpo morto è che dimagrisce: le guance s'incavano, la pelle si fa lucida e il naso spunta come un becco».

«Non è possibile!» disse.

«Pare invece che sia proprio così».

«Ma Gioachino, un corpo morto è semmai più pesante di un corpo vivo! Esso viene trascinato verso il basso da una forza che l'attrae, si abbandona alla terra dove troverà riposo. Hai mai sollevato un animale vivo? L'hai mai risollevato, una volta morto, per portarlo nella tomba?»

«No, padrone».

«Ebbene, lascia che ti dica che, benché si tratti dello stesso corpo, il morto pesa più del vivo, e si fa molta più fatica a portarlo a forza di braccia. La morte ha un peso, Gioachino, perciò io non ti credo e chiamerò Staibano affinché si giustifichi dei suoi esperimenti con i moribondi».

«Io credo» dissi, «che Staibano con i suoi rilevamenti voglia dimostrare scientificamente che l'anima esiste: e, per far questo, c'è bisogno di valutare se essa abbia o meno un peso».

Egli si sedette sul divanetto, abbandonando le braccia scorticate.

«Bisogna che chiamiate per cambiarvi d'abito e per

farvi portare delle garze» dissi. «Forse Staibano, anziché parlarvi dei suoi esperimenti, può darvi qualche balsamo che lenisca il dolore e aiuti la cicatrizzazione».

«Lo farò. Ma adesso porta via quella camicia e quell'acqua sporche di sangue, Gioachino, e non tornare qui fino a domani: ho bisogno di riposare».

1 settembre, allo spuntar del giorno

Fu in quei primi mesi dopo che ci fummo rifugiati a Gesualdo che, dalle campagne del Vulture, ci giunse notizia di alcuni strani avvenimenti notturni che avevano prostrato la popolazione e preoccupato contadini e allevatori. Succedeva che, a volte, aprendo le stalle sul far dell'alba e contando i capi prima di portarli al pascolo, essi ne trovassero alcuni in meno o, peggio, ne scoprissero alcuni sdraiati per terra in preda all'agonia per via di uno squarcio alla gola. Giunsero, dagli amministratori del feudo di Venosa, alcune lettere allarmate in cui si faceva intendere che non si trattava di semplici furti di bestiame o di qualche forma di intimidazione nei confronti della famiglia, ma che c'era dell'altro. Il principe Fabrizio, che dopo il matrimonio di Carlo e Maria si era ritirato a Taurasi e che di lì a pochi mesi sarebbe morto della malattia dei vecchi lasciando in eredità a Carlo il titolo di principe, scriveva al figlio esortandolo a intraprendere in sua vece un viaggio in quelle terre per verificare i fatti; ma Carlo aveva deciso che nessun fatto, per quanto allarmante, l'avrebbe spinto a uscire dal feudo di Gesualdo, da cui si sentiva protetto, e così fece. Attivò una fitta corrispondenza con gli amministratori venosini, e fu quasi sul punto di inviare nel Vulture l'abate Adinolfo, scortato da un piccolo esercito di uomini armati; ma poi desistette, poiché nel giro di qualche settimana le notizie da Venosa si fecero meno allarmanti e si capì che la contabilità di quelle terre non avrebbe risentito delle sparizioni e degli assassinii di bestiame.

Una lettera del vescovo di Venosa, scritta nella primavera del 1591, fece in seguito chiarezza su quanto era accaduto durante quell'inverno, anche se le cause degli avvenimenti che ora esporrò brevemente non furono mai chiarite. Nella lettera, il vescovo esordiva dicendo che, nel febbraio di quell'anno, un sacerdote di Avigliano aveva chiesto e ottenuto un colloquio con lui perché preoccupato dell'atteggiamento tenuto da alcune donne durante il sacramento della confessione. Dopo molte reticenze, ma con l'aria di chi si decide a condividere un segreto anziché confessare una colpa, le peccatrici avevano confidato al prete che, di notte, era capitato loro di svegliarsi all'improvviso e, apparentemente in piena coscienza, di uscire di casa «così com'erano vestite», perché «attratte da una luce e da un canto lontano». La luce, scriveva il vescovo, «non era evidentemente quella di Dio», perché le donnette, dopo aver percorso a piedi, a volte nella neve, alcuni chilometri, si erano ritrovate nei pressi di alcune piccole chiese e cappelle di campagna, dove da tempo non si officiavano riti, ma che stranamente erano illuminate. Attirate dai canti che provenivano dall'interno e dal fatto che immancabilmente trovavano le porte delle chiese spalancate, le penitenti vi entravano, curiose di assistere a un particolare rito notturno di cui non avevano avuto notizia. Le confessioni proseguivano tutte con una constatazione: nessuno del paese era presente al rito tranne loro; in seguito, come raccontavano, si erano però accorte che erano in grado di riconoscere alcuni volti. E qui si entrava, scriveva il vescovo, «nella parte più misteriosa e insieme spaventosa dei racconti»: alla messa assistevano persone del paese che erano morte da tempo. Le donne, a questo punto del racconto, tiravano fuori di tasca il rosario, si segnavano, e dicevano al prete che non avevano nulla a che fare con la stregoneria e che avrebbero proseguito nella loro confessione soltanto dopo la benedizione e dopo essere state rassicurate sul fatto di non aver assistito a un ufficio messo in piedi dal diavolo. In alcuni casi, qualche donna raccontava di essere stata addirittura avvicinata da una delle anime presenti che, forse dopo averla riconosciuta, le aveva intimato di andarsene: «Vattene, non è posto per te. Se non te ne vai, ci rimarrai» – era questa la frase che il sacerdote di Avigliano aveva sentito ripetere più volte da persone diverse. Naturalmente, il vescovo aveva indagato su questo bizzarro fenomeno, che definiva con il termine di «affascino», e aveva scoperto che, di notte, tra Venosa e Avigliano, tra Rionero e Melfi, non avvenivano messe di morti, ma ben altri fatti, che la seconda parte della lettera raccontava nel dettaglio. Nei campi e nei boschi del Vulture per alcuni mesi si erano celebrati riti «condannati da Santa Romana Chiesa»: convegni di streghe, piccoli sabba che forse avevano avuto origine dai riti propiziatori per il raccolto, ma poi erano degenerati in venerazioni del demonio. Naturalmente, il vescovo era intervenuto con mano pesante e aveva fatto rinchiudere gli uomini e le donne che avevano preso parte a questi rituali – comprese, pare, alcune delle donne che si erano confessate con il prete di Avigliano, e che il vescovo considerava «streghe o fattucchiere pentite». Tuttavia, i problemi non erano cessati, poiché erano cominciate «quelle sparizioni di bestie e quelle uccisioni per cui vi abbiamo scritto molte volte» e che, scriveva, «ci hanno fatto pensare di essere circondati da forze maligne e infernali». Durante l'alba, nei campi, si rinvenivano carcasse spolpate, e in almeno due casi, scriveva il vescovo, sembrava che qualcuno, anziché con un coltello o con un bastone, si fosse avventato sulle povere bestie «con le nude mani e con i denti, facendo scempio dei poveri corpi degli animali». Si parlò di un orso, di un branco di lupi particolarmente feroci e, per alcune settimane, gli uomini più coraggiosi batterono la zona di notte alla ricerca della bestia che straziava il bestiame. Non la trovarono, ma tutti, tornando a casa la mattina molto presto, raccontavano «di aver sentito per tutta la notte ululati e risa di non umana fattura che li avevano atterriti e li avevano portati a pensare che qualche demonio avesse trovato casa nella zona nostra». Si cominciò a parlare dell'esistenza di uomini-lupo, uomini di giorno e lupi di notte, che vagavano per le campagne in cerca di cibo e, scriveva il vescovo, una certa inquietudine si stava facendo strada nella popolazione.

Ricevuta la lettera, Carlo, in via eccezionale, convocò Staibano nello zembalo e, alla presenza dell'abate Adinolfo, diede lettura di alcuni passi al medico.

«Che cosa ne pensate?» domandò, quando ebbe riposto i fogli sulla tavola.

Staibano chiese il permesso di recarsi nel suo gabinetto e se ne tornò portando con sé un grosso volume veneziano, che sfogliò in piedi dove si trovava.

«Ne parla il Galeno nella sua Ars medica» diceva, mentre faceva passare le pagine bagnandosi il dito nella bocca. Sembrò trovare il passo che ricordava e rimase assorto in lettura. «Ecco» disse poi, «è come ricordavo. Galeno paragona la licantropia alla melanconia cerebrale: essa morde e attacca la terra, gonfia, fermenta, provoca bolle, e in certi casi rende gli uomini folli, fa loro perdere l'idea di chi sono e li manda in giro a quattro zampe, costringendoli a comportarsi come lupi o cani. Così scrive». Si reimmerse per qualche istante nella lettura, poi chiese: «A quando risalgono questi fatti di cui il vescovo racconta?»

«Allo scorso inverno» disse l'Adinolfo.

«E dite: non avete altre lettere in cui si parla dei malati del Vulture?»

«Non riceviamo notizie sulle malattie dei nostri feudi, a meno che non si tratti di epidemie».

Staibano chiuse il volume e guardò Carlo come a chiedergli un permesso.

«Secondo la medicina, Eccellenza, la licantropia non è una maledizione di Dio o una iattura del demonio: è una malattia che è possibile curare» disse. «Nella lettera che scriverete in risposta al vescovo, dovreste chiedergli di convocare i medici, i cerusici, i farmacisti e chiedere loro delle relazioni sugli infermi e i malati del feudo: Galeno, e con lui molti stimati medici d'ogni tempo, sostiene che i malati di licantropia presentano, di giorno, dei sintomi inequivocabili come pallore, bocca secca, dimagrimento veloce, occhi incavati e lingua gonfia; ma soprattutto, essi portano sulle gambe e sulle braccia piaghe, ferite di rovi: sono i segni del loro andare a quattro zampe. Galeno fornisce anche una cura per questa malattia: bisogna praticare delle incisioni sulle vene affinché defluisca il sangue guasto; poi raccomanda una dieta a base di siero di latte per tre giorni, seguita dalla somministrazione di cibi succosi e di purghe per lavare il corpo dalla bile nera in eccesso».

Mentre Staibano parlava, l'Adinolfo trascriveva le sue parole su alcuni piccoli fogli.

«L'essere-lupo può essere fatto spurgare dai corpi, ma per far questo il vescovo deve fare un censimento degli ammalati: soprattutto, più che il pallore o la magrezza, sono le gambe a farsi indice di infezione, perché raccontano al medico non solo di un malessere, ma anche di un comportamento».

«Sono contadini e pastori» lo interruppe l'Adinolfo,

«passano la giornata nei campi o al pascolo: tutti avranno segni sulle gambe».

Staibano lo guardò, si prese del tempo, poi disse: «Ogni buon medico è in grado di distinguere, abate, tra una ferita procurata dal lavoro e una che, invece, è figlia di un comportamento melanconico».

Anni più tardi, fu a questo colloquio che pensai quando trovai Ignazio con la coda di topo che gli pendeva di bocca: egli presentava tutti i sintomi descritti da Staibano, così mi convinsi che l'imbestiamento che lo piagava non fosse dovuto alle condizioni in cui trascorreva le sue giornate, ma a una malattia morale che gli rubava umanità. Egli viveva alla catena e, sulle sue gambe, benché non conoscessero rovi né cespugli, piccoli squarci si aprivano come fiori infuocati; era magro, si gettava sul cibo e sull'acqua che gli portavo con una foga animale; gli sospettavo nella bocca denti pochi ma aguzzi, e temprati sulla pietra della cripta, e una lingua che era una massa rossa spessa come schiena di rospo. Così andai da lui, da Staibano, e gli parlai del mio sospetto. Egli stava seduto al tavolo del suo gabinetto, e affilava certe lame passandole su una lunga fibbia di cuoio. Mi ascoltò, poi disse: «Gioachino, e da dove avrebbe preso questa sua melanconia?»

Ffffftttttt! Fffffffttttt! faceva il ferro sulla fibbia, e io mi chiedevo, ascoltando, come se ne uscissero questi suoni da due cose che, per loro natura, non suonano.

«Egli vive solo, indifeso dal demonio» risposi.

Staibano passò di nuovo la lama sul cuoio, e ora l'ascoltai con attenzione: faceva ffffff lungo la fibbia, e se ne andava nell'aria in tttttt. «Così tu credi che il demonio possa andare a trovare coloro che vivono allo stato di bestie» disse.

«Non lo credo. Penso tuttavia che Egli sia una preda facile, poiché nessuno l'ha benedetto».

«E dimmi, Gioachino: quali vantaggi avrebbe, il demonio, nell'impestare un infelice come quello?»

Parlando, egli smetteva il fffffffttttt, ma poi, finita la frase, lo riprendeva. Disse ancora: «L'hai veduto camminare a quattro zampe?»

«No. Ma sono certo che, per quanto la catena glielo permetta, Egli lo faccia».

«L'hai udito emettere suoni di lupo o di cane?»

«Egli si esprime con suoni che non sono umani e, quando è in stato di eccitazione, fischia, mugghia, emette sibili e ululati».

«Allora sorveglialo» disse, «e comunicami ciò che vedi e senti. Ma sta' attento: se Egli è ciò che dici che sia, non rimarrà sempre placido quando ti vede».

«Io lo nutro» dissi. «Gli sono madre, in qualche modo».

Fffffffttttt, fffffftttt fece la lama sul cuoio. Poi Staibano posò sul tavolo lo strumento considerandolo affilato e ne prese un altro: lo guardò, passò il dito sulla lama, e ricominciò il suo lavoro.

Dall'Austria, Auden risponde in modo delizioso, con una lettera al solito manoscritta (ma possibile che un poeta non sia in grado di scrivere a macchina?), al gioco telefonico sui colori delle nostre opere. Di «Il mondo nuovo» dice: «Non saprei. Non l'ho letto». (Dovrò trovare una traduzione adeguata per Aldous, che non sempre coglie l'ironia quando è rivolta contro di lui). E poi, sul nostro «Libertino»: «Il "Rake", di grazia, non è viola: M.me Baba non sarebbe d'accordo». In chiusura mi chiede: «Caro Igor, che fa? Non si sarà messo a lavorare di sera, spero! Lo sa bene che, di sera e di notte, lavorano soltanto i dionisiaci».

A Nona

Vennero architetti, falegnami, carpentieri, muratori, e il castello prese, con i suoi nuovi contrafforti e i maschi, la forma di pigna che ha tuttora. Carlo vi fece costruire il teatro che molte volte, nella nostra vita e in questa cronaca, abbiamo attraversato, e tolse merli, feritoie, alcune vie sotterranee (non tutte), botole; aprì la galleria, dove i ritratti di famiglia e del Cristo bianco ancora ci guardano e comandò agli incisori la scritta

CAROLUS GESUALDUS EX GLORI ROGERII NORTMANNI APULIAE ET CALABRIE DUCIS GENERE CONPSAE COMES VENUSII PRINCEPS ETC EREXIT

che sovrasta la facciata meridionale della corte: essi la riempirono con una colata di rame, che la rende cupa nelle ore in cui il sole è debole, ma la fa sembrare d'oro quando splende e vi batte contro.

Emanuele, nel frattempo, era tornato al feudo: cresceva snello e sdegnoso, aveva nello sguardo la fiamma dei Gesualdo e non chiedeva di Maria. Passava molte ore della giornata con Silvia Albana, che gli faceva da madre e che a volte, con l'Adinolfo, si sfogava (ma non in confessione) dicendo che il piccolo rifiutava di giocare con le cugine, e che urlava e strillava ogni volta che gli si diceva che avrebbe dovuto presenziare a una di quelle feste di musica che cominciarono a tenersi al castello quando il teatro fu completato. Soprattutto, rifiutava di avvicinarsi al padre: aveva quattro, forse cinque anni e, in piedi nello zembalo, rimaneva in silenzio, lo sguardo basso, mentre Carlo gli parlava e, se doveva rispondere, lo faceva soltanto con cenni del capo.

«Egli non mi ama, Gioachino» mi diceva Carlo dopo che al piccolo, finalmente, era stato concesso di tornare nelle sue stanze. «Non mi abbraccia, mi risponde solo se glielo ordino, e sembra contare il tempo mentre si trova davanti a me».

Io rimanevo zitto, perché vuoto di parole.

«Nello sdegno con cui quella piccola creatura mi osserva» continuava Carlo, «io vedo un rancore da adulto, una rabbia che so che non si placherà con il passare degli anni. "Tu hai ucciso mia madre" mi dice ogni occhiata che egli mi rivolge; "Sei un assassino, e non ti riconosco come padre" mi dice la piega della sua bocca. Egli ha schifo di me, di suo padre, di colui che, alla morte, gli lascerà il regno e il cognome e che lo ama in quanto frutto dei suoi lombi». Si zittiva, pensava agli occhi del figlio e alle sue smorfie. Poi: «Ma perché non parli, Gioachino, perché non dici nulla?» mi domandava.

«Forse, padrone, voi vedete soltanto una parte di ciò che Emanuele prova quando vi incontra» dicevo allora, facendo un passo indietro per allontanarmi da lui.

«Non ti capisco».

«Io vedo in lui anche paura» dicevo, e mi fermavo. Ma poi osavo: «Paura di voi».

«Paura di me? Di suo padre?»

«Paura dell'uomo che ha ucciso sua madre quando egli era in fasce» dicevo e, con un piccolo balzo, mi facevo ancora più indietro. A volte, quando era d'umore nero, egli scattava all'improvviso e mi inseguiva per la stanza, oppure brandiva lo scudiscio e mi feriva; altre volte, invece, chinava il capo, e c'era in lui una malinconia, un abbattimento che me lo rendevano amico. Chiedeva:

«Cosa devo fare con lui?» e aveva il tono di chi implora perché altri trovi per lui una soluzione.

«Non è a me che dovete porre questa domanda» rispondevo. «Forse l'Adinolfo, o addirittura Silvia Albana vi potranno consigliare».

«Nessun principe si fa consigliare da una serva» rispondeva lui.

«Domandate al segretario: egli segue da vicino l'educazione del piccolo, lo conosce. Dopo l'Albana, l'Adinolfo è la persona di cui egli si fida di più».

«Passate più tempo con lui» disse l'abate quando Carlo, dopo molte ritrosie e ripensamenti, gli parlò, «fatevelo vicino, mostrategli il bene che gli volete».

Così, egli volle comunicare di persona al figlio la decisione di contrarre matrimonio con Leonora d'Este.

Era ormai la fine del 1592, due anni erano trascorsi dai fatti di Napoli, e lo zio Alfonso, che molte lettere aveva scritto e molte visite di consolazione aveva fatto durante la cattività gesualdina del mio padrone, mandò una lettera che, per la prima volta dopo molto tempo, non conteneva parole di conforto e di preghiera, ma un'informazione: per il tramite del vescovo di Modena, cardinale Giulio Canani, che nel frattempo era morto nella città di Ferrara, egli era entrato in buoni rapporti con il duca Alfonso II d'Este suo omonimo. I due Alfonsi avevano intrapreso una fitta corrispondenza, il cui motivo erano le preoccupazioni del duca sul futuro del suo ducato. Nonostante i tre matrimoni contratti nel corso della sua vita, l'Alfonso laico, che ormai aveva quasi sessant'anni, non aveva eredi: le sue mogli, scriveva lo zio di Carlo, «benché sposatesi in età giovanissima e nel pieno del vigore fisico» erano state tutte incapaci di lasciar figli «non dico maschi, ma nemmeno femmine». Il feudo di Ferrara, «come, caro nipote, di certo sai» scriveva l'Alfonso porporato, era alle dipendenze dello Stato pontificio, e un accordo stipulato «in epoche remote» sanciva, con una strana e sinistra parola, devoluzione, che, nel caso in cui Alfonso II fosse stato alla morte privo di eredi, il suo ducato sarebbe tornato alla Chiesa. Per molti anni Alfonso II, supportato dai suoi vescovi, aveva brigato con Roma per annullare un accordo che considerava illegittimo: dopotutto, se le sue mogli erano state incapaci di figliare, non era giusto che fosse il suo regno a subirne le conseguenze. Aggiungeva lo zio Alfonso, con una punta di malizia, che tutta Roma sapeva che «l'*impotentia generandi* di Alfonso d'Este non è colpa di nessuna delle mogli, che erano tutte donne belle e in salute: si congettura che sia proprio il duca ad essere impossibilitato a generare e forse, perdonami, addirittura a compiere l'atto»: si vociferava che in gioventù, cadendo da cavallo durante una gita nei pressi di Blois, Alfonso II fosse stato calpestato da uno zoccolo proprio nel basso ventre. Recentemente, il duca aveva tentato di convincere il papa che il candidato migliore alla successione fosse il cugino Cesare il cui fratello, Alessandro, aveva intrapreso la carriera ecclesiastica «anche per rabbonire i prelati romani». Ma Clemente VIII, come il suo predecessore, era rimasto inamovibile. Così si tentava un'altra via e, scriveva lo zio Alfonso, «ti prego di prenderla in viva considerazione»: Cesare d'Este aveva anche una sorella, Leonora, «di cinque anni più anziana di te, caro nipote, ma, così mi dicono, molto piacevole alla vista». Ebbene, la famiglia d'Este la offriva in matrimonio al principe di Venosa. «Con detto matrimonio» scriveva il cardinale, «si unirebbero due delle famiglie più in vista della nostra epoca: gli Este sperano, con questa unione che li imparenta con me e con il Borromeo, di guadagnare delle amicizie in Roma che permettano alla famiglia di mantenere il suo ducato; tu, invece, otterresti delle nuove terre, dei titoli, una dote di cinquantamila scudi, le consolazioni di una nuova moglie e, soprattutto, l'accesso alla città di Ferrara».

Nella primavera dell'anno successivo il contratto era fatto, e fu tempo per Carlo di informare Emanuele. Il bambino giocava nel giardino, ed era in compagnia di Silvia

Albana, che lo spingeva su un'altalena le cui catene, aggredite dall'umidità per via delle piogge primaverili, cigolavano come ruote di carri. Emanuele svolazzava sulla dondola e non rideva: teneva gli occhi chiusi come se fosse avvolto in un pensiero o in un sogno, non saprei dire se beato; i capelli lunghi mossi dall'aria parevano l'unica parte del suo corpo in grado di reagire agli stimoli esterni. Non ride nemmeno quando gioca, pensai, e dovette pensarlo anche il mio padrone, perché si fermò sulla soglia del giardino e per un minuto guardò il figlio che non rideva, mentre Silvia Albana accompagnava ogni spinta con un verso, un'esclamazione che, forse, volevano mettere allegrezza nell'animo del bambino. Non appena ci vide, l'Albana smise di spingere l'altalena e disse al piccolo qualcosa come «È arrivato il tuo signor padre». Emanuele guardò dalla nostra parte e, nei suoi quattro anni, compose un saluto.

Carlo si avvicinò a loro, e noi lo seguimmo. L'altalena si era fermata e con il movimento era morto anche il cigolio.

«Portalo qui» ordinò Carlo all'Albana.

La donna abbracciò Emanuele e lo aiutò a scendere: mentre lo faceva, mi parve che sussurrasse qualcosa all'orecchio del bambino.

«Saluta il tuo signor padre» gli disse apertamente, poi gli pettinò i capelli con le mani e si fece di lato.

«Puoi restare» le disse Carlo, mentre Emanuele guardava ora l'Albana ora l'Adinolfo con aria interrogativa.

«Da molto tempo siamo soli» esordì Carlo, guardando il figlio dall'alto. Il corpo di Emanuele si irrigidì: spalancò gli occhi e, per la prima volta da quando eravamo entrati nel giardino, guardò dritto in faccia il padre. Anche l'Adinolfo si irrigidì, mentre l'Albana non riuscì a trattenere un piccolo grido, e si mise la mano davanti alla bocca.

«Io ho molti doveri e molti obblighi, da quando sono principe» continuò il padrone mio, «l'amministrazione di un feudo e delle molte proprietà della nostra famiglia è un impegno a cui non mi posso sottrarre, e che mi toglie tempo. Essere principe significa non poter fare ciò che si vuole, Emanuele, non sempre: questo è un fardello che mi è capitato, e che capiterà a te quando io non ci sarò più. Ma è un fardello dolce, perché dà la possibilità di vivere bene, se si amministra con saggezza...»

Emanuele lo guardava sbalordito. Probabilmente, all'inizio del discorso, aveva tentato di comprendere le parole del padre, ma ora il suo sguardo e una certa impazienza nelle dita, che teneva intrecciate all'altezza della cintura, dicevano che stava contando il tempo.

«Tuttavia» continuava Carlo, «a volte la solitudine in cui sono... in cui siamo piombati è per me un peso insostenibile...»

«Eccellenza» lo interruppe, ma con delicatezza, l'Adinolfo, «perdonate: il principino ha soltanto quattro anni. Parlate semplice, o non vi capirà».

Carlo tirò un respiro lungo, mi cercò e mi trovò. Chiese: «Come glielo devo dire, Gioachino?»

«Diteglielo e basta».

Si chinò, le mani sulle ginocchia, e adesso era solo di poco più alto del figlio. Vedendolo scendere verso di sé, Emanuele si era ritratto, aveva fatto istintivamente un passo indietro, ma poi si era fermato e aveva di nuovo cominciato a contare il tempo. Nell'espressione che fece credetti di scovare una somiglianza, per quanto lontana, con Ignazio; ma non posso dire che si trattasse di una somiglianza dovuta al seme di Carlo, poiché Ignazio era simile a Emanuele soltanto nei tratti che entrambi avevano in comune con Maria.

«Hai bisogno di una nuova mamma, Emanuele» disse Carlo, «e io di una moglie. Presto mi sposerò con una principessa: ella verrà a stare qui, nel nostro castello, e vivrà con noi, e diventerà una Gesualdo. Ti vorrà bene, come te ne voglio io, e anche tu le vorrai bene».

Si sollevò con la leggerezza di chi si è tolto un peso e con l'orgoglio di chi, mettendo a parte i figli delle proprie decisioni, ha fatto ben più di quanto richiede il dovere di un padre. Emanuele rimase immobile, parve non aver capito nonostante le ultime cose che Carlo aveva detto fossero state molto chiare. Silvia Albana, dietro di lui, era rimasta con la mano a coprire la bocca, e guardava ora l'Adinolfo, ora la nuca del bambino che ancora non si muoveva.

Carlo accarezzò la testa del figlio, che lo lasciò fare, e io credo, oggi, che quello fu per Emanuele il momento più terribile, perché quel breve incontro con il padre sancì, se mai ce ne fosse stato bisogno, che Maria non sarebbe più tornata davvero. Se mai il piccolo aveva sperato, come fanno a volte i bambini, che la morte della madre fosse una finzione, o qualcosa da cui si può tornare indietro, o se per caso Silvia Albana gli aveva raccontato che la madre non era morta, ma solo partita per un lungo viaggio da cui un giorno avrebbe fatto ritorno, ecco che ora Carlo prendeva questa cattedrale di inganni e di sogni e la faceva crollare. Era come se gli avesse detto: «Ciò che più ti spaventa e ti lascia solo è accaduto, e appartiene al passato. Ora devi guardare avanti e farti una ragione di qualcosa a cui, forse, da anni ti rifiuti di pensare: la mamma è morta davvero».

Ce ne andammo, lasciando il bambino nel campo giochi, a pochi passi dalla sua balia. Un gatto entrò nel giardino e, pervicacemente ignaro del dolore umano, si avvicinò a Emanuele con aria ottusa.

Nel corso della mia vita, stabilite le regole e per così dire i contorni entro cui un'opera doveva essere concepita e scritta, ho architettato e composto la mia musica in qualunque condizione e luogo: in Svizzera durante la prima guerra, nella vecchia Russia, in Francia da esule, in America. Era sufficiente darmi un metodo, delle coordinate entro cui lavorare, e seguirle. Questo vale, tutto sommato, ancora oggi: dato uno schema, ogni mattina compongo, ogni pomeriggio studio, leggo, incontro le persone che mi va di incontrare, sbrigo la corrispondenza.

Ognuno degli ambienti che ho nominato e in cui ho composto, tuttavia, era, per così dire, il centro di un mondo che mi apparteneva, in cui mi riconoscevo, a volte al prezzo di qualche rinuncia: la Russia era casa, Parigi la capitale del mondo, la Svizzera un rifugio dall'orrore. Sembra ora che, raggiunta la vecchiaia, io sia in grado di comporre soltanto in questo studio di Hollywood: eppure, per quanto mi sforzi di cercare legami con questa città, nulla mi lega a essa al di fuori di qualche amicizia e di questa casa. Vent'anni fa quando, da New York, io e Vera pensammo che Los Angeles potesse diventare, per noi, un nuovo rifugio, ci trasferimmo e intessemmo contatti con il mondo di Hollywood. Ma dalla grande industria dell'intrattenimento – come la chiamano qui – non ho avuto che delusioni e scorni e, poiché è giusto dire le cose fino in fondo, anche molto denaro. Tuttavia, le cose non sono andate come prevedevamo. Los Angeles non ha, per noi, la stessa valenza di Pietroburgo, di Morges, di Parigi: non è casa, non è rifugio né capitale. Succede però che, lontano da questo luogo che non mi appartiene, io non sappia lavorare. Certo, questo studio, con i suoi drappi à la russe, le foto della mia vita, i miei oggetti e la mia bottiglia di scotch, è l'immagine perfetta di me, è il mio zembalo: ma ciò che c'è fuori da qui è soltanto una distesa di luce, palme, automobili in coda e calore. Mi chiedo come sarebbero i «Movements», o questo «Monumentum» che così tanta fatica mi sta chiedendo per essere pensato, se li avessi composti a Parigi, o a Pietroburgo.

Naturalmente, non ho una risposta, e sono pienamente soddisfatto di quello che ho prodotto finora in questo luogo losangelino da cui guardo un mondo che non conosco. Desidero a volte che chi viene a trovarmi arrivi a questa casa senza dover attraversare la distesa di ville del Wetherly Drive, direttamente catapultato qui dal centro dell'Europa, come, in fondo, molti anni fa è accaduto a me.

Dopo Compieta

Alcuni mesi più tardi partimmo, con un seguito di oltre trecento bagagli caricati sopra le schiene di ventiquattro muli, e carrozze e lettighe dentro cui viaggiavano anche Fabrizio Filomarino e Scipione Stella, in direzione di Ferrara, dove Alfonso II e la sua corte ci aspettavano per celebrare il matrimonio. Ferrara, più di Napoli, più di Roma, inequivocabilmente più di Palermo, Bologna, Venezia o Firenze («dove si suona male e si canta peggio» ripeteva Carlo ogni volta che i suoi affari lo mettevano in contatto con qualcuno proveniente da quella città), era ancora la capitale musicale italiana e ancora oggi, dopo che la devoluzione è accaduta e gli Este si sono ritirati a Modena abbandonando nella vecchia città, oltre a certi palazzi e pinacoteche, vari piaceri e privilegi nonché l'onore e i ricordi, Carlo si domanda come sia possibile che, non più tardi di vent'anni fa, la corte ferrarese fosse il vero centro del mondo, dove chiunque all'infuori del Tasso era benvenuto e ascoltato, mentre oggi non pullula che di pretuzzi e sacerdotelli che si scannano per un seggio più in luce, e non una nota nuova, non un verso musicalmente ben fatto fuoriescono dai suoi palazzi. All'epoca in cui arrivammo a Ferrara, Laura Peperara, Lucrezia Bendidio e Tarquinia Molza erano ormai troppo vecchie per poter cantare: eppure si parlava ancora di loro mentre le nuove generazioni di dame cantrici, alcune dotate di voci formidabili, tali che Carlo non aveva udito mai, si affannavano per farle dimenticare; le vecchie dame, spolpate di voce, assistevano ancora a tutti i concerti, e con i loro sguardi giudicavano le giovani cantanti, per cui il plauso di una di quelle vecchie donne valeva più che un riconoscimento dello stesso duca o del compositore.

Carlo viaggiò, e per tutto il tempo che impiegammo per raggiungere Ferrara tenne con sé in una bisaccia i manoscritti di alcuni libri di madrigali: intendeva pubblicarli a Ferrara con l'aiuto di Scipione Stella, e saltuariamente li estraeva dalla sacca, li sfogliava, li mugugnava. Allora nella carrozza si faceva silenzio: solo a Stella e Filomarino era concesso di esprimere un'opinione e accompagnare, con un accenno di canto o una nota di chitarrino, il mio signore. Del resto, non mette conto raccontare troppo nei dettagli il nostro viaggio: ci fermammo a Roma per alcune settimane, ospiti del cardinale Alfonso; egli ci lasciò liberi di girare per la città, che non vedevamo dai tempi della giovinezza, e di far visita a certe famiglie, già informate delle seconde nozze del padrone mio. Carlo non volle far visita al Collegio, e nemmeno ad altri luoghi che gli ricordavano il suo passato: passammo accanto alla Chiesa del Gesù ed egli volse lo sguardo altrove. Volle però attraversare il Tevere, e rimase a lungo a meditare guardando Castel Sant'Angelo e la cupola del Vaticano, che occupa una gran fetta del cielo di Roma.

Verso febbraio ripartimmo. Inoltrandoci nella valle del Tevere e seguendo l'antica via Flaminia ci trovammo a valicare il Rubicone, risalimmo per Faenza e per Lugo, dove fummo raggiunti da un corriere ducale, il quale ci avvisò che, fuori dalla città di Argenta, il conte Alfonso Fontanelli ci stava attendendo con un piccolo seguito per darci il benvenuto e scortarci fino alla corte di Ferrara. Vedemmo il conte di lontano: era uscito dalla sua carrozza e stava ritto sopra un cavallo bruno, bardato con le effigi ducali. Ci fermammo, ed egli si accostò, ma con lentezza: guardava, più che noi, l'infinita fila del nostro seguito. Venne alla carrozza, salutò, ma prima che Carlo potesse rispondere al saluto ecco che il suo cavallo, finora regale e solenne nei movimenti, gettò un nitrito e s'impennò. Egli lo trattenne come soltanto gli uomini avvezzi alla caccia sanno fare, e affacciandomi dalla carrozza vidi una biscia scorrere tra gli zoccoli dell'animale e perdersi dentro un cespuglio.

«Vi siete presentato come un san Giorgio» disse Carlo.

Fontanelli si era già ricomposto, e accarezzava le frogie del suo cavallo.

«Sono bisce di fiume» disse. «Sono animali del tutto innocui, ma disgraziatamente i cavalli non lo sanno». Quando l'animale fu calmo, scese e fece una piccola riverenza: «Perdonate, principe: avevo in mente per voi tutt'altra accoglienza».

Carlo aprì lo sportello della carrozza e invitò il conte a entrare. «Non immaginavo di avere l'onore di una scorta fino a Ferrara» disse quando Fontanelli si fu seduto.

Il conte fece una strana smorfia: «Le nostre non sono terre semplici da attraversare. Così il duca mi ha pregato di accompagnarvi per quest'ultimo tratto, in modo da indicarvi la via migliore».

«Briganti?» chiese qualcuno.

Fontanelli fece con la mano un gesto come a dire "No", poi aggiunse: «Sono terre bagnate, attraversate da corsi d'acqua che bisogna guadare». Si voltò, guardò di nuovo il seguito dei bagagli, e disse: «Verso Gaibana, il grande fiume che costeggia Ferrara si annuncia grazie a molti affluenti, e girarvi attorno costerebbe molti giorni di viaggio, e molta fatica. A Ferrara siete atteso: il duca e, perdonate, la vostra futura consorte sono impazienti. Per questo sono qui: per facilitarvi il cammino».

Pernottammo in Argenta, poiché la sera ormai calava. Mentre scaricavamo il necessario per trascorrere la notte, vidi un servitore di Fontanelli avvicinarsi al conte e passargli delle carte e una piccola scatola da viaggio, di quelle che contengono il materiale per scrivere. Il conte si ritirò nella sua camera e oggi io so che a lungo scrisse, informando il duca d'Este del modo in cui lui e Carlo si erano incontrati (ma omise di raccontare della biscia) e dell'impressione che il principe mio gli aveva fatto. Ho letto, col tempo, alcune di quelle lettere: le ho trafugate dai cassetti del duca, a Ferrara, o mi sono avvicinato, con circospezione, a donna Leonora mentre le leggeva. L'ho fatto e non me ne vergogno. Varcato il Po morto di Primaro, Fontanelli scrisse al duca Alfonso una lunga lettera che era il resoconto dei nostri primi giorni di convivenza. Io, oggi, non ne ricordo il contenuto in modo così preciso come quando lo riferii al principe: so però che in essa Fontanelli descriveva brevemente il viaggio, con l'attraversamento in barca dell'affluente del Po; si stupiva il conte del fatto che Carlo si rifiutasse di posare il piede nella fanghiglia delle rive, e soprattutto che la mattina egli si levasse dal letto molto tardi, tanto che Fontanelli disperava di arrivare a Ferrara nella data che evidentemente lui e il duca avevano previsto. In un passaggio, egli descriveva il principe come un uomo sufficientemente piacente, anche se – questo lo ricordo quasi alla lettera – «Non ho visto la vita perché porta una palandrana lunga quanto una roba da notte»; in un altro riportava i contenuti dei discorsi che egli aveva avuto con Carlo, e che vertevano soprattutto di caccia e musica: «Della musica m'ha detto tanto che io non ne ho udito in un anno intero. Ne fa apertissima professione e mostra le sue composizioni a tutti affinché si meraviglino della sua arte». Ad Argenta, infatti, per tutta la sera e parte della notte, Carlo e Scipione Stella, al cospetto del conte, avevano suonato il flauto e ragionato di musica. Si era parlato del Luzzaschi, che all'epoca il padrone mio ammirava e un poco imitava, e che sperava di conoscere a corte. Scriveva il conte che, non intendendosi di musica, sospendeva il giudizio su ciò che Carlo gli aveva fatto ascoltare, benché gli fosse chiaro che il principe fosse un artista. Non scrisse apertamente che Carlo gli aveva domandato a più riprese notizie su Leonora: egli aveva risposto a mezza bocca, tanto che Carlo, di ritorno nella sua stanza, mi aveva cercato e aveva detto:

«Sarà brutta. Altrimenti non c'è motivo per cui il Fontanelli non me ne debba parlare».

«Vostro zio» avevo risposto, «vi ha assicurato che è di bell'aspetto, ma del resto, principe, non è certo per le sue grazie che vi siete precipitato a Ferrara».

Attraversavamo quella terra che si faceva via via più fangosa, zoccoli e ruote affondavano nella pappa marrone delle prode mentre io aggiornavo il principe sulle lettere che i corrieri del conte portavano con mezzi veloci a Ferrara, quando uno staffiere di Fontanelli si avvicinò alla carrozza e disse che, verso nord, una piccola schiera di uomini a cavallo ci aspettava sulla strada.

«Portano i vessilli ducali, Eccellenza» disse.

Era il duca Alfonso d'Este che, pochi chilometri prima della città di Ferrara, ci veniva incontro per accoglierci e festeggiarci.

2 settembre, mattina, ma non presto

Dal gabinetto di Staibano, poco fa, benché fosse immerso nel silenzio cui tutti tendiamo in questi giorni fatali e all'apparenza fosse vuoto, veniva quell'odore insieme acido e dolciastro, come di carne lasciata a macerare nel piscio di cavallo, che nel corso degli anni ho imparato a riconoscere. Ho appoggiato delicatamente l'orecchio alla porta e ho percepito, all'interno, il rumore di un corpo che si muoveva con circospezione. Sono entrato, cercando di non far cigolare la maniglia, e vi ho trovato il nostro medico che metteva in fila sul tavolo alcune lame e certi intrugli contenuti in boccette di vario colore. Staibano, in qualche modo, ha sentito la mia presenza e si è voltato di scatto. Teneva in mano un coltello e si era legate sotto il naso, tramite un cordino fissato alle orecchie, alcune foglie di menta che gli facevano da baffi. Ha spalancato gli occhi ed è rimasto fermo, come una natura morta e ridicola, mentre, dietro di lui, nudo, un corpo di donna giaceva sul tavolo dove così spesso anch'io ero stato costretto a sdraiarmi per gli esercizi d'allungamento. Staibano aveva tolto carrucole e pulegge, e le aveva posate in un angolo della stanza; alcuni secchi colmi d'acqua sporca che teneva vicino ai piedi dicevano che aveva già lavato il corpo e si apprestava a lavorarci.

Mi sono avvicinato al corpo disteso della donna: tenevo gli occhi all'altezza delle ginocchia, e a lungo le ho girato intorno, guardandole la pelle colore del ghiaccio, i polpastrelli sporchi delle dita, i seni piccoli e molli, abbandonati sul costato. Staibano ha recuperato una sacca da un armadio e si è avvicinato alla testa: l'ha presa con una mano, afferrandola per la nuca e sollevandola leggermente, poi l'ha infilata nel sacco.

«Non si può operare sotto lo sguardo dei morti» ha detto, ma come tra sé, mentre tirava il sacco fino al mento.

Mentre Staibano la sollevava, ho visto il volto della ragazza e mi è sembrato di riconoscerlo: il padre ha una bottega in Gesualdo e talvolta la si vedeva girare per il paese con una cuffietta bianca sulla testa.

«Io la conosco» ho detto, ma la mia frase è caduta nel vuoto.

Ho ripreso a girarle intorno: tra le piante dei piedi leggermente divaricate, lontano e come perduto, spuntava il taglio del suo sesso, rovinosamente aperto e scarlatto, mentre nelle morte, di solito, non è che una riga nera lunga un dito e chiusa come una terza minore. Staibano si è accorto di cosa stavo guardando, e si è messo tra me e i piedi della giovane.

«Tu?» ha detto, come accorgendosi di non esser solo, ma senza tono.

«Sembra sanguinare ancora» ho detto io.

Staibano ha preso una pezza e ha asciugato il taglio della ragazza: «Viene dalla casa che fu di Polisandra Pezzella» ha detto, poi ha gettato lo straccio in un angolo lontano, con la fretta di chi si accorge di avere tra le mani qualcosa di immondo.

«Che cosa dite?» ho domandato nel frattempo. «Vive ancora qualcuno in quella casa?» Staibano si è sistemato le foglie di menta sotto al naso, si è slegato i polsini della camicia e ha cominciato ad arrotolarsi le maniche. Mi ha guardato a lungo. Poi:

«Allontanati, anzi: vattene. Non posso lavorare se tu rimani con me» ha detto.

Anziché ubbidire, ho preso uno sgabello e l'ho messo vicino al tavolo. Ci sono salito sopra.

«Vi sono utile soltanto quando non avete voglia di scendere da solo nella cripta» ho detto. «Andate, andate pure a dire che non potete concentrarvi se io mi trovo qui: ditelo all'Adinolfo, chiamate il Bardotti, magari donna Leonora».

Adesso aveva le maniche tirate sopra i gomiti, e mi guardava da dietro la menta.

«Che cosa vuoi?» ha detto, e nella sua voce c'era un furore. «Vuoi prenderti anche lei?»

«Voglio guardarvi mentre operate».

Staibano sapeva cose della salute di Carlo che nessuno di noi sapeva, e la stesura delle clausole del testamento l'aveva sopraffatto e spinto a quest'ultimo studio, che voleva condurre in solitudine.

«Spostati. Devo poter girare intorno al tavolo» ha detto.

Da dov'ero, adesso, vedevo quel corpo giovane e terminato in tutta la vergogna e l'infermità della morte. Era magro, malfatto: aveva dita nodose, soprattutto quelle dei piedi, e calli sui gomiti e sulle ginocchia; sopra il monte di Venere aveva un rigonfiamento molle, come di pelle rilassata, e una cicatrice da taglio lunga come un avambraccio lo rovinava. Teneva ancora le mani chiuse a pugno come se nei suoi ultimi momenti essa avesse spasimato per un terribile dolore o una paura.

«Voi mantenete i rapporti con qualche janara» ho detto. «I corpi su cui voi lavorate arrivano dalla casa nera di un'orribile donna rincagnata, che certamente non è la Pezzella, ma è qualcuna che come lei procura aborti e lancia maledizioni».

«Non c'è altro modo per trovare corpi» ha risposto, mentre sceglieva, dalla fila ordinata, un coltello dalla lama piccola. «Mettiti un passo indietro, Gioachino. Devo poter lavorare».

Ho spostato lo sgabello di poco, ci sono risalito sopra come un sacerdote sale gli scalini per arrivare all'altare. Staibano si è abbassato sul corpo della giovane, ci ha quasi appoggiato il naso come se l'annusasse, ma invece stava studiando il punto dove praticare l'incisione. Ha premuto una mano sui seni vuoti, per rendersi stabile, poi ha cominciato a tracciare, con il coltello, una linea che seguiva e allungava la cicatrice e che subito si è fatta rossa.

Avrei giurato, in quel momento, di aver visto il corpo della giovane fremere per il freddo della lama, i nodi delle dita dei piedi distendersi in un movimento improvviso, insieme stupefatto e terrorizzato. L'odore delle viscere ci è arrivato, ma non subito, ha aspettato che Staibano terminasse la sua incisione e si mettesse dritto pulendosi le mani dentro uno straccio: ma poi c'è stato. Il medico si è sistemato di nuovo la menta e anch'io avrei voluto averne un po', ma già Staibano, con le mani, apriva i lembi di pelle e respirava piano.

«Cosa cercate in lei?» ho detto. E poi, avendo ricevuto silenzio: «Forse l'anima?»

Staibano mi ha guardato da dietro la menta, ma è rimasto chino sul ventre aperto. Con il coltello ha reciso qualcosa in profondità e ha cominciato a sfilare una forma di salsiccia, ma più lunga e infinitamente più lugubre. L'odore che ne è venuto mi ha fatto lacrimare gli occhi, mentre gli intestini della giovane si radunavano come un serpente dentro un secchio.

«Non si cerca l'anima nelle viscere dei morti: essa se n'è già volata via» diceva intanto, ma lentamente, perché era concentrato su ciò che facevano le mani.

Di che cosa odorano, i corpi degli uomini? Fuori odorano di merda, piscio, sudore, vecchiaia, terra, sangue quando si tagliano, cibo, vino, pioggia se si bagnano, fango se camminano, cuoio di cui si vestono, fieno, pelle, a volte essenze e aromi di cui si cospargono, medicinali, erbe, animali che curano e con cui condividono, a volte, le case, spezie, orto, stalla, bottega, umido, fumo quando bruciano le sterpi, polvere da sparo, cane, cavallo, amore (perché anche l'amore ha un odore: l'ho imparato stando nascosto dietro il paravento), flussi mestruali, latte, malattie che essi contraggono e che li marciscono. Ma dentro? Di quali essenze è fatta la sostanza che sta rinchiusa dentro l'astuccio della pelle? Essa, la pelle, sembra tanto sottile, è così facile tagliarla, ed esistono uomini e donne il cui colore è tanto bianco da mettere in mostra quasi sfacciatamente i tracciati delle vene e delle arterie. Eppure, questa pellicola sottile non solo li tiene uniti, li fa corpo, ma nasconde al mondo la verità della natura umana, che è di sangue, e umori, e puzze infinite e intollerabili che vibrano nell'aria come uccelli non appena, con uno strumento, facciamo anche solo un piccolo buco dentro i loro corpi. È nauseabondo l'essere umano: è sporco fuori e abominevole dentro, è pieno di liquidi spaventosi, appiccicaticci e puzzolenti, e sa di morte pochi minuti dopo che la sua anima, attraverso un buco nel tetto, se n'è volata via.

Delicatamente, con un piede, Staibano ha spostato il secchio mettendolo sotto il tavolo. Ha preso un'ampolla di vetro dall'apertura piuttosto ampia e l'ha appoggiata vicino al corpo.

«Si dice che questa fanciulla abbia sofferto di furori uterini» ha detto. «Aveva sedici anni e non era la prima volta che domandava l'aiuto di una vecchia. La pagava con uova e verdure. Da qualche parte esiste un maschio che ha le sue colpe nella sua morte, ma anch'essa non è innocente, e tutti i figli che ha dissipato probabilmente già le stanno attorno là dove si trova e le ricordano lo spreco di carne che è stata la vita sua. Ella non avrebbe dovuto andare in quella casa: avrebbe dovuto venire da me, che possiedo i rimedi per i suoi furori. Ma non ha osato venire al castello, come del resto nessuno, qui, osa fare».

«Cosa cercate, in lei?»

Egli l'ha afferrata per una scapola, l'ha voltata su un fianco. La schiena magra portava già i segni dei listelli di legno grezzo di cui è composto il piano del tavolo, ma lei si è lasciata voltare su un fianco quasi con grazia, come se si fosse girata nel letto per vedere da vicino il volto dell'uomo che le dormiva accanto. Sono saltato giù dal mio sgabello, le ho girato intorno mentre Staibano, venuto dalla parte della schiena, vi appoggiava un ceppo, in modo che il corpo non ricadesse supino. Poi è tornato dalla mia parte, teneva una mano sul corpo della ragazza e con l'altra ha cominciato a scavare sotto le costole, nella parte sinistra del tronco. La sua mano, a un certo punto, si è fermata, come se avesse afferrato qualcosa. Ha tirato un colpo secco verso il basso e, vomitando un sangue nero, il fianco della ragazza si è lasciato rubare un organo grande come un palmo, scuro. Staibano ha levato il ceppo e ha lasciato che il corpo tornasse sulla schiena. Ha fatto un taglio nel pezzo che aveva estratto e ha cominciato a spremerlo come si spreme un frutto, facendo spurgare quanto più sangue possibile dentro la grande ampolla di vetro.

«C'è un legame diretto tra i furori di cui soffriva questa poveretta e gli umori del suo corpo» diceva intanto Staibano, il quale stava attento affinché il sangue, sgorgando, non lo schizzasse. «Essa era impura, animalesca, ed era soggetta a frequenti momenti di esaltazione e di lussuria a cui succedevano interi giorni d'umor nero, di malinconia e infinita tristezza». Continuava a spremere l'organo come una spugna, e questo reagiva, buttava sangue, ma un sangue come non l'avevo visto mai: denso, nero, pastoso.

«Guarda questo liquido, Gioachino» ha detto all'improvviso Staibano, «come ti sembra?»

«È il sangue più nero che io abbia mai visto».

«È bile. Bile nera. Hai visto, questa poveretta, quanta se ne portava in corpo? Per forza che sembrava indemoniata». Finito di far spurgare l'organo Staibano, la cui mano, adesso, era nera come se indossasse un guanto, l'ha messo in una scatola. «Essa è, per qualcuno, frutto del fiato del demonio: è lui che rende neri i liquidi del corpo. Il suo alito penetra negli uomini che egli sceglie attraverso gli orifizi: la bocca, le orecchie, l'ano. Le donne sono più soggette a essere possedute, Gioachino, perché hanno un buco in più. Egli vi penetra e le rende folli, malinconiche, furenti a seconda di quale voglia gli passi per la mente».

Ha sollevato l'ampolla, dentro cui il liquido, nero come vino, stava fermo, poi l'ha versato dentro al secchio dove riposavano gli intestini.

«Ma cosa fate? Lo buttate?»

«Oh, non è la bile che mi interessa, Gioachino. Di essa sappiamo tutto, e ne ho molti campioni». Ha indicato l'organo disseccato che giaceva nella scatola. «Ecco ciò che mi interessa. Si sa come la bile penetri nei corpi, e come li plasmi e li mortifichi, ma non si sa perché scelga proprio la milza per allestire la sua festa. Dunque è sull'organo che io lavorerò adesso». Lo sguardo gli cadde sul corpo sventrato della ragazza che in più di un'occasione egli aveva definito poveretta. Così disse: «Ma prima la richiuderò, e chiamerò degli uomini perché la riportino nella sua casa». Si è avvicinato a lei con ago e filo, e nei minuti di silenzio che sono seguiti sono tornato sullo sgabello.

«La lascerete incappucciata?»

«Agli uomini non piace vedere il volto dei morti» ha risposto.

«E cosa pensate di scoprire, studiandone la milza?»

«Una cura, forse».

«Una cura per quali mali?» ho domandato allora.

Si è fermato, e aveva ormai quasi finito di richiudere il ventre della giovane. Mi ha indicato con l'ago, sulla cui punta era rimasta infilzata una piccola pallina di grasso, e i suoi occhi si sono fatti stretti.

«Ti preoccupa, questo?»

«Che cosa mi preoccupa? L'ago che mi puntate?»

«Non l'ago. Che la cura che vado cercando possa essere d'aiuto al signor principe».

«Non vi capisco». Stavo ancora in piedi sullo sgabello, davanti a me Staibano, baffuto di menta, sembrava essere all'improvviso mutato d'umore e pareva volermi accusare di qualcosa.

«Da anni, e tu lo sai, io cerco, attraverso i corpi degli uomini e delle donne di Gesualdo, di scoprire una cura per il male che affligge il principe, e che l'ha portato, in questi giorni, a chiudersi nello zembalo e a rifiutare cibo. Questo ti fa paura, Gioachino».

Ha fatto un passo verso di me, e c'era nei suoi occhi come una minaccia, mitigata dalle foglie di menta eppure reale.

«Perché dovrebbe farmi paura?» ho domandato, quando egli ormai era a un passo da me.

Ha tirato un calcio allo sgabello, e mi ha fatto ruzzolare a terra.

«Io ti vedo» diceva intanto con una voce non sua, «ti vedo, perché ti vedo? Tu non mi appartieni, non esisti, eppure io ti vedo. Che cos'è che fa in modo che i miei occhi possano vedere un essere immondo come te e la mia bocca possa parlarti e le mie orecchie sentirti?»

Mi sono alzato velocemente, egli brandiva l'ago con la pallina di grasso come si brandisce un coltello e mi stava sopra.

«Da dove sei entrato?» ha chiesto, mentre io, trascinando la gamba breve, mi buttavo dall'altra parte del tavolo. «Per quale buco hai scovato la via per arrivare alla milza di quell'uomo? Dalla bocca? No, non dalla bocca, perché con essa egli canta lodi a Dio; dalle orecchie? Nemmeno, perché egli è la sua musica, è ciò che ascolta e fa ascoltare; da dove sei entrato, miserabile?, ti sei fatto strada per il buco del culo di colui che sarebbe diventato principe? E quando l'hai fatto? Quando era un ragazzino? Quando?»

Lo vedevo là, oltre il corpo semichiuso e incappucciato della giovane; ha fatto uno scatto verso di me tentando di colpirmi sulla testa con l'ago: «E dimmi, da quanto sei con lui, che cosa hai visto, che cosa lo hai costretto a vivere? Dimmelo! Parla!» diceva intanto.

«Io gli sono amico» ho detto e ho cominciato a girare intorno al tavolo. «Da anni sono colui al quale egli si confida».

Adesso mi inseguiva, giravamo attorno al tavolo come se fossimo su una giostra.

«Si confida?» ha urlato, «Egli muore, chiede il testamento, e tu mi vieni a dire che gli sei amico?»

Di nuovo abbiamo fatto, correndo, il giro del tavolo, i nostri respiri si sono fatti veloci e insieme pesanti mentre, da dentro la sua indifferenza, la giovane giaceva incappucciata e immobile, in attesa di essere chiusa e mandata al padre.

«Staibano, cosa dite?» urlavo io. «Egli non può stare senza di me, e voi lo sapete bene, lo sapete bene!»

«Tu sei una bestia, un animale, un morbo che si mangia il principe da dentro il suo stesso corpo».

Di nuovo ha provato a colpirmi, e di nuovo il colpo è andato a vuoto. Il tavolo che ci stava in mezzo e mi proteggeva ha tremato, perché nello slancio il corpo del medico gli è finito contro.

«Io ho fatto per lui cose che egli doveva fare ma per cui non aveva il coraggio. E anche adesso sono l'unico, più di voi, più dell'Adinolfo e di Leonora, con cui lui possa ancora parlare».

Correvo, tenendo una mano appoggiata al tavolo mi davo equilibrio ed è strano, adesso, pensare che a nessuno, né a me né a Staibano, sia venuto in mente in quei momenti che sull'altro tavolo giacevano lame, coltelli piccoli e grandi con cui potevamo difenderci o fare del male. Poi, all'improvviso, la mia gamba breve mi ha tradito, lo zoppicamento che mi porto dietro come un marchio mi ha fatto sbandare e ho sbattuto contro il secchio delle viscere. Mi sono ritrovato a terra, immerso in una pozzanghera di sangue nero che mi imbrattava le vesti e con il serpente degli intestini avvolto intorno alle gambe. Per un istante, io e Staibano siamo rimasti fermi, come increduli. Egli guardava quella massa di carne morta e sangue che mi teneva come in una morsa e non parlava. Si è messo dritto, l'ago sempre tra le dita ma senza più un'aria di minaccia.

«Ti sei imbrattato, bestia» ha detto, sputando fuori le parole.

«Levatemi questa cosa di dosso» ho detto io, che non avevo fiato e che realizzavo finalmente di essere prigioniero delle viscere della ragazza morta. «Levatemela!»

Senza guardarmi, Staibano ha girato attorno al tavolo, ma, lentamente, ha ripreso il filo e ha finito di ricucire il ventre della ragazza. Si sentivano nel gabinetto soltanto i nostri due respiri: ma il suo era di chi riprende a poco a poco fiato dopo una corsa, il mio era di chi non trova l'aria per via del terrore.

«Bile, intestini, sangue nero: è ciò che ti meriti e di cui sei figlio» ha detto Staibano dopo un po', mentre si sciacquava le mani in una bacinella piena d'acqua pulita.

Con la punta di una scarpa, ho scacciato il serpente che mi ghermiva e l'ho buttato sotto al tavolo. Mi sono rialzato in fretta, e avevo le gambe nere di bile.

«Datemi qualcosa per pulirmi» ho chiesto.

«Vattene, bestia».

«Non posso uscire così per i corridoi». Ho preso da terra il panno sporco con cui Staibano aveva asciugato il taglio della ragazza e ho cominciato a tamponare le macchie di bile che avevo sui calzoni.

«Chi sei?» mi ha chiesto lui.

Presto il panno è stato inutilizzabile, e le mie mani hanno cominciato a macchiarsi d'umore nero.

«Devo lavarmi» ho detto.

«Perché lasci che io ti veda?» ha chiesto Staibano.

«Siete voi che vedete» ho risposto, ammiccando alle ampolle, ai libri neri che egli aveva in fila sulle mensole. «Siete venuto spesso con me, in questi anni» ho detto ancora. «Insieme abbiamo accudito il figlio che Carlo non vuole avere, e abbiamo fatto altre cose, e probabilmente ne faremo».

«Io lo guarirò» ha detto allora, come riscotendosi.

Ho sorriso, ed era poco più di un ammicco. So che non accadrà, che non ci sarà cura, poiché tutto è deciso, e il processo di inedia che Carlo si è imposto è senza ritorno.

«Si lascerà morire?» ha chiesto allora il medico, e i suoi occhi sbarrati hanno dato conto della paura di fallire che l'aveva preso.

Ma io non avevo nulla che potessi rispondere. Ho buttato il panno per terra, vicino al secchio, mi sono voltato e mentre Staibano riprendeva a urlare sono uscito dal gabinetto.

3 settembre, martedì, a Prima

(In un sogno confuso che ho fatto questa notte, la ragazza si è presentata alla mia porta: ha chiamato il mio nome con una voce debole eppure decisa, così sono uscito dalla scatola e le ho aperto. Il suo corpo, nudo e fiero, splendeva di bianco nella cornice del corridoio mentre, davanti agli occhi, avevo la lunga cucitura che il medico le aveva fatto per chiuderle il ventre: l'ago e il filo pendevano ancora come un gioiello che ella esibiva. «Eccomi, Gioachino» mi ha detto. Ha appoggiato i palmi sulle mie guance e mi ha sollevato il volto perché la guardassi. Si è tolta il sacco dalla testa con un gesto ampio, teatrale, che le ha fatto cascare i capelli sulle spalle. Era Maria d'Avalos).

Chi è dunque questo Gioachino? È qualcuno che sogna, ma che mette i propri sogni tra parentesi. Ci sono molti elementi, nella cronaca, che suggeriscono che egli in realtà non sia mai esistito, ossia che non ci sia mai stato, in casa Gesualdo, un servo nano che porta questo nome e che per di più sapesse scrivere. Bob Craft è partigiano di questa ipotesi, che naturalmente è la più razionale: quello che sto leggendo è un apocrifo, una parodia nel senso greco di «canto vicino» – riproduzione secondo altri modi di un canto dato. Così Bob Craft. Ma la parodia ha bisogno di un modello, di una tradizione da riscrivere; e soprattutto, quando interrogo Craft su chi, secondo lui, possa essere il vero estensore di questa cronaca, egli tace. Ma allora chi scrive? Se vogliamo prendere per vero che si tratti di un testo redatto nell'anno 1613, così come sembrò suggerire, sulle prime e però ammiccando, l'uomo-uccello, mi pare evidente che a parlare sia il principe Carlo: non lo affermo, ma lo sospetto. Dalle cronache e dalle notizie di chi nel mondo conosce la vita e gli umori di Gesualdo meglio di quanto li conosca io apprendo che, dal giorno della morte del figlio Emanuele, il 20 agosto 1613, alla data della sua morte, l'8 settembre dello stesso anno, Carlo visse chiuso nella sua stanza, rifiutando di vedere chiunque – e tuttavia non dimenticandosi di controllare che la stesura del testamento corrispondesse alle sue volontà! – e rifiutando soprattutto di nutrirsi; si sa, si dice insomma che Carlo si lasciò morire, ma non ci sono notizie su come occupò il tempo mentre moriva. C'è dunque la possibilità, se questo testo è vero ed è vera l'ipotesi che chi scrive sia Carlo, che ciò che sto leggendo sia l'autobiografia di un suicida. Qui dentro c'è un uomo che muore, e che giorno per giorno fa la cronaca di questa morte. Da alcuni giorni vado immaginando un uomo solo, Carlo Gesualdo, chiuso dentro una stanza come dentro una torre, prigioniero di se stesso dopo che ha preso la terribile decisione di lasciarsi morire ma che, in un ultimo anelito di vita (o di vanità? o di amore per la verità?), decide di scrivere febbrilmente il romanzo della sua vita. Con questa idea prendo il miele dal lungo cucchiaio che Ol'ga mi ha appena portato nello studio e do tregua allo stomaco che, in questi giorni, è tornato a dolermi.

Ora Terza

Il nostro corteo entrò in Ferrara il 19 febbraio dell'anno 1594, preceduto e scortato dal duca Alfonso II e dai suoi uomini. Passammo per il baluardo di San Rocco e infilammo la via di Giovecca, che ci parve bardata a festa per noi: addobbi con lo stemma estense pendevano dai balconi di certi palazzi, e molta gente del popolo si ammassava ai lati della via per riverire il duca e per tentare di capire quale aspetto avesse il «napuletanissimo» (così il Fontanelli in una lettera) principe di Venosa.

«Ci accolgono» disse Scipione Stella, che non la smetteva di guardare oltre le tende della carrozza.

Molti erano vestiti come guerrieri, o portavano strani abiti nobiliari e perfino maschere, in alcuni casi simili a quelle veneziane.

«È il sabato grasso» disse l'Adinolfo. «Siamo giunti in giorni di festa».

Il duca ci cavalcava a fianco, accompagnato dal Fontanelli. Gli si leggeva in viso la voglia di discorrere con Carlo, che era invece rimasto nella carrozza per evitare che i curiosi lo importunassero durante il percorso. Ogni tanto Alfonso II si avvicinava al finestrino, e sorridendo diceva qualcosa che perlopiù andava perduto nel rumore della folla che salutava il corteo con grida di festa. Ma all'improvviso, poco prima che svoltassimo verso il castello, da un lato della strada una voce maschile urlò il nome del duca e lo fece seguire da una pernacchia. Il suono si sentì distintamente, e le persone che erano vicine all'uomo, per un istante, si zittirono e guardarono verso Alfonso II. Benché fossimo chiusi nella carrozza, avevamo tutti udito la pernacchia, e sbalordimmo. Ma il duca Alfonso, in modo del tutto sorprendente, scoppiò a ridere, guardò verso il villano, che non aveva fatto nulla per nascondersi tra la gente che gli stava attorno, e si toccò la falda del cappello in segno di saluto. Questo liberò la folla da una sorta di reticenza che le aveva permesso, fino ad ora, di salutare, di urlare e di chiamare i nomi di Alfonso e di Carlo, ma non di fare villanate: piovvero allora grida di maschi che, come ci dissero, insultavano il ducato in dialetto; qualche ragazzo imitò il primo villano facendo a gara coi vicini a chi faceva suoni più grossi; un uomo, proprio mentre passavamo accanto a lui, si voltò, si calò di un poco le brache e ci mostrò il culo, mentre un suo compare faceva sfiatare un budello di pelle imitando il rumore di una loffa; persino alcune donne, che fino ad allora si erano limitate a sorridere e salutare, si mostrarono in pose volgari, e qualcuna fece apprezzamenti – che sentimmo distintamente – sulle doti di un certo organo degli asini al nostro seguito.

«Che succede, duca?» domandò Carlo, che era quasi spaventato.

Alfonso II si avvicinò al finestrino e si piegò, come se volesse fare una confidenza al principe mio. Ma ciò che disse, lo disse in modo che tutti, nella carrozza e sulla via, potessero sentire.

«È carnevale, amico mio».

Così il nostro primo attraversamento della città di Ferrara, che noi avevamo immaginato solenne e silenzioso, fu invece farcito di scoregge, pernacchie, parole volgari gettate contro il duca e contro il papa, e arrivammo a Palazzo ducale storditi dal rumore e accerchiati da una folla di popolani per i quali sembrava che tutto fosse permesso. Ma non ci toccarono, anzi, si zittirono come un solo uomo quando, entrati nella corte, scendemmo dalla carrozza e salimmo lo scalone bianco che conduce dentro al palazzo. Indicavano la figura di Carlo, che saliva i gradini senza volgere lo sguardo verso il basso, e io mi chiedo ora quali voci fossero circolate in città a proposito del padrone mio nelle settimane precedenti il nostro arrivo, che cosa sapessero di Carlo le sarte, i contadini, i mastri ferrai e le lavandaie di Ferrara che adesso lo osservavano e si davano di gomito mentre la sua figura sdegnosa in silenzio ascendeva. Guardavo le mani di Carlo e le vedevo ancora una volta intrecciate, nervose: egli sapeva che, da qualche parte dentro il palazzo verso cui salivamo, donna Leonora lo aspettava per conoscerlo.

«Finalmente posso salutarvi e darvi il benvenuto come si conviene» disse il duca quando fummo arrivati in cima, e lo squadrava da capo a piedi, apparentemente senza cogliere l'impazienza che stava nelle mani del principe. Entrammo in un ampio salone, la porta si chiuse alle nostre spalle e sputò via lo strepito della folla. Fummo scortati verso una piccola sala, che i ferraresi chiamano Stanza dorata, dove ci attendevano Cesare d'Este, cugino di Alfonso, Alessandro, che, nella sua elegante veste sacerdotale, stava al fianco del vescovo Giovanni Fontana, e altre personalità che ci salutarono e ci ossequiarono.

«Voi vorrete conoscere nostra sorella Leonora» disse Cesare. «Questo avverrà tra pochi minuti, principe: ella è con le sue dame nel Camerino delle duchesse e finisce di prepararsi per mostrarsi a voi».

E io non so che cosa si dissero il principe, il duca, i fratelli di Leonora e gli altri presenti: per molti minuti, una lunga fila di persone, cardinali e dame entrò nella stanza e si presentò a Carlo, dandogli il benvenuto in quelle terre. Finita la processione dei notabili della città, venne il turno di un uomo barbuto, con i capelli corti e bianchi e lunghe mani da organista. Egli aveva pazientato a lungo rimanendo seduto su una poltrona in un angolo. Fu Fontanelli a chiamarlo e a portarlo fino a Carlo, dicendo: «Probabilmente, principe, vi farà piacere conoscere di persona colui che è senza dubbio il più grande musicista che la corte di Ferrara ospita da molti anni a questa parte» l'uomo bianco tese una mano verso il principe, il quale la strinse senza sorridere, «Luzzasco Luzzaschi».

Gli occhi di Carlo ebbero un bagliore improvviso, una specie di felicità li saettò: «Voi?»

Luzzaschi sorrise, e disse: «È un grande onore per me conoscervi. Ho avuto modo di sentire parlare di voi e della vostra musica, che mi dicono sbalorditiva. Spero che, un giorno di questi, quando saranno finiti i festeggiamenti, mi concederete l'onore di ascoltarvi e di discutere con voi di cose musicali».

«Ho molte cose da chiedervi, Maestro» disse Carlo, «e sarò felice di passare del tempo in vostra compagnia».

Un vociare che veniva dal corridoio li interruppe: venne annunciata l'entrata di donna Leonora. Luzzaschi si congedò con un leggero inchino, e il duca chiese al principe di prendere posto, e sedersi. Tre donne e due uomini furono fatti entrare e, mentre il duca sottovoce diceva a Carlo «Abbiamo preparato una piccola cosa in vostro onore», Luzzaschi li mise in fila: così capimmo che l'arrivo della futura sposa sarebbe stato accompagnato da un madrigale del Maestro. Un servo, lo stesso che aveva annunciato l'entrata di Leonora un minuto prima, fece un cenno a Luzzaschi, e quello prese un respiro mentre nella stanza e in tutto il palazzo si faceva silenzio:

Gratie ad Amor, o me beato e lui,

così iniziarono: era il primo madrigale del Terzo libro, che Luzzaschi aveva pubblicato in Ferrara molti anni prima e che Carlo aveva studiato durante il suo apprendistato,

Cagion che voi sol brami,
Voi sola amando viva e vivendo ami,

Carlo seguì, rapito, il Maestro che suonava per lui: muoveva le dita come se si trovasse nel coro di una chiesa di Roma che abbiamo dimenticato, e sulla sua bocca, benché non uscissero suoni, vagavano le parole che tanto bene egli conosceva:

Cosi in fiamm' amorosa,
Qual in rugiada mattutina rosa,
Sempre il mio cor gioisca,
Arda: o mora, o languisca.

Egli chiuse gli occhi, si perse nell'ascolto, e io credo che se mai un uomo è stato realmente capace di perdere se stesso dentro qualcosa, ebbene, quell'uomo è il principe mio quando ascolta, e sembra entrare dentro un enorme tempio sonoro che lo avvolge, lo protegge, lo culla e gli fa dimenticare del mondo. Così Carlo, all'inizio, non si accorse che, laddove era comparso il servo con il suo annuncio, adesso stavano in attesa alcune dame: al centro di quel piccolo gruppo, paffuta e con un'aria nervosa nello sguardo, Leonora d'Este trastullava un pendaglio che le scendeva dall'orecchio e che forse le dava fastidio o che, semplicemente, ella giudicava colpevole della sua agitazione.

Le voci tacquero, il madrigale era finito, e il duca si rivolse a Carlo con un gesto teatrale che tutti colsero:

«Principe di Venosa» disse, «la vostra futura sposa vi attende sulla soglia».

Allora tutti ci voltammo, e Leonora lasciò l'orecchino per mettersi le mani in grembo. Ci alzammo io e Carlo, e insieme al duca, a Cesare, ad Alessandro, al vescovo, ci avvicinammo alle dame che ci attendevano. E oh, io non so come raccontare ciò che avvenne, perché ciò che avvenne non è raccontabile: ma mentre facevamo i pochi passi che ci portavano da lei, da Leonora, io e Carlo vedemmo al fianco della futura principessa consorte una giovane donna, bionda come la cecità e tonda come il desiderio, che stava ritta dentro il suo corpetto e puntava uno sguardo fiero verso il padrone mio. Il principe ebbe un'esitazione, rallentò il passo come chi è incerto sulla strada da prendere. Aveva adesso un'aria vaga, sperduta e turbata come chi si trova di fronte a un pericolo imprevisto: in quel rallentamento egli fissò la dama con la bocca aperta e l'espressione che hanno i cinghiali quando vengono sorpresi dall'archibugiata di un cacciatore. Ma egli era un principe, si ricompose e si rimise in marcia. Mi domandò, con una voce che conteneva una specie d'implorazione: «Gioachino, Gioachino, la vedi? La vedi anche tu?»

La vedevo. Era Aurelia d'Errico, una delle dame di compagnia di donna Leonora, e ci guardava con il volto di Maria d'Avalos.

«È lei, Gioachino» disse Carlo.

«Non lo è, padrone».

«È lei, ti dico. È tornata».

Fummo dinnanzi a Leonora, ma né io né Carlo riuscimmo a guardarle il viso: i nostri sguardi continuamente cercavano il volto di quella donna che aveva di Maria il corpo e le fattezze, salvo che portava due grandi occhi arabi dove Maria li aveva azzurri – e io li ricordo bene gli occhi di Maria, poiché mi guardarono e mi videro per la prima volta mentre le stavo sopra nel momento solenne della sua morte.

Quella stessa notte e per la prima volta, Carlo nel sonno si sollevò dal letto e attraversò la camera con un passo leggero che non mi svegliò. Ero rincagnato nella mia scatola, e dormivo il primo sonno, perché a lungo, dopo che il principe ebbe spento il lume, mi ero ingegnato nel ritrarre la figura di Aurelia: ma ero al buio, e non avevo penne. Avevo intinto l'indice in una goccia d'inchiostro e di quella figura, sghemba ma non oscena, che mi ero ripromesso di tracciare, erano venuti soltanto gli occhi: poi la goccia si era asciugata e non avevo più potuto continuare. Mi ero girato però a lungo nella scatola senza poter dormire: quegli occhi neri che avevo disegnato mi guardavano e, pensavo, guardavano anche tutte le rappresentazioni indecenti che avevo fatto durante gli anni belli di Carlo e Maria. Mi svegliò non il passo, dicevo, ma il suono di una suzione. Mi sollevai, il principe, vestito di bianco, era in piedi in mezzo alla stanza, silenzioso e tetro. «Padrone» lo chiamai, ma non ottenni risposta. Venne però di nuovo quel rumore di lingua e di labbra che schioccano. «Padrone, che fate?» domandai mentre mi mettevo in piedi. Dalla sua figura, lunga e bianca, veniva un respiro pesante. «Dormite?» domandai, e di nuovo non rispose. Mi avvicinai a lui, posando i piedi nudi sul pavimento freddo, e gli fui accanto. Teneva gli occhi mezzi aperti, e le pupille erano due falci bianche. Muoveva la lingua dentro la bocca come un pesce si muove in un'acqua stretta: si succhiava un dente che, lo scoprimmo la mattina successiva, si era guastato e gli doleva. «Tornate nel vostro letto, padrone» dissi sottovoce, poiché adesso sapevo che dormiva. Egli vagò ancora per qualche minuto, leggero, nella stanza, e io gli tenni dietro per evitare che inciampasse nei tappeti. Cercò a tastoni la forma del letto, mentre, con delicatezza, gli guidavo le mani. Si rimise giù, lasciandosi cadere sul materasso: per qualche minuto gli rimasi accanto, indovinando il movimento della lingua. Poi ci fu soltanto il rumore lento del suo respiro.

Da Nona a sera

«Di tutti i dolori, amico mio, il mal di denti è il più inutile e sciocco» disse la mattina dopo, mentre il Bardotti e un servo del duca, quel Castelvetro da Modena che il mio lettore già conosce, lo aiutavano a vestirsi. L'Adinolfo stava seduto in un angolo in attesa che fosse pronto, e ascoltava: «Ci sarà pure qualcuno, in tutta Ferrara, che sia in grado di cavare un dente» disse ancora il principe.

«Mandate per Staibano: egli avrà di certo un rimedio al vostro dolore» rispose l'Adinolfo.

Stavo seduto alla finestra, e guardavo uno spicchio di Ferrara appena risorto dalla nebbia del mattino.

«Avete dormito, padrone?» chiese il Bardotti.

«Come un bambino» mentì Carlo. «Ma al mio risveglio mi sono sentito nella bocca questo umore strano, e la lingua trova come un buco». Rimase zitto, si scavò nella bocca e strizzò gli occhi. Poi disse: «Non posso nemmeno dire che sia un dolore: è una spiacevole sensazione di freddo».

Da un grande carro parcheggiato nella corte, alcuni uomini scaricavano grossi sacchi pieni di sabbia, che si passavano l'un l'altro in una catena che entrava nella pancia del castello e lo risaliva fino alla grande sala posta accanto alla Camera degli specchi. Ci arrivavano, ma smorzate, le loro voci che si chiamavano e si incitavano nel lavoro.

«Faccio chiamare Staibano?» insistè l'Adinolfo.

Mentre Castelvetro gli infilava una manica, Carlo fece un gesto come a dire "Lasciate perdere": «Staibano si occupa ormai quasi più di anime che di corpi, e non ho voglia dei suoi unguenti. Informatevi su un cerusico che abbia delle tenaglie gentili».

«Vedete, principe» rispose l'Adinolfo, «oggi si dà un banchetto in vostro onore al castello, e domani vi unirete a donna Leonora: non credo sia il caso, per voi, di presentarvi con la faccia livida e il sangue che vi gira nella bocca. Dobbiamo onorare il cerimoniale».

«E sia» disse allora il principe, «mandate per Staibano».

Venne Staibano, portando con sé qualche medicamento. Il principe si sedette, e pazientemente lasciò lavorare il medico. Qualcuno bussò alla porta dell'appartamento, e fu il Bardotti ad aprire. Era un altro servo degli Estensi, già vestito a festa. Portava un vassoio d'argento su cui era posata una busta. Fece un profondo inchino e disse:

«Signore, mi manda Sua Eccellenza il duca Alfonso a riferirvi che, non appena avrete finito di prepararvi, siete atteso nella Galleria; vi manda questo: è arrivato ieri sera per voi».

Allungò la busta al Bardotti, quindi si inchinò di nuovo e profondamente e scomparve.

«Una lettera?» disse il principe, ma la sua voce era disturbata dall'unguento che Staibano gli aveva imposto. «Aprila».

Il Bardotti la aprì e una smorfia indecifrabile, simile a un sorriso, lo deformò.

«Che cos'è?» domandò il principe.

«Io non so leggere, Eccellenza, però so vedere: sono versi».

«Versi?»

L'Adinolfo prese i fogli e li scorse per un minuto.

«Principe» disse infine, sollevando gli occhi dalla lettura, «da Roma messer Torquato vi manda gli auguri per il vostro matrimonio».

«È giusto. Ora che mi lego a Ferrara tornerà a farsi vivo con insistenza. E dimmi, Adinolfo: sono buoni?»

L'Adinolfo sollevò le spalle: «Io credo, se permettete, che Tasso abbia da tempo terminato di fare cose buone».

Le ruote del carro, giù nella corte, presero a muoversi e mi distrassero: gli uomini avevano finito di scaricare i sacchi e il carro se ne andava. Tornai a guardare fuori, mentre il sole pallido del nord illuminava un'ala del castello: così non ascoltai oltre il mio padrone e l'Adinolfo che leggevano e commentavano l'ode del Tasso.

Poco dopo camminavamo verso la Galleria, dove il duca ci attendeva perché la giornata di festeggiamenti avesse inizio. Per i corridoi Carlo si mostrò distratto, guardava dentro le stanze che si aprivano e, in almeno un paio di occasioni, si affacciò sulla corte.

«Che cosa cercate?» domandai, benché conoscessi la risposta.

«Maria, Gioachino. Cerco Maria».

«Non è lei, padrone».

Non rispose.

«Rivedrete quella dama sicuramente più tardi, durante il banchetto, e vi accorgerete da voi che non è chi immaginate che lei sia».

Egli si mise dritto, la lingua continuava a cercare il dente malato e gli gonfiava la guancia.

«È come pensavo» disse, «Staibano non ha rimedi per questi dolori spicci».

«Portate pazienza: le sue pozioni non hanno mai un effetto immediato».

Entrammo nella Galleria, dove il duca ci accolse sorridente e, se si eccettuano alcuni servi con indosso già le vesti della festa, solo. Venivano di lontano certi strepiti e colpi di martello, e rumori di cose che vengono trascinate: «Finiscono di allestire la grande sala dove oggi festeggeremo» disse il duca. «Spero che ciò che abbiamo preparato in vostro onore sarà di vostro gradimento».

Carlo rispose qualcosa di cortese, poi i due uomini cominciarono a passeggiare sotto la volta della Galleria.

«È una grande gioia, per noi, questo matrimonio» disse il duca. Fece un gesto ampio con la mano, ed era come se volesse abbracciare in un solo abbraccio tutti i ritratti appesi alle pareti.

«Questa è la mia famiglia, principe: mi ha nutrito e protetto, e io stesso oggi la nutro». Si adombrò: «Sarà sempre più difficile, però, proteggerla: come sapete, un vecchio patto suicida ci condanna ad abbandonare tutto questo, a lasciarlo nelle mani di Roma. Da quasi quattro secoli siamo qui: non è da sempre ma, per chi, come me, qui è nato e qui ha regnato, è come se lo fosse. Ditemi, principe: avete mai sentito il vostro regno minacciato e inesorabilmente perduto?»

Carlo si fermò, parve colpito da quella domanda e volle pensare. Accanto a lui, sul muro, il volto bianco di una giovane donna ci guardava da dietro un paio di occhi sottili e come malinconici. Teneva i capelli raccolti e tesi, e una veste nera la ricopriva: tutto era scuro, in quel ritratto, fuorché le mani e il volto di lei; ma era buio il fondo, buio l'abito, buia l'espressione con cui lei aveva guardato il pittore e che ora rovesciava su coloro che osservavano il quadro. Il duca si accorse che Carlo, mentre rifletteva, era colpito da quel languore triste.

«Voi guardate quel ritratto appeso alla parete» disse allora. «È Lucrezia de' Medici, la mia prima duchessa». Si avvicinò, volle che anche Carlo lo facesse. Poi: «Guardate: sembra ancora viva. La sposai che era giovanissima, poco più che una bambina, e la perdetti dopo poco. Era un cuore contento, impressionabile ma anche fiero, entusiasta. Arrossiva, anche se qui appare bianca e sembra quasi trattenere nella bocca uno sprezzo, forse un dolore. Non trovate?»

«A volte» disse Carlo, che forse non aveva ascoltato ed era andato rimuginando una risposta alla domanda che il duca aveva posto poco prima, «le minacce non vengono da lontano, da nemici esterni, ma da un demone che abbiamo o che possiede chi ci sta accanto, e che ci frolla l'anima per inserdiarvisi, e masticarla».

Era una frase oscura, in qualche modo violenta, che sbalordì il duca: egli rimase interdetto, cercò nella bocca le parole per rispondere e non le trovò, non subito. Disse: «Non vi capisco» e tornò a osservare la sua duchessa. Un dubbio gli pesava sul volto: che Carlo, con quelle parole, alludesse alle voci di un avvelenamento di Lucrezia da parte sua o, peggio, alla sua incapacità di generare figli.

Ma Carlo sollevò un dito e seguì il profilo di Lucrezia: «Se è vero che i pittori e gli artisti colgono nei volti di chi ritraggono i moti delle loro anime, Lucrezia era inquieta, tormentata: una bambina che aveva dei desideri e dei sogni». Guardò Alfonso II per un istante, mentre quello si passava la lingua sulle labbra. Poi aggiunse: «Ma io, duca, non volevo fare allusioni sulla vostra sposa o sulla vostra casa: parlavo di me. Il mio regno non è perduto, ma in passato è stato minacciato. Non ho nemici: i miei feudi sono attraversati da inquietudini ordinarie. Sono un buon amministratore, accorto, onesto nella redistribuzione dei guadagni. Sono severo, ma c'è giustizia nelle mie terre. Raramente i miei sudditi mi vedono, mai si ribellano, e dalle curie di Roma e Milano mi giungono carezze. La minaccia, quando arrivò, mi stava nel letto».

«Ora vi capisco» disse il duca. «Conosco la vostra storia, come voi conoscete la mia. Siete un uomo franco, di quella franchezza che altri può scambiare per burbanza. Altri però: non io. Voglio che sappiate che desidero sopra ogni cosa la vostra felicità e quella di mia nipote Leonora. Sono onorato» qui di nuovo fece un gesto che abbracciava la galleria di ritratti «che un uomo come voi stia per entrare a far parte della nostra famiglia».

Il rumore di un raschiamento giunse da lontano, dalla sala dove si sarebbe allestito il banchetto.

«Che cos'è?» domandò Carlo.

«Sono gli ultimi preparativi per la grande festa di stasera, principe. Vedrete: Ferrara è in bilico, ma sappiamo ancora come si celebrano gli eventi lieti».

Hanno dato il Nobel a due italiani: un certo Salvatore Quasimodo, poeta, per la letteratura, e Emilio Segrè, fisico, che vive non lontano da Los Angeles. Credo di averlo incrociato velocemente a una festa a casa di Adriana Panni, a Roma, alcuni anni fa. Non ci siamo parlati.

Così vi andai, andai nella grande sala dei giochi a osservare che cosa si stava preparando: alcuni palchi di legno, bardati con gli stemmi ducali, erano stati costruiti apposta per l'occasione; posavano sopra grandi lastre quadrate di pietra che, per tutto il mese, erano state tagliate e trasportate fino al primo piano del castello; le ricopriva uno strato di sabbia che ora i servi bagnavano d'acqua perché non facesse polvere, e io non capii che cosa il duca d'Este avesse immaginato per celebrare l'unione di Leonora e Carlo. Mi aspettavo canti e danze: trovavo invece un campo montato dentro un salone.

In un'altra sala, vicina a quella della sabbia, una lunga tavolata era circondata da dieci tavoli rotondi, che le serve di casa d'Este apparecchiavano parlando ad alta voce, ma nel dialetto incomprensibile di quelle terre, e ridendo.

Lì ci sedemmo alle cinque hore di notte, quando tutta la Ferrara che avevamo conosciuto la sera prima si presentò in abiti eleganti e prese posto secondo un principio gerarchico: alla tavola lunga il duca, Cesare, Alessandro, il vescovo, e poi il Fontanelli, il conte Saponara e naturalmente Carlo e Leonora, che per la prima volta si trovarono vicini e per la prima volta si sorrisero e si guardarono nei volti. L'Adinolfo, Scipione Stella, Fabrizio Filomarino e altri tra i nostri congiunti e accompagnatori illustri sedevano a un tavolo tondo, che dividevano con alcuni ferraresi minori. Io sedevo per terra accanto al principe mio, seminascosto dalla lunga veste che la sua sposa aveva indossato per l'occasione. Il principe era tornato a succhiarsi il dente malato, ma lo faceva con discrezione e senza insistenza: approfittava però di questo gesto, da cui evidentemente si sentiva protetto, per guardarsi intorno e frugare dentro i tavoli tondi. Cercava il corpo mariano di Aurelia e non lo trovava, poiché la cena era chiusa alle dame di compagnia. Mangiammo, e non mette conto di raccontare cosa né come: ma ci furono oltre venti portate, molte delle quali piene di cose mai viste, arrivate dal Mondo Nuovo e gialle, rosse, di forme a volte stravaganti e sapore inconsueto. Carlo mangiò, buttando il cibo nel lato sano della bocca, e parlò poco con Leonora. Tennero banco i fratelli e lo zio della sposa, mentre negli occhi di Leonora, quando osservavano il futuro marito, leggevo uno sforzo di tenerezza e anche un'ombra, a tratti, e una domanda: la domanda che da sempre si pone chi sposa qualcuno che non conosce.

Vennero, mentre i camerieri portavano ai tavoli i dolci, dei suoni metallici dalla sala di sabbia, e anche qualche nitrito.

«Credo» disse Cesare, «che nell'altra sala si scalpiti perché la giostra abbia inizio». Chiese permesso e si alzò; con lui si alzarono altre figure, tra cui il marchese Ippolito Bentivoglio e il marchese d'Ateneo, e tutti uscirono mentre qualcuno, dai tavoli tondi, faceva loro gesti d'incoraggiamento.

«Dove vanno?» domandò Carlo.

Fu Leonora a rispondere. «Vanno a prepararsi: presto vedrete, principe».

Carlo bevve una lunga sorsata di vino da cui uscì con una smorfia di dolore: e non so dire se avesse sete, o se bevesse per nascondere il volto da Leonora.

Ma io seguii Cesare, poiché la cena non riservava sorprese. Fuori dal castello, oltre il fossato, molte persone del popolo stavano in piedi e come in attesa: si sentiva un vociare composto eppure trepidante. Era una serata fredda, che gli uomini e le donne del popolo di Ferrara affrontavano con vesti leggere, quasi eleganti. Accadde una cosa inattesa: il ponte levatoio fu abbassato e la gente, prima di percorrerlo ed entrare nel castello, lanciò un grido di gioia. Cesare si fermò e si affacciò, attratto dall'urlo. Ippolito Bentivoglio gli si fece accanto. Disse: «Li stanno già facendo entrare. Non abbiamo molto tempo per prepararci».

Attraversammo la sala di sabbia dove alcuni scudieri stavano in attesa e presero in consegna Cesare e i marchesi. La voce del popolo ferrarese adesso si era fatta vicina: aveva salito lo scalone e già percorreva le stanze che precedono quella dove mi trovavo adesso. I servi degli estensi circondavano gli uomini e le donne del popolo come si fa con i gruppi di bestie, ma avevano modi gentili: li guidavano per il castello e, quando furono nella stanza di sabbia, li aiutarono a disporsi lungo le pareti, ai piedi dei palchi. I nasi dei popolani guardavano all'insù, dentro la volta della sala, mentre i loro bambini ridevano guardandosi le scarpe buone affondare nella stessa sabbia che avevano visto altre volte sulla riva del fiume. Un servo chiese silenzio, e disse loro qualcosa nella loro lingua. Si era messo al centro, ma i suoi occhi cadevano su una donna non più giovane che gli restituiva uno sguardo fiero e pieno d'amore. Si assomigliavano, il servo e la popolana, ma egli non si permise, nemmeno quando ebbe finito di dare le istruzioni, di avvicinarsi alla madre: la guardò soltanto, e le sorrise. "Sto bene, mamma" le disse quel sorriso, "e, hai visto?, il duca si fida di me, mi dà delle responsabilità perché sono un servo fedele".

Io però non facevo parte del popolo ferrarese, così scelsi un palco e andai a sedermi in attesa dell'arrivo dei nobili. Ed essi arrivarono, finalmente, facendo più rumore del popolo: erano pieni di vino, e l'ebbrezza della festa li aveva presi. Li precedevano il duca, sua moglie Gonzaga e il vescovo, dietro ai quali avanzavano Carlo e Leonora. Ci furono grida e applausi, quando il corteo di nobili apparve sulla soglia, ma il duca li zittì presto sollevando una mano e accogliendo gli uomini e le donne del suo popolo con un discorso di benvenuto in cui comparvero i nomi degli sposi. Poi i nobili si avvicinarono ai palchi, e io capii di aver commesso un errore quando vidi che, seguendo Margherita Gonzaga, le donne attraversavano il salone per prendere posto dalla mia parte. Sollevavano le vesti per non insabbiarle, e ridevano mentre lo facevano, mentre gli uomini e le donne di Ferrara, ora in silenzio, le ammiravano. Il padrone, ormai seduto sul lato opposto, mi guardava con occhi stralunati, di nuovo rovistandosi nella bocca con la lingua. Ma poi entrambi notammo che il numero di nobili era aumentato rispetto a quello che aveva preso parte alla cena: adesso contava anche le dame di compagnia di Leonora, di Margherita e di altre nobildonne. Così entrambi cominciammo a frugare in quel florilegio di vesti e gioielli finché non trovammo il volto che per tutta la giornata Carlo aveva cercato invano. Aurelia era adesso nel centro esatto della grande sala, i suoi scarpini posavano piano, quasi senza lasciare impronte, sulla sabbia, ed ella diceva qualcosa sottovoce a un'altra dama. Portava un ampio abito azzurro che le cadeva sui fianchi ma le stringeva la vita rendendola quasi, se mai è esistita, una vespa di mare. Venne al mio palco, il palco delle femmine, e si sedette, ma solo dopo che donna Leonora ebbe preso posto. Da dov'ero, le vedevo la nuca, costretta in un complicato alveare di capelli, e seguivo la catenina di una collana il cui pendaglio si perdeva tra i seni. Non era Maria, non poteva essere Maria. Me lo dicevano, oltre gli occhi e il raziocinare, anche altre cose, come una piccola macchia marrone chiaro che le stava appena sopra il polso destro, e che Maria non aveva mai avuto. Si chinò, aiutò Leonora a sistemare l'ampia gonna e il suo corsetto si gonfiò, spinto verso il basso dal seno. Mi sollevai sulle punte, tesi il collo per vedere meglio e per un istante mi perdetti. Aurelia finì di accomodare la gonna di Leonora e poi sentì i miei occhi posati sul suo seno, perché prima di tornare al posto sollevò lo sguardo e li cercò. Si portò una mano alla bocca, strizzò le palpebre come per vedere meglio, poi spalancò i suoi grandi occhi neri. Io allora non potevo sapere con certezza se ella mi avesse visto oppure no. Ma lei si sedette, lisciò con le mani la superficie azzurra della sua veste di vespa, tirò su il corsetto e poi di nuovo si voltò dalla mia parte.

I primi cavalli già entravano, accompagnati dall'urlo della folla fatta di popolo e nobili: Cesare, futuro duca di Modena e Reggio, e il suo avversario, che non conoscevo, si avvicinarono al palco del duca Alfonso per ricevere il saluto. Orgogliosamente bardato con i colori del ducato di Ferrara, Cesare portava una lunga lancia e, sullo scudo, lo stemma dove ancora, ironicamente, comparivano le chiavi pontificie. C'erano nella sala un fermento, e una gioia, e l'orgoglio popolare di essere invitati alla festa. I cavalieri presero posto agli antipodi della sala: Cesare accanto al palco dei maschi, il suo avversario accanto a quello delle femmine. Con la sua mano grassoccia, Leonora cercò la mano di Aurelia e la strinse, mentre nella sala di sabbia cadevano un silenzio e un'attesa. Poi il ragazzo che aveva trovato sua madre mescolata agli uomini e alle donne del popolo diede il segnale, e i cavalli partirono. Durò un secondo, dentro il quale Aurelia si voltò di nuovo dalla mia parte, ma velocemente, perché non poteva perdere la giostra del fratello della sua signora e Carlo, seduto sul palco di fronte al nostro, si cercò il dente malato nella bocca. Il principe mio guardava ora me, ora Aurelia: così presto mi dimenticai dell'esibizione dei cavalieri, nonostante il rumore di ferraglia, gli sbuffi dei cavalli e le urla di incitamento. Egli cercava di dirmi qualcosa, e cercando si muoveva sulla seggia; Leonora, vedendolo, pensò più volte che il suo futuro sposo la stesse salutando dal palco dei maschi, e gli sorrideva, sempre stringendo la mano della sua dama di compagnia. Aurelia, invece, capì presto che gli occhi di Carlo non cercavano la futura moglie. Senza dare nell'occhio, si voltava spesso dalla mia parte, come seguendo un invisibile filo che dal volto di Carlo mi raggiungeva, e cominciò, per quanto l'etichetta lo consentiva, a prendere parte a quel gioco di rimandi. Le donne che le stavano attorno battevano le mani, chiamavano i cavalieri e creavano una confusione dentro cui lei poteva permettersi di voltarsi; io, invece, in quella confusione mi nascondevo, ritraendomi perché cominciavo a capire che, per qualche strano motivo, Aurelia si accorgeva di me. Dopo ogni esibizione, il duca Alfonso si chinava verso Carlo per condividere la sua approvazione, e allora Carlo si risvegliava, trovava velocemente qualcosa da sussurrare all'orecchio del duca e batteva piano le mani. Poi tornava a guardare verso il palco delle femmine. Aurelia avvicinava spesso la testa a quella di donna Leonora: dapprima pensai che fosse per ascoltare la sua padrona, ma ben presto capii che quello era il modo con cui la dama di compagnia si faceva guardare da Carlo. Con un'unica occhiata, egli poteva adesso abbracciare la sua sposa e la dama senza che nessuno si accorgesse che i suoi occhi erano per la Maria nera, che tanta parte avrebbe avuto nelle nostre vite negli anni successivi. Da dove mi rintanavo, vedevo il profilo di Aurelia: reclinava la testa verso Leonora e guardava il principe, si copriva spesso il volto con una mano e protetta da quella copertura gli sorrideva. E questa seduzione travolse le celebrazioni per il matrimonio, si portò via la giostra, le strida del popolo, l'orgoglio e lo sfarzo che Ferrara mostrava a pochi anni dalla sua caduta.

Più tardi, a notte fonda, sentimmo un rumore leggero di passi nel corridoio che portava alla nostra stanza. Io ero seduto nella scatola, Carlo aveva già congedato il Bardotti e Castelvetro, che l'avevano aiutato a svestirsi e a prepararsi per la notte. Anch'egli stava seduto, ma sul letto, e non sapeva dormire. Sentivo, nel buio, il suo respiro e di nuovo i rumori di scavo della lingua; eppure non osavo parlare per paura che mi punisse per aver preso posto nel palco delle femmine. Il battito leggero, come di zampette, lo riscosse: accese la candela che teneva accanto al letto e disse sottovoce: «Senti anche tu, Gioachino?»

Sentivo. Quando fu molto vicino, il battito si fermò e una luce filtrò da sotto la porta. Uscii dalla scatola e mi avvicinai. Dall'altra parte veniva un respiro veloce ma gentile. Guardai verso il mio padrone, ma ero in ombra e non poteva vedermi. Qualcuno bussò in modo quasi impercettibile. Carlo si levò dal letto e si avvicinò, senza portare con sé la candela. Adesso mi stava vicino, sentivo il suo corpo fremere per il freddo. Disse: «Chi siete?»

«Ho un rimedio per voi» rispose da dietro la porta una voce di donna.

Carlo girò la chiave chiudendola nel palmo perché non facesse rumore e aprì un poco la porta.

«Fatemi entrare, Eccellenza» disse di nuovo la voce.

La luce della candela che Aurelia teneva in mano illuminò il volto del mio padrone, e io gli vidi sulle labbra un tremito che forse era un sorriso. Aurelia indossava ancora il suo vestito azzurro, ma si era tolta la collana e i gioielli e portava al collo una piccola sacca di pelle marrone. Senza dire nulla, Carlo aprì ancora un poco la porta e fece un passo indietro, cadendo nell'ombra.

«Sono venuta per aiutarvi» disse Aurelia. Fece alcuni passi dentro la stanza e mentre camminava io vidi sbucare, sotto la volta azzurra della gonna, due piccoli piedi nudi e bianchi che si appoggiavano delicatamente al pavimento. Raggiunse il tappeto e si fermò: probabilmente i suoi piedi avevano freddo e adesso li scaldava. Carlo chiuse bene le tende e accese un lume, di modo che adesso le due figure stavano in piedi sul tappeto e si guardavano.

«Me ne vado, padrone, vi lascio soli» dissi.

«Resta» rispose.

Aurelia si voltò, guardò verso dove mi trovavo: «Voi non siete solo» disse.

«Lo sono, invece» rispose Carlo.

Ma lei si guardava attorno. «C'è un servo vostro nascosto da qualche parte, qui dentro» disse. Con la pianta bianca dei piedi accarezzò il tappeto, spettinandolo, mentre Carlo la convinceva che nella camera non c'era nessuno fuorché loro due.

«Non mi fate questo» disse Aurelia, «non mi tradite: giuratemi che siete solo. Io sono soltanto venuta per aiutarvi».

Carlo non giurò, ma domandò in cosa consistesse l'aiuto che lei prometteva. Aurelia frugò nella piccola sacca che aveva al collo e, sotto quel frugamento, i suoi seni ballarono come teste di colombi. Trasse un tubero, o forse una radice: la avvicinò al lume e la mostrò al principe.

«Che cos'è?» domandò lui.

«Questa sera vi ho osservato a lungo:» rispose lei, «vi duole un dente. È mandragora: il suo decotto vi farà passare ogni male». Dicendo questo, sollevò la radice mettendola in piena luce: essa aveva la forma di un corpo di donna.

«Chi vi ha condotto qui?» domandò Carlo.

Aurelia sorrise, sollevò leggermente una gamba denudandosi il piede fino alla caviglia: «Non siete difficile da trovare, principe».

«Chi sa che siete qui?»

«Il servo che il duca vi ha affidato mi ha lasciata passare quando ho detto che portavo una medicina per voi: non denunciatelo, è un bravo ragazzo».

Si mosse, ed era leggera come se non esistesse. Prese la brocca, riempì d'acqua una tazza e vi lasciò cadere alcuni pezzi di radice: «Mandate Castelvetro nelle cucine: a quest'ora, dopo la festa, i fuochi sono ancora accesi».

Carlo mandò. Mentre lui parlava con Castelvetro, Aurelia sollevò la sua candela e illuminò la stanza per quanto le fosse possibile. Mi cercava, ma io ero invisibile dentro la scatola. Il principe rientrò, e di nuovo furono uno di fronte all'altra sopra il tappeto. Sentivo il fruscio delle dita di Aurelia che non si fermavano.

«Voi rischiate molto» diceva intanto il padrone mio. «Non conosco le norme ferraresi, ma credo che la dama di compagnia di una futura sposa non dovrebbe trovarsi insieme allo sposo nella sua stanza la notte prima delle nozze».

Lei sorrise, poi disse qualcosa che forse aveva in mente di dire da tempo: «Io vi ricordo qualcuno. L'ho capito la prima volta che ci siamo incontrati, nella Stanza dorata. Mi avete vista, e qualcosa in voi è cambiato».

Carlo mi cercò con lo sguardo, ma io mi rincantucciai ancora di più dentro la scatola.

«Non mi conoscete» rispose allora, «non potete dire ciò che di me cambia e ciò che resta uguale».

Castelvetro bussò alla porta, ma non tentò di entrare per posare la tazza calda sopra il tavolo. La lasciò nelle mani di Carlo.

«Sedetevi» disse Aurelia, «e fidatevi di me: vi farà bene». Rimase in piedi dietro a Carlo mentre lui si sedeva. «Deve essere ben caldo» disse, e toccò la tazza, e toccandola sfiorò le mani del principe. «Non inghiottite la radice» disse ancora, ritirandosi ma senza imbarazzo. «Vedrete che a breve vi darà sollievo».

Egli bevve, facendo smorfie per il sapore e ogni tanto asciugandosi la barba con un fazzoletto. «Sentirete un formicolio» disse lei, «lo sentite?».

Nella penombra, Carlo fece sì con il capo, allora lei si avvicinò, il suo piedino bianco fuori dalla veste, e mise le mani sulle tempie del padrone mio: «Lasciatevi andare» sospirò. E mentre Carlo beveva e teneva chiusi gli occhi, lei gli massaggiò la testa con dolcezza, scendendo dietro le orecchie e avvicinando il corsetto alla nuca di lui.

«So molte cose di voi, principe» diceva. «Molte più di quante ne sappia donna Leonora. Rilassatevi, distendete i nervi. Siete un uomo eccezionale, e tutta Ferrara ammirerà presto la vostra musica».

Carlo lasciò la tazza sul tavolo, si voltò, le lanciò uno sguardo come a chiederle permesso, e poi affondò il volto dentro il corsetto. Lei gli pose le mani sulle scapole e lo tirò a sé, schiacciandolo contro il seno.

«Venite, principe» disse. «Abbiamo bisogno l'uno dell'altra».

Scivolarono dentro al letto con tutti i vestiti: da dov'ero potei vedere soltanto, costrette dentro lo sbuffo della gonna come teste di prigionieri, le piante dei piedi di Aurelia, che avevano camminato nude per il palazzo per non far rumore e che pure erano rimaste immacolate come lana.

La sera successiva, con una cerimonia priva di pompa e alla presenza dei soli parenti stretti di Leonora, del conte di Saponara e mia, il vescovo di Ferrara celebrò le nozze tra Carlo Gesualdo, principe di Venosa, ed Eleonora d'Este, che cominciava la sua vita matrimoniale sotto il segno della sconfitta.

«Monumentum pro Gesualdo di Venosa ad CD annum» – questo il titolo dell'opera basata sui madrigali del principe su cui vado ragionando in queste giornate d'autunno californiano. Da alcuni giorni alterno, alla lettura della cronaca, lunghe sedute al pianoforte in cui suono, per così dire nella maniera più nuda possibile, la musica sacra e i madrigali degli ultimi due libri di questo folle manierista di genio che, mi convinco sempre di più, oltre a comporre la musica più sbalorditiva del suo tempo, ha anche redatto la cronaca della sua morte. Trovato il titolo, bisogna trovare il contenuto. La forma sarà quella dei madrigali dei Libri V e VI: eliminati quelli non strumentabili, ne rimane comunque un certo numero, dal quale devo cavare i tre o quattro su cui erigere il mio monumento. Sarà un'opera breve, il «Monumentum»: pochi minuti sono sufficienti per una celebrazione, e inoltre è caratteristica dei monumenti quella di dover essere còlti, cercati, intravisti, perfino desiderati. Pochi minuti, dunque: tre madrigali. Al momento, i tre che mi incuriosiscono maggiormente, e sui quali intravedo, suonandoli, le maggiori possibilità di intervenire, sono «Asciugate i begli occhi», «Ma tu, cagion di quella», entrambi dal quinto libro, e «Beltà poi che t'assenti», dal sesto. La ricchezza della musica di Gesualdo emerge del tutto in campo armonico, più che ritmico: a volte, anzi, mi sembra ritmicamente troppo uniforme. In questo non ci assomigliamo. Proporrò il «Monumentum» di nuovo a Venezia: l'anno prossimo scoccano i quattro-

cento (presunti) anni dalla nascita di Gesualdo e, soprattutto, Roncalli si è ormai insediato a Roma.

4 settembre

Trascorremmo in Ferrara alcuni mesi irrequieti, assistemmo ai concerti delle dame, e il mio padrone mandò in stampa, presso lo stampatore Vittorio Baldini, i primi due libri di madrigali. Glieli dedicò Scipione Stella, che mentì, come sempre si fa in questi casi: firmò un'epistola dedicatoria in cui sosteneva di aver avuto l'ardire di raccogliere le composizioni del principe mio senza chiedere la sua autorizzazione. Per pubblicarle, gli rubava il nome e chiedeva perdono per la confidenza. Fu Carlo a scrivere queste righe, e Scipione le approvò. All'epoca era ancora disdicevole per un principe occuparsi di musica e darla alle stampe, e dunque mettemmo in scena questo sotterfugio. Con le prime copie sottobraccio, Carlo volle recarsi dal Luzzasco per fargliene dono. In quelle settimane si erano visti spesso, e Luzzasco aveva ascoltato, in forma privata, alcuni componimenti del principe; in sua presenza, Carlo aveva anche suonato una chitarra spagnola, dono di nozze del duca Alfonso, le cui corde erano in budella di agnello: aveva questa chitarra un suono pieno e maschio, che copriva i rumori dei carri che passavano per la strada e si sentiva, dentro al palazzo, a molte sale di distanza.

«Non avete mai posseduto uno strumento tanto potente» gli disse un giorno Scipione Stella. «È una chitarra che non potete suonare nelle ore notturne, o sveglierete tutta Ferrara».

Carlo guardò lo strumento, lo rivoltò, accarezzò le corde, poi disse: «Avete ragione, è un'ottima chitarra, ma contiene lo stesso numero di suoni che contengono tutte le altre».

«Come potrebbe contenerne di più?» intervenne il Fontanelli, che era con noi e ascoltava.

«Non potrebbe» rispose Carlo, e sulla fronte gli passò un'ombra. Appoggiò la chitarra, e rimase pensieroso. Poi si rivolse a Stella e Filomarino, che lo osservavano in silenzio: «Ditemi, amici miei, non pensate mai voi, che i suoni di cui disponiamo siano limitati, e pochi, e che per questo non sia possibile esprimere tutto ciò che vorremmo?»

Stella e Filomarino si guardarono, e io colsi nelle mani di Fontanelli l'impulso a cercare una penna per trascrivere questa bizzarria del principe mio.

«Che cosa intendete, principe?»

Con un cenno della mano, Carlo chiese al Bardotti di versargli un po' di vino nella coppa. Quindi bevve, ma lentamente, si avvicinò allo scrittoio, prese i libri di madrigali che ancora puzzavano dell'inchiostro in cui erano stampati, li sfogliò.

«Sono poche le note, e pochi sono i suoni» disse. «Nel libro di un astronomo tedesco ho letto che esiste una correlazione tra il moto dei pianeti e la vibrazione delle corde di una chitarra. Egli sostiene, per esempio, che i pianeti ruotino intorno al Sole seguendo orbite ellittiche, e che a seconda della loro posizione la loro velocità si modifichi». Si avvicinò al Bardotti, lo prese per mano, lo condusse alla fine del tappeto; poi si posizionò egli stesso nel centro del tappeto, e disse: «Ecco, per esempio, Bardotti: poniamo che io sia il Sole. Girami attorno facendo un'ellissi, ma ricorda: più mi passi vicino, più devi camminare velocemente. Ecco» disse poi rivolgendosi agli altri, mentre il Bardotti gli girava attorno cambiando di passo, «state osservando Saturno. Il tedesco dice che l'arco che compie Saturno in un'unità di tempo non è sempre uguale, e ha una misura quando è più vicino al sole e un'altra quando è più lontano. Mettendo in relazione queste due misure, si ottiene circa un rapporto di 5:4, che è il rapporto che esiste tra i suoni di una terza maggiore. Venite» disse ancora, rivolgendosi a Stella, «voi farete Marte». Lo mise sul tappeto e gli spiegò come girargli attorno, poi disse: «Voi, Scipione, adesso siete una quinta perfetta». Prese Filomarino, che lo guardava sbalordito, e infilandolo tra i moti di Marte e Saturno lo costrinse a fare Giove: «Voi siete una terza minore».

Fontanelli guardava i musici e il servo che ruotavano attorno a Carlo ed era a bocca aperta: muoveva nervosamente una gamba, e sono convinto che in cuor suo sperava di non essere chiamato a fare Venere, o Mercurio.

«Ci sono soltanto sei pianeti» diceva intanto il principe, «e dunque pochi sono i rapporti possibili tra i suoni». Rimanendo al centro del tappeto, afferrò la chitarra spagnola. «Continuate!» ordinò ai tre che, vedendolo imbracciare lo strumento, si erano fermati. Quelli ripresero, e Carlo, con un tocco deciso, fece risuonare una terza maggiore: «Questo è il suono di Saturno» disse. «Le terze maggiori sono maschili. Sapete perché? Perché sono incompiute: se uno canta la sequenza do-re-mi, che copre una terza maggiore, vi sente come un'urgenza, un bisogno di chiusura. Questa sequenza ha bisogno del fa. Il mi, dunque, è una nota incompleta, in cui si sente uno slancio e questo slancio è quello dell'eiaculazione maschile». Il Fontanelli, da dietro la bocca che aveva lasciato aperta, arrossì. Poi Carlo suonò le note che coprono una terza minore, re-mi-fa: «Ascoltate» disse, «questa sequenza misura il suono di Giove. Che sensazione vi dà?»

I tre che gli ruotavano attorno rimasero in silenzio, guardandosi l'un l'altro.

«Bardotti, rispondi tu» disse allora Carlo, e suonò di nuovo la sequenza di note.

«Padrone, io non capisco nulla di musica» rispose il servo, rallentando forse troppo il suo moto.

«È proprio per questo che lo chiedo a te: perché non sapendo non puoi aver paura di sbagliare».

«Risuonatela, per favore» chiese allora il Bardotti. Poi si mise a pensare. Disse: «Forse è un desiderio».

«Un desiderio?» domandò Stella.

«La terza nota: si desidera di tornare indietro, alla seconda, per riposare» disse il Bardotti.

Carlo si illuminò. «È così!» disse, «È un desiderio! La terza minore è un desiderio di tornare indietro. È passiva e dunque femmina».

«Eccellenza, perdonate» disse allora Fontanelli, «voi ci raccontate di distanze tra i pianeti, di sequenze maschie e sequenze femmine, ma io non riesco a seguirvi: si parlava del numero dei suoni che può contenere uno strumento».

Carlo posò la chitarra a terra, e per un attimo i tre che giravano sul tappeto rallentarono, domandandosi se si potevano fermare oppure no: «La musica non è infinita» disse il principe, «essa rispecchia gli uomini e le donne e riproduce il moto dei pianeti che ci stanno vicini» e parlando indicava Marte, Giove e Saturno, che ripresero a camminare con nuovo vigore. «Infiniti però sono i mondi. Immaginate: esistono mondi, e sistemi che non sono questo, in cui forse i rapporti tra i suoni sono differenti, e molteplici, e inimmaginabili da chi, come noi, vede solo questa parte della creazione. Probabilmente i suoni possibili sono centinaia, le note che risuonano nel cosmo sono migliaia, milioni: noi però abbiamo accesso soltanto a una piccola parte. La nostra musica, la musica che possiamo creare con i nostri strumenti e il nostro talento è minuscola, e limitata». Attraversò il piccolo sistema solare che aveva creato e si lasciò cadere su una poltroncina. Marte, Giove, e infine anche Saturno rallentarono fino a fermarsi. Rimasero però sul tappeto, come in attesa. Carlo tacque a lungo, perso in pensieri che io sapevo cupi. «La musica presto finirà: si esauriranno tutte le combinazioni possibili tra le note, tutte le mescolanze di suoni, le dissonanze, le arditezze. Ogni cosa presto ci sembrerà la copia di qualcosa che abbiamo già ascoltato, e poi copia di copia, e poi copia di copia di copia. E così all'infinito, in un vortice che è quanto c'è di più vicino alla disperazione» disse. Guardava per terra, ma poi sollevò la testa e ci osservò tutti, a uno a uno. «È per questo che chi non ha talento musicale non dovrebbe comporre: perché pur nella sua volgarità egli ruba le armonie, contribuisce a esaurire questo serbatoio di creazione che è finito, conchiuso». Filomarino corrugò la fronte, ma tenne per sé ciò che sentiva.

«In quelle composizioni» continuò Carlo indicando i volumi stampati da Baldini, «e soprattutto in quanto ho scritto dopo, c'è una complessità di suoni e di accostamenti che voi non capite: mi considerate troppo pieno, vedete che oso e vi dite: "È uno sciocco, rende difficile ogni cosa perché sa che, essendo principe, nessuno gli andrà mai contro". Ma è questo che non capite: io voglio che niente di ciò che ho fatto vada perduto, e voglio soprattutto fare mie tutte le combinazioni possibili e finora inesplorate. Voglio che in me si esaurisca tutta la musica possibile».

«La vostra musica è sbalorditiva, principe» disse Scipione Stella, «e ve lo dico in quanto musicista, prima che come amico. Ciò che non comprendo è questa vostra insoddisfazione, questo sentirvi limitato quando il vostro modo di comporre...»

«Non avete capito nulla di quanto ho detto» lo interruppe Carlo, brusco. Stella si irrigidì, ma non replicò perché non poteva. «Io parlo di suoni possibili, ragiono sui limiti celesti della nostra arte e voi mi domandate della mia insoddisfazione». Fece con la mano un gesto rapido con cui li scacciava, e disse: «Adesso andate».

Quando tutti furono usciti, Carlo chiamò Castelvetro e lo mandò a cercare donna Aurelia.

Pochi giorni dopo, come dicevo, il Luzzasco ricevette in dono i libri di madrigali e ne sfogliò le pagine davanti al principe. «Avete stampato in partitura» disse, e la cosa lo stupefaceva.

«È un privilegio che mi è concesso per via del cognome» rispose Carlo.

Luzzasco toccò con la punta delle dita tutti i pentagrammi e, salmodiando sottovoce, lesse in verticale le frasi di alcuni componimenti.

«È un ottimo metodo per stampare musica» disse, quando ebbe finito di compitare la prima pagina, «e anche per fare in modo che nessuna delle parti vada perduta».

Aprì il secondo libro, di nuovo sfogliò: «Se mi permettete, ho sentito da voi madrigali più audaci di questi» disse. «Perché non li avete inclusi in nessuno di questi due volumi?»

«Maestro» rispose il principe, «ho composto alcuni di questi madrigali quand'ero molto giovane, e altri li ho creati in epoche più recenti, ma ancora sotto l'influsso di quegli anni di studio e apprendistato. Questi due primi libri che voi vedete ora chiudono un momento della mia vita. Ciò che voi avete ascoltato da me qui in Ferrara farà parte di pubblicazioni future. Sono sicuro che voi capite che avevo bisogno di vederli stampati per considerare quel momento concluso».

«Già qui avete un modo molto temerario di trattare i testi» disse il Luzzasco, «spezzate i versi in due, li modificate a seconda della vostra voglia, create contrasti che rendono cupe certe parole che nell'originale non danno cupezza, o ne danno poca. Ma ciò che ho ascoltato da voi in questi mesi va ancora oltre: si direbbe che non rispettiate la poesia».

Carlo parve colpito da quest'ultima considerazione, ma non si adirò.

«La rispetto» disse, «anzi: è proprio perché la rispetto che la manipolo. Altri pensano che la musica sia un commento a ciò che qualche poeta ha scritto. Io penso invece che la musica sia la sposa delle parole, e che ogni parola sia una scatola dove tutto il dolore, e la gioia, e la vita sono contenuti. Con i suoni, Maestro, noi possiamo fare esplodere questa scatola, donarle più dolore, più gioia e più vita di quanta ne abbia già. Questo fa la musica: fa esplodere i suoni. Se io trovo, dentro un componimento, una parola che dice per me molto, mi ci fermo, la giro, la spezzo, la faccio cantare e ricantare, poiché essa conta per me più del verso dentro cui è nata e il suo grumo di senso è per me più significativo della frase che le si sviluppa attorno. Dovrei forse comportarmi diversamente?»

Il Luzzasco si sistemò sulla sedia, e rifletté a lungo sulle parole che aveva appena sentito: «Il madrigale è una faccenda d'amore e di morte, di pianti e sospiri, e raramente di gioie. Voi questo lo sapete bene: di tutte le lettere, amate le più crude e arrotate, di tutti i suoni, amate i più duri e maschi, e su quelli fate fermare i vostri cantanti perché esprimano meglio il dolore» indicò il frontespizio del secondo libro, che gli stava davanti, e continuò: «Voi esagerate, esagerate nei cromatismi, nelle sincopi, negli ossimori, create conflitto tra le lettere dell'alfabeto. Vi confesso, principe, che la vostra musica mi spaventa un poco. Non parlo di questa che avete stampato, che è ancora ingenua e per molti versi immatura, ma di quella che vi ho sentito suonare e di quella che vi vedo addosso. È satura, è una musica oltre la quale non si può andare. Voi volete che di voi si dica: "Dopo Gesualdo, non si può più fare madrigali, perché egli ha fatto tutto, ha composto per tutti, è sintesi e compendio di tutto ciò che il madrigale è stato"». Carlo sorrise, inorgoglito dalle parole del vecchio musico. «Ma fate attenzione» continuò quello, «capite se questo è davvero ciò che volete: questa cosa che voi volete fare, o essere, ha a che fare con la morte. Io, in astratto, preferisco essere il genitore o il progenitore di un genere, non il suo assassino o il suo necroforo».

A Sesta

Per il mese di maggio eravamo in partenza, diretti prima a Venezia e poi, via mare, verso i nostri feudi. Leonora e Fontanelli ci accompagnavano, ma soprattutto ci accompagnava Aurelia, che per tutto il viaggio rimase nell'ombra e non cercò il contatto con il principe. Venne anche Castelvetro da Modena, ai cui servizi il principe si era affezionato: era inoltre l'unico a sapere apertamente del suo intrallazzo con Aurelia, e il padrone mio preferì averlo con sé. A Venezia, Carlo volle incontrare il Gardano, principe degli stampatori, con cui negli anni successivi avrebbe pubblicato certe sue opere. Fummo ospiti del Patriarca che, pensando di farci piacere, ci impose il supplizio della musica veneziana in una serie di concerti che straziarono le orecchie di Carlo. Egli se ne tornò, una sera, così furibondo che il giorno dopo convocò il maestro che aveva diretto il coro e lo insultò per oltre un'ora. Per placarlo, alcuni nobili veneziani proposero una gita in barca fino all'isola di Murano, dove visitammo alcune botteghe di mastri vetrai e li osservammo mentre lavoravano il vetro con le pinze. In una di queste botteghe, lungo il canale degli Angeli, Carlo si innamorò di sei piccoli uccelli di vetro soffiato nel cui becco, ci dissero, era scavato un piccolo canale passando attraverso il quale l'aria si infilava nel torace e lo faceva risuonare. Carlo volle provare, e soffiando suonò i sei uccelli, entusiasmandosi perché emettevano note differenti. Mandò il Bardotti con una barca fino a Venezia perché recuperasse la chitarra spagnola, acquistò gli uccelli e li fece impiantare nella cassa armonica. Passeggiammo per Murano, che è una Venezia minore, fin quasi al tramonto in attesa che il vetraio, sorvegliato da Stella e Filomarino, eseguisse il lavoro. Quando tornò, Carlo era fuori di sé dalla gioia. Imbracciò la chitarra, che ora pesava quasi il doppio del normale, e fece vibrare le corde d'agnello improvvisando una romanza sciocca che gli uccellini cantarono insieme a lui. Rimanemmo a Venezia fino al 2 giugno, l'anno era il 1594, poi ci imbarcammo per un viaggio che, attraverso l'Istria e la Dalmazia, ci portò a Barletta: il principe intendeva arrivare via terra a Gesualdo, attraversando i suoi possedimenti del Vulture, pernottando nel castello di Venosa, toccando Caposele e Calitri. Insomma, egli mostrò alla moglie, alla sua dama e all'ambasciatore ducale tutti i suoi possedimenti meridionali.

Silvia Albana era stata avvisata del nostro arrivo con qualche giorno d'anticipo da un corriere partito da Venosa. Ella ci attendeva insieme a Emanuele, che non vedeva il padre da quasi sei mesi e che ci sembrò cresciuto, come cresciuto era lo sprezzo che gli si leggeva sulle labbra. Carlo volle che il figlio incontrasse Leonora durante una cena alla quale partecipò il Fontanelli ma non l'Adinolfo, e nemmeno Aurelia. Emanuele entrò da solo nella sala da pranzo: l'Albana lo aveva agghindato alla spagnola secondo il volere del principe, e gli aveva lisciato i capelli. Carlo si alzò per andargli incontro e lo abbracciò, mentre Leonora rimaneva seduta dall'altra parte del tavolo, in silenzio come Fontanelli. Stropicciava un tovagliolo e, vergognandosi del suo gesto, immediatamente lo lisciava. Ascoltò Carlo che faceva domande al figlio, e poi lo sentì dire:

«Ecco, Emanuele, lei è mia moglie».

Così Leonora si alzò, si fece vicino agli uomini della sua nuova famiglia e li guardò. Emanuele fece un inchino freddo e leggero, al quale lei rispose con un sorriso. Si cercò nella bocca qualcosa da dire e trovò questo:

«Sei molto più grande di quanto immaginassi. Papà mi ha parlato di te durante il nostro viaggio».

Emanuele arricciò le labbra, ostentatamente teneva lo sguardo puntato su un luogo impreciso del volto della sua nuova madre: e questo luogo non erano gli occhi, che egli non guardò mai. Era altezzoso, rigido, ma cercava di nascondere il suo spirito contrario e per farlo fissava ora il mento, ora le mani della donna. Infine trovò il coraggio di dire qualcosa che forse rimuginava da quando aveva saputo dell'arrivo di Carlo e Leonora a Gesualdo: «Devo chiamarvi mamma?» domandò con sfrontatezza, ma il suo sguardo crollò fino ad arrivare ai piedi di lei, mentre un rossore leggero, di vergogna e di rabbia, lo prendeva.

Carlo e Leonora si guardarono, sorpresi dalla domanda e forse anche offesi, ma io sentii, dal fondo del castello, il richiamo di qualcuno di cui non mi prendevo cura da tempo, così, camminando piano, sgusciai fuori dalla porta e cominciai a scendere le scale che portano nelle cantine. Da sei mesi non vedevo Ignazio, e nessuno si era occupato di lui. Lo trovai dimagrito ma in salute: si era nutrito di topi, e non voglio scrivere quali liquidi aveva bevuto per tenersi vivo. Quando aprii la porta e mi infilai nel budello, fui stordito dall'odore che il suo corpo e la sua cella emanavano, e ai quali non ero più abituato. Poiché era ancora chiaro, un po' di luce filtrava e metteva la cella in penombra. Man mano che mi avvicinavo a lui, il suo campanello impazziva di suoni, e mi sarebbe forse saltato addosso, per darmi il bentornato o per aggredirmi, chi può dirlo?, se la sua catena non lo avesse tenuto lontano dall'entrata. Vedendomi cominciò a correre in tondo, preso da una smania animale che l'odore della carne che gli portavo attizzava, e mi salutò divorando il suo pasto in pochissimo tempo. Era piccolo, smilzo: così com'è ora, anche se ha messo in altezza le poche forze che il mio nutrimento gli fornisce. Dava un'impressione di debolezza che oggi non saprei dire se è scomparsa: Egli è sicuramente una creatura debole, ma mette in quella debolezza una foga selvaggia che può essere misurata come forza. Questo ho pensato all'alba di oggi, dopo una notte rischiarata da una luna bianca, che cala ma che si mantiene tonda, e che ho trascorso senza poter chiudere occhio: mi assillano preoccupazioni sulla sorte del padrone mio, che da alcuni giorni non apre la porta; vengono dallo zembalo dei suoni lunghi e tirati, esasperanti nel loro stridore, cambi continui di tonalità che non compongono nessuna melodia: sembrano accostati soltanto per infastidire. Su questi suoni, egli batte il piede con rabbia, con risentimento, e sembra a volte, più che suonare, voler spezzare le corde dei suoi liuti. Gli sfugge quasi un'imprecazione, mentre suona: lo sento se accosto l'orecchio alla sua porta. Nel teatro vuoto risuonano queste bestemmie, che sono di frustrazione e tedio, e se nei giorni precedenti ho scritto, dopo averlo sentito intonare un responsorio, che ero felice di ascoltare di nuovo della musica uscire dallo zembalo e, confesso, ho pregustato l'inizio della composizione di quel settimo libro che, in certi momenti della nostra convivenza, egli è andato vagheggiando, oggi questo suo furore mi spaventa e vorrei sopra ogni cosa che egli rimanesse in silenzio. Ma non è solo quanto accade nello zembalo che mi tiene sveglio. Oltre alle corde tormentate dei liuti, la notte che è trascorsa ha sentito altri suoni: quelli di Ignazio che, in preda a qualche agitazione, per molte ore ha urlato nella sua cella, tanto che mi sono levato convinto di trovare i corridoi pieni di servi allarmati e impauriti. Naturalmente, i corridoi erano vuoti e tutti dormivano. Sono sceso fino alla cripta, senza scarpe e senza lume per non farmi annunciare, e ho scoperto qualcosa che presagivo da tempo, ma a cui in fondo non ho mai voluto credere. Ignazio si è liberato della catena, si dibatte dentro il budello di pietra e tira testate, e morsi, alla porta della sua cella. Il campanello gli è rimasto alla caviglia, così gli ululati che emette sono accompagnati dal suono ridicolo del batacchio. È ovvio che da solo non lo posso riportare all'ordine. Mi chiedo se abbia senso domandare l'aiuto di Staibano dopo la nostra discussione davanti alla morta, e rimando, anche perché intervenire vorrebbe dire innanzitutto aprire la porta della cella liberando questa belva imbizzarrita, che ha ormai le gambe slegate e che, immagino, impazzisce dentro un budello che è molto più basso della volta della cella in cui vive da sempre. Batte la testa sul soffitto e, credo, non capisce il perché; forse morde la volta del passaggio dove, dopo essersi liberato dalla catena, è andato a imprigionarsi.

Così sono tornato di sopra. Ripeto, era l'alba, e a me solo pareva di essere circondato di suoni, e urla, e colpi: dal piano alto, dove si consuma il mio padrone, fino a sottoterra, dove combatte il figlio che non ha avuto. Ho strappato della cera da un moccolo ormai freddo e l'ho infilata nelle orecchie, ma questo non è servito a darmi sollievo, perché questi suoni di cui parlo mi sembra di averli dentro nella testa e, dunque, con la cera la situazione è se possibile peggiorata, perché i tappi mi hanno lasciato solo con questi suoni. Ho strappato via i tappi, i suoni hanno continuato a esistere, ma almeno si sono mescolati un poco con i rumori della città di Gesualdo che cominciava a svegliarsi, e tirava carri, infornava pani e attingeva acqua dai pozzi come se questa funebre giornata di settembre fosse un momento qualunque nel ciclo della vita di un paese.

Lette queste ultime pagine subito dopo il decollo, nel momento in cui la pressione della cabina sale e mi impedisce di dormire e di lavorare. Londra ci ha accolto con il suo solito clima scontroso, ma sono in debito con questa città da almeno tre anni – da quando dovetti annullare un concerto per il piccolo trombo che mi ha colpito a Berlino. Faremo i «Movements» con l'orchestra della BBC*: la segretaria di redazione, al telefono, è stata molto gentile mentre mi prenotava i biglietti; sembrava perfino preoccupata. «Come si sente, Maestro?» continuava a chiedermi. «Sono passati tre anni» ho detto infine, con un po' di irritazione, «ma io sono andato avanti».*

Due considerazioni. La prima: in questa storia di figli che muoiono e di mariti che uccidono io credo che darei tutto, a patto naturalmente che ogni cosa qui raccontata sia accaduta davvero, per poter ascoltare anche un solo minuto di quelli che Gioachino definisce dei suoni lunghi e tirati, stridenti e fastidiosi. In più di un'occasione, amici veneziani e romani mi hanno raccontato di come secondo loro un settimo libro di madrigali fosse più di un'idea per il principe Carlo, ma nessuno ha mai trovato, finora, le prove dell'esistenza degli abbozzi di nuovi pezzi. Non c'è, nello scarno epistolario gesualdiano degli ultimi anni, nessun accenno a nuove musiche o immaginazioni che non siano quelle contenute nei Libri V e VI. Gli amici, se mai ne ebbe, come Scipione Stella e Scipione Dentice, i suoi ammiratori come Sigismondo d'India – tutte figure minori che gli sopravvissero –, non fanno mai cenno, nelle lettere, a musiche nuove, o a idee sonore balzane come quella che sembra descrivere Gioachino. Gesualdo, è vero, era sufficientemente scorbutico e selvatico da voler tenere il segreto. Eppure, dello sviluppo di materiali confluiti negli altri libri si fa cenno in certi scritti. Deduco che la questione del settimo libro non debba quasi porsi: è una leggenda al pari delle molte altre nate intorno alla notte dell'omicidio, o a certe passioni sessuali su cui Gioachino non fa che lievi accenni, o, ancora, alla morte mitica del secondo figlio di Maria. Se questa cronaca è un gioco, una presa in giro di chi la legge, chi l'ha scritta si è divertito a mettere dei suoni inascoltabili tra le dita di Gesualdo negli ultimi giorni della sua esistenza. Io e Bob, ieri sera, ci siamo intrattenuti a lungo con la lista delle pubblicazioni che Carlo Gesualdo autorizzò mentre era in vita. È una cronologia bizzarra, forse figlia del capriccio: nel 1594 pubblica a Ferrara ben due libri di madrigali (il primo e il secondo); nel 1595 pubblica il terzo, il quarto è del 1596; il quinto e il sesto sono stampati dal Carlini a Gesualdo nel 1611, vale a dire quindici anni dopo: è lo stesso anno dei «Responsoria». Nel mezzo ci sono pezzi d'occasione, e i canti sacri (1603). Ma possibile che una figura tanto bulimica abbia voluto restare in silenzio così a lungo? Sono questi silenzi a provocare le leggende. L'ipotesi di Craft è verosimile: dopo la morte, questa volta reale, del figlio che ebbe da Leonora d'Este, e dopo certi problemi famigliari e l'aggravarsi dei suoi dolori o delle sue paure, egli non ebbe che la forza per comporre le «Sacrae cantiones» e pochi, radicali madrigali che confluirono nei Libri V e VI quando raggiunsero un numero accettabile per la pubblicazione. Anche Vera sostiene l'ipotesi di Craft. Ma anch'io ho perso una figlia, e ho pure perduto la possibilità di tornare nel luogo dove sono nato e al quale appartengo: questo non mi ha fatto smettere di essere quello che sono. Mi ha modificato, ma non ha potuto annientarmi, e non mi farà rinchiudere nello studio di casa.

Velocemente la seconda considerazione: che sciocca ango-

scia, quella del principe Carlo. È naturale che la musica sia limitata, e che i suoni siano in fondo pochi. È la nostra fortuna e la nostra benedizione: se così non fosse, non ci sarebbe data la possibilità di organizzarla, perfino di immaginarla. Saremmo perduti.

(A questo proposito: devo far leggere questa cronaca a Huxley? Per lui, Gesualdo è il personaggio di un melodramma di Webster, e la sua musica – che pure egli ama e che, come lui dice, ha «usato spesso» – un insieme disorganizzato. Così lo ha descritto: egli sarebbe l'inventore di un caos composto di frammenti ordinati. Chissà come prenderebbe quella piccola astronomia di suoni che il principe ha rappresentato sopra un tappeto. E chissà quale colore le attribuirebbe).

Rimanemmo circa sei mesi a Gesualdo, durante i quali Aurelia fu vista spesso entrare nelle stanze private del principe di notte e uscirvi la mattina. A lungo, Leonora finse di non vedere, o non vide davvero: di giorno si intratteneva volentieri con la sua dama e le confidava le sue angosce, che all'inizio erano tutte causate da Emanuele.

«Egli mi rifiuta apertamente» la sentii che diceva una mattina, mentre passeggiava per il cortile con la sua dama. «Mi rifiuta come se io avessi una colpa nella sua vita. Ma io non l'ho, Aurelia». Giravano attorno al pozzo con indolenza e io le guardavo dal balcone. Carlo, nello zembalo, componeva il madrigale che sarebbe finito al centro del Libro IV: *Sparge la morte al mio signor nel viso*. Espettorava l'abissale voce di basso, ma un'infreddatura che si era preso nella notte, rotolandosi nel letto con Aurelia, gli mandava dei colpi di tosse nervosa che continuamente lo interrompevano e lo annervavano. Così era costretto a ripetere all'infinito il complesso passaggio che mette in voce il verso *geme, sospira, e più ferir non osa*, e ripetendo sbuffava, e sputava dentro un fazzoletto che Castelvetro gli porgeva. *Sparge la morte* è un madrigale spirituale, che Carlo ama ancora oggi perché è pieno di pause, interruzioni e silenzi dentro i quali, dice, «Cristo si dibatte nella sua agonia». Scrisse lui il testo, come avrebbe fatto sempre più spesso in futuro, e ne fu soddisfatto, ma faticava quella mattina a cantarlo e dunque a trascriverlo: la sua voce spezzata arrivava fino alla corte, dove Aurelia, più di Leonora, sembrava sentirla, e per questo guardava in direzione dello zembalo.

«Portate pazienza, mia signora» diceva intanto alla padrona. «Emanuele è molto giovane, verrà il momento in cui capirà che vi deve portare rispetto e amore».

Ma Emanuele non glieli portò. Perfino quando divenne uomo si tenne lontano dalla matrigna: non la capiva, non capiva come qualcuno potesse unirsi in matrimonio con l'assassino di sua madre. Quando, nel 1607, in Boemia Emanuele si sposò con Maria Polissena, fu Leonora ad assistere alle nozze: come una madre, cercò complicità nella futura nuora. Si dice che l'aiutò a scegliere i gioielli più adatti per la cerimonia, e che mise voce nella scelta delle pietanze del pranzo nuziale. E più tardi fu di nuovo lei, Leonora, a recarsi a Venosa per assistere al parto di Polissena. Carlo, da par suo, non aveva voluto prendere parte né al matrimonio né alla nascita della nipotina: egli stava male, e tra poche pagine i miei lettori capiranno perché. Leonora insomma tentò di essere per Emanuele quella madre che egli non aveva avuto: ma l'ombra che gli aveva visto negli occhi la prima volta che si erano incontrati non se ne andò mai, e Emanuele accettò la presenza di Leonora come si accetta una malattia, o il brutto tempo.

Tornammo tutti a Ferrara nell'inverno del 1594: fu un viaggio disagevole e lungo, la neve ci costrinse a sostare a Firenze più del dovuto e perdemmo i festeggiamenti del

Natale, per i quali il duca ci attendeva a corte. Ma rimanemmo a Ferrara oltre un anno, dimorando nel palazzo di Marco Pio in via degli Angeli: Carlo pubblicò i Libri III e IV, e sulla scia del Luzzasco compose arie, mottetti, intermezzi. Ma in una mattina sorprendentemente fredda, sul finire dell'inverno del 1596, Carlo mi svegliò all'alba con un impeto che non gli conoscevo: rovesciò la scatola dove dormivo, mi afferrò per le spalle e mi tirò su come un trofeo. Si può dire che mi prese in braccio, benché non ci fosse affetto nel suo gesto. Egli aveva dormito solo, e a lungo l'avevo sentito agitarsi tra le coperte e sospirare. Aveva fatto, disse, un sogno terribile che interpretava come un segno.

«Quale sogno, padrone?» domandai.

«Maria, Gioachino, Maria è venuta a trovarmi questa notte».

Impiegai qualche secondo a capire che egli si riferiva davvero a Maria e non ad Aurelia.

«È entrata piano dalla porta» raccontò, e mi teneva sospeso nel vuoto guardandomi negli occhi, «e si è seduta sul letto ma era leggera, non sentivo il peso del corpo suo sulle coperte. Mi ha toccato una gamba e ho aperto gli occhi. Aveva lo sguardo chiaro degli Avalos, ma io ho pensato che fosse il freddo della morte a rendere così azzurri gli occhi suoi. Così mi sono spaventato, mi sono messo seduto e mi sono rannicchiato verso la testiera del letto. "Carlo" mi chiamava lei intanto, e io, Gioachino, impazzisco perché questa notte, sono certo, io ho ascoltato il suono della sua voce così com'era quand'era viva, mentre ora non lo riesco a ricordare. Tu la ricordi, la sua voce, la voce di Maria?»

«No, padrone. Se voi non la ricordate non posso ricordarla nemmeno io».

Cominciò a camminare per la stanza masticandosi le labbra, e mi portava con sé come un bambino o come un sacco.

«Qual è il senso, Gioachino, di vivere una vita affollata di suoni e di musiche e canti e di non riuscire a ricordare il timbro di una voce?» chiese, ma non aspettò risposta, perché nel sogno Maria gli parlava e lui, benché non sapesse dire da quale voce gli arrivassero quelle parole, se le ricordava bene: «"Carlo, dimmi: cresce bene il nostro Emanuele? Si fa grande e forte?" questo mi ha domandato Maria mentre mi sedeva accanto. "Da molto tempo non lo vedo, non so di che colore sono diventati i suoi capelli. Parlami, Carlo, raccontami del nostro bambino". Era buio, Gioachino, ma la luce che le usciva dagli occhi ci illuminava e mandava caldo, e io a poco a poco, nel letto, mi sono calmato, e ho pensato di poterle parlare: "Maria" le ho detto, "Maria, che cosa ci siamo fatti? Quale orrore siamo stati l'uno verso l'altra?" Lei si è portata una mano alla bocca e ha risposto piano: "Non pensare a ciò che è stato e non è più. Dimmi di Emanuele". "È grande, è un bambino forte e oscuro" le ho detto, "ha i colori dei Gesualdo, ma ha il tuo volto: lo vedo nel taglio dei suoi occhi e nel broncio che mette ogni volta che è contrariato". "E dimmi, Carlo, mi ricorda, ricorda la sua mamma?" Io Gioachino nel sogno non lo sapevo, e non sapevo rispondere, e anche adesso che sono sveglio e che ti parlo mi rendo conto che non lo so» continuò, e mi aveva portato vicino alla finestra. Provai ad appoggiare i piedi al davanzale, ma non ci arrivavo, così cominciai a sgambettare nel vuoto. Disse: «"Rispondi, Carlo, mi ricorda?" mi ha domandato di nuovo Maria. "Sì Maria, ti ricorda" ho risposto, e pensavo di mentire, ma poi ho capito che, anche se Emanuele era troppo piccolo quando è morta, egli sa che esiste un vuoto nella sua vita e che quel vuoto è Maria». Mi mise giù, anzi: mi lasciò cadere sul pavimento. E io, da lì dov'ero, lo ascoltai chiudere il sogno: «"E domanda della sua mamma?" mi ha chiesto ancora. "Egli ti sa" ho detto allora, ma dopo un po', "ti ricorda come si ricorda il caldo quando si ha freddo"».

Pochi giorni dopo questo racconto, in compagnia di Castelvetro, del Bardotti, dell'Adinolfo, di Staibano, di Emanuele e di Silvia Albana, ci mettevamo sulla via del ritorno per Gesualdo – da cui, salvo alcune visite veloci a Napoli, io e il mio padrone non ci saremmo più separati. Leonora rimase a Ferrara per alcuni mesi: aveva nausee e giramenti di capo e le germogliava nel ventre il frutto dei pochi incontri che il mio padrone le aveva concesso.

Nel corso dei mesi successivi, Leonora si sottopose alcune volte al lungo e faticoso viaggio che da Ferrara conduce a Gesualdo. Faceva avanti e indietro, portando con sé una pancia che cresceva come una campana e una stanchezza che le si leggeva nelle guance sempre più pallide e cascanti. Voleva, diceva, che il figlio che le si muoveva in grembo nascesse a Ferrara, e parecchie discussioni provocò questa sua volontà.

«Non ti capisco» diceva Carlo. «Tu sei ormai una Gesualdo, le tue terre e la tua casa sono qui, accanto a me, il figlio che nascerà porterà il mio cognome e, se sarà maschio, molti onori gli saranno riservati. Ferrara, oltretutto, è ormai da considerarsi perduta. Perché, dunque, ti ostini a voler viaggiare, e a farlo nascere lontano da qui?»

Leonora non rispondeva, svicolava, e la tristezza con cui ascoltava era dovuta più alle frasi secche su Ferrara che il principe le rivolgeva che all'idea di rimanere a Gesualdo. Litigavano su questo: senza mai formulare un'accusa precisa, Leonora rinfacciava a Carlo di non aver fatto abbastanza per il ducato. Ma Carlo, per quanto il viaggio di ritorno da Ferrara fosse stato precipitoso, si era fermato a Roma, e tramite lo zio Alfonso aveva avuto udienza presso alcuni cardinali, dai quali aveva appreso che il suo matrimonio non sarebbe servito, agli occhi del papa, per revocare il processo di devoluzione, e che la proposta avanzata da Alfonso II di nominare Cesare come suo erede non era neanche stata presa in considerazione.

Io so però che Leonora desiderava partorire a Ferrara perché considerava quella la famiglia sua e perché, forse, non si fidava dell'arte medica di Staibano. Non ho mai capito se in questa sua opinione ci fosse lo zampino di Aurelia, che forse le aveva raccontato – naturalmente tacendo molti particolari del loro primo incontro – di come le cure del nostro medico non avevano guarito Carlo dal mal di denti, mentre la sua mandragora sì. Nei periodi in cui Leonora si trovava a Ferrara, Carlo scriveva al duca molte lettere in cui reclamava la moglie, e scrivendole impazziva di rabbia, perché gli sembrava un sopruso che lei lo abbandonasse e preferisse le cure di zii e fratelli a quelle sue. Rimasto solo, Carlo componeva ma svogliatamente, faceva lunghe battute di caccia con gli amici in cui però stava per lo più silenzioso, e accoglieva nel letto qualche damuccia e perfino qualche popolana. Da una di queste nacque Antonio, che Carlo non volle mai vedere, ma al quale nel testamento ha intenzione di lasciare dei denari.

Nel settembre del 1597, Carlo inviò a Ferrara il conte di Saponara e Fabrizio Severino perché scortassero fino al feudo Leonora e il piccolo Alfonsino, che era nato da poche settimane e che, come Leonora stessa aveva scritto in una lettera, «è piccolo e gracile, ma credo che presto potrà viaggiare e andare a conoscere suo padre». Scesero con loro Aurelia, un'anziana dama di compagnia di nome Anna e don Michele Neri, cappellano di casa d'Este e medico dilettante, che aveva assistito Leonora con la preghiera durante la gravidanza e, sotto la guida di alcuni chimisti ferraresi, le somministrava unguenti di cui lei si fidava. Fino al 1609 don Michele Neri avrebbe fatto avanti e indietro tra Gesualdo e le terre ducali: il duca, e successivamente Cesare, gli avevano dato mandato di stare vicino a Leonora, sola in quella terra lontana, e di informarli del suo stato di salute e del suo umore. Egli arrivava a Gesualdo, vi si installava, e viveva sulle spalle di Carlo che, per quanto ne so, non gli rivolse mai più di un saluto.

Ma questi unguenti che somministrava a Leonora, il prete non li voleva chiedere a Staibano. In una mattina di pioggia fitta, Aurelia, avvolta in un mantello marrone e con delle calosce di pelle di capra ai piedi, uscì dal castello e discese verso la città di Gesualdo portando agganciata alla cintura una scarsella marrone. Quando fu lontana di un poco, si voltò a guardare il castello, e io mi coprii il volto con una tenda perché non mi vedesse. Dove fosse diretta, e perché, non lo sapevo, ma oggi lo so: andava a casa di Polisandra Pezzella, la janara del paese, perché don Michele le aveva commissionato certe erbe e medicamenti. Ritornò alcune ore dopo con la scarsella piena e i capelli afflitti dal peso del mantello fradicio di pioggia. Castelvetro le aprì il portone, ed ella corse negli appartamenti di Leonora. Molte volte la vidi scendere la collina del castello, prendere la via della casa di Polisandra e tornarsene con le borse piene, e in occasione di alcuni loro incontri, Carlo le disse che era stata vista vagare per il paese e le domandò perché lo facesse.

«Principe mio» rispose Aurelia, «io assisto ai bisogni di vostra moglie, e quando mi si chiede un favore non lo posso negare».

«E quali favori ti chiede, mia moglie, che non può chiedere a me o a qualcuno dei nostri servi?»

Un sorriso languido la rese bella: era del resto nuda nel letto del mio padrone, e lo abbracciava, e gli accarezzava i capelli. «Non vi preoccupate: non è niente che va contro di voi» disse. «Una gravidanza lunga e disagevole come quella che ha avuto donna Leonora prostra il corpo di una donna. Io la aiuto a riprendersi, come aiutai voi la prima volta che ci parlammo». Poi prese tra le mani la testa di Carlo e l'affondò nei seni, lasciando che lui li respirasse.

In uno di quei giorni, mentre dagli appartamenti di Leonora veniva il pianto debole di Alfonsino, io me ne risalivo dalla cripta verso le cucine portando il secchio, ormai vuoto, dove Ignazio aveva consumato il suo pasto animale. Sentii provenire, dalla cima delle scale, qualcosa che non posso definire un fruscio, e nemmeno un rumore: era piuttosto un cic-ciac, il suono che fanno i piedi nudi quando battono su una superficie umida. Sollevai la fiaccola, ma la luce che mandava era poca e non vidi nulla. Percepii però un movimento, un alitare di vesti, e accelerai un po' il passo. Arrivai nelle cucine e le trovai vuote: i cuochi, a quell'ora, non avevano ancora cominciato a scaldare i fuochi. Pensai a un'immaginazione, un'allucinazione sonora. Ma poche ore più tardi, senza farsi annunciare, Leonora entrò nello zembalo e interruppe Carlo che lavorava. Si sedette su una poltroncina e attese che il principe finisse di prendere un appunto. Poi disse:

«Le scale che portano alle cantine sono umide: don Michele sostiene che l'acqua del pozzo penetri attraverso i muri e li bagni, e che per questo le cantine non siano un posto salubre».

Carlo la guardò da dietro i suoi manoscritti. «Siete andati nelle cantine?» domandò, ma la voce gli uscì poco ferma.

«No, non ci siamo andati. Sono scesa io sola, ma soltanto per un tratto, perché poi ho avuto paura».

«Ci sono delle prigioni, laggiù, e sono vuote, e poi il pozzo, e stanze dove non è bene entrare. Perché ci sei andata?»

«Fanno parte del castello, che è anche mio».

Carlo lasciò cadere la penna sopra i fogli – una piccola macchia nera mise una semicroma fuori dal pentagramma.

Si alzò, si diresse verso la moglie con un passo marziale che sembrava il preludio a una violenza, ma si fermò.

«Non devi scendere nelle cantine mai più!» disse, e la voce gli era tornata ferma.

Io adesso ero vicino al suo manoscritto: mi bagnai di saliva la punta dell'indice e cominciai a cancellare la semicroma.

«Se laggiù non c'è nulla» rispose Leonora, che si era fatta fredda, «perché spesso ti vedo scendere portando un secchio?»

Fermai il dito, lo staccai dalla pagina e lo pulii sulla camicia. La semicroma era rimasta dov'era: aveva soltanto un baffo più lungo e sfumato.

«Chi ti dice che io vada nelle cantine?»

Leonora era ferma sulla sedia, dritta come un archetto. Si teneva le mani bianche sulle ginocchia e adesso guardava il tappeto.

«Tutti sanno che ci vai, e con regolarità» disse. «Quest'oggi ti ho visto passare dalle cucine e ho pensato di verificare. Sei sceso, sei rimasto di sotto per mezz'ora, poi sei risalito. Io ti ho atteso in cima alle scale, nascosta alla vista della servitù. Che cosa c'è, Carlo, in quelle cantine?»

«Non c'è nulla, in cantina!» urlò Carlo, e nel suo urlo aveva messo una ferocia.

«Tu ci vai» insisté lei. «È forse il luogo dove ti incontri con qualcuno?»

«Non mi incontro con nessuno. Del resto, non avrei bisogno di simili sotterfugi» disse, con cattiveria.

«Porti un secchio, i cuochi dicono che ci metti delle frattaglie. Quando risali, il secchio è vuoto. Ma io mi rifiuto di pensare che tu vada là sotto a sbranare carne cruda».

«Come ti permetti!» urlò Carlo e, presala per una spalla, la strattonò. Ella rischiò di cadere dalla sedia, ma puntò i piedi sul tappeto e non cadde. Si spinse in alto, però, e adesso era in piedi e camminava a ritroso verso la porta. Guardava il marito con gli stessi occhi che avevo visto nel cavallo che, alcuni anni prima, si era rotto la zampa al Gesù Nuovo ed era stato macellato.

«Ti ho sentito parlare, là sotto» disse ancora, ma adesso la sua voce era sottile, tremava, «parlavi e nessuno ti rispondeva; poi snasavi, sbuffavi come se tirassi un peso, e infine hai cominciato a risalire ed eri lento, affaticato».

Leonora era ormai contro la porta, e aveva una mano sulla maniglia.

«Vattene!» urlò Carlo, e credo che quell'urlo arrivò fino al limite della città di Gesualdo. Leonora girò la maniglia e sparì mentre di lontano, forse spaventato dall'enorme voce del padre, Alfonsino tirò un grido che pareva un singhiozzo, e cominciò a piangere come mai aveva fatto prima.

Rimanemmo soli nello zembalo, io mi rincagnavo dietro il tavolo da lavoro del mio padrone illudendomi che mi proteggesse.

«Tu!» disse Carlo correndo verso di me e agguantandomi. «Che cosa nascondi, schifosa bestia, nelle cantine?»

Mi teneva per un orecchio, e nel tentativo di liberarmi della sua morsa rovesciai il tavolo. Volarono in terra le sue carte, i manoscritti, e soprattutto il calamaio. L'inchiostro si rovesciò e macchiò il tappeto.

«Vieni qui!» urlò Carlo, che alla vista della macchia perse la ragione e mi balzò addosso con tutto il peso del corpo, mi gettò a terra e mi fu sopra. Mi picchiò a lungo, inveendo e dicendo cose che non capii perché mirava alla testa e la testa mi rimbombava e muggiva. Sotto di me, in una versione ancora imberbe, stava il manoscritto di *Dolcissima mia vita*, che uscì dalla lotta gualcito e pesto come il corpo mio.

La mattina successiva Carlo mi volle nello zembalo.

Gonfio nel viso e spaventato mi presentai a lui, ma lui si mostrò dolce. Appena sveglio, aveva visto Alfonsino, che a differenza di Emanuele non lo teneva lontano, e una tenerezza gli bagnava gli occhi.

«Avvicinati, Gioachino» disse. «Guarda qui».

Teneva in mano la pagina del madrigale su cui si era consumata la nostra lotta della sera prima: l'aveva lisciata con il palmo della mano, e ora osservava il pentagramma macchiato di inchiostro e rovinato. Mi inginocchiai, gli chiesi perdono per aver sciupato il suo lavoro. Ma come ho detto in lui c'era della dolcezza, e mi volle in piedi.

«Guarda» ripeté, spiegandomi il foglio sotto il naso, «guarda queste ultime righe». Erano quelle che l'inchiostro aveva maggiormente imbrattato: certi scarabocchi neri coprivano alcune note, e un lungo baffo faceva da ponte tra quelle che non erano inzaccherate.

«Io padrone non so leggere queste note» dissi, «vedo però che il vostro lavoro è irrimediabilmente rovinato».

«Invece sono stato fortunato» disse, «perché queste macchie mi hanno suggerito una soluzione. Leggi le parole degli ultimi due versi».

Lessi:

mio desire o d'amarti, o d'amarti
o morire, o morire, o morire, o morire

«Io le immaginavo così» disse, e le cantò. «Ma guarda che cosa è avvenuto, Gioachino» indicò il baffo d'inchiostro, e una macchia che aveva rovinato una piccola sequenza di note, «questa cosa che sembra aver rovinato tutto ciò che avevo scritto, l'ha invece reso migliore. Ascolta». E cantò i due versi, lasciando che la melodia, cadendo sulle parole dedicate alla morte, implodesse, si ammosciasse. Era un canto bizzarro, funebre, profondamente diverso dalla versione che lui aveva immaginato e scritto prima del nostro scontro.

«Sembra, padrone» dissi, quando ebbe finito di cantare, «che su "morire" una vita si stia effettivamente spegnendo, e che lo faccia in modo doloroso».

«Bravo, Gioachino. È così che deve essere. Prima di ieri non lo sapevo, ma questa macchia me lo ha insegnato, e adesso lo so».

La luce della lampada da comodino del Savoy è molto intensa, bianca, e mi ha disturbato il sonno. Così, faticando a dormire, stanotte ho preso la mia decisione: «Asciugate i begli occhi», «Ma tu, cagion di quella» e «Beltà poi che t'assenti». Eccoli i madrigali. È una scelta quasi scontata, fatta per sottrazione: ma ora vorrei essere a Hollywood per avere il mio studio e i miei pennini a disposizione.

5 settembre, a un'ora dubbia

Per alcuni giorni, in seguito alla lite nella stanza dello zembalo, Leonora non si fece vedere. Ai servi, inviatile da Carlo per domandarle i motivi per cui non si mostrava nemmeno in occasione dei pasti, faceva rispondere che era indisposta. Scoprimmo da Aurelia che girava per le sue stanze con il braccio destro fasciato: due volte al giorno, don Michele le spalmava un balsamo medicamentoso, e Leonora faticava perfino a prendere in braccio il piccolo Alfonsino, che la reclamava ed era inquieto. Scrisse a Ferrara delle lettere in cui si lamentava per un'indisposizione, e fu con il fratello Alessandro, il sacerdote, che ella si aprì confessando di essere stata malmenata dal marito. Approfittando di questa indisposizione, e del suo ruolo fondamentale per recuperare gli unguenti, Aurelia cominciò a vivere più apertamente il suo concubinato. Si presentava da Carlo a ogni ora del giorno: se Carlo stava suonando, o era impegnato con l'Adinolfo in certe attività di amministrazione del feudo, aspettava pazientemente dietro la porta fino a che non le sembrava che il principe si dovesse prendere una pausa. Così bussava, incurante del fatto che i servi la notassero, entrava nella stanza e gli si offriva. In certe occasioni entrò nella camera del principe durante la notte. Una volta, io e Carlo dormivamo, e fui io il primo a essere svegliato, perché all'improvviso mi mancò l'aria. Mi destai sentendomi come soffocare, e per un lungo momento pensai di essere stato chiuso in un sacco, poiché non vedevo nulla e una stoffa, a dire il vero molto più delicata dalla juta, mi schermava gli occhi. Me la tolsi di dosso e la gettai a terra, e questo gesto fatto d'impulso non mi permise di sentire la fragranza di femmina che la imbeveva: era la veste da notte di donna Aurelia. Se l'era tolta mentre si avvicinava al letto di Carlo, e ora stava là, in piedi sul tappeto e completamente nuda, se si eccettua la cuffia da notte, a osservare il sonno del principe. Seduto nella mia scatola, vedevo la figura di ninfa di Aurelia da dietro, e per un istante più lungo del consentito le guardai la forma dei polpacci, quella delle natiche, e la curva serpentesca dei lombi. Il principe si svegliò di soprassalto: aveva probabilmente percepito, nel sonno, il respiro di Aurelia. Si tirò seduto e «Tu!» disse. Egli vedeva l'altro lato di ciò che vedevo io, e quella visione lo confuse e lo fece sragionare per un istante, perché impiegò molto tempo a trovare il fuoco e ad accendere la candela che teneva accanto a sé. Aurelia già poggiava le ginocchia ai piedi del letto e mi mostrava gli archi plantari. Divaricò leggermente le gambe e non so dire quale gesto fece rivolgendosi al principe e offrendogli il proprio corpo, ma so che disse:

«Perdonate, principe, ma vi ho sognato, e il sogno non era casto. Mi sono svegliata sudata e molle, e ho voglia di voi».

Presto anche Carlo smise di far caso all'etichetta: in certi momenti in cui gli prendevano delle voglie, mandava a chiamare Aurelia che, qualunque cosa stesse facendo insieme a Leonora, l'abbandonava per correre da lui. I rapporti tra marito e moglie si fecero sempre più distanti: Leonora si mostrava accanto a Carlo soltanto in certe occasioni in cui venivano a corte nobili e musici, ma anche durante quelle serate, che in altri tempi avrei definito di festa, lei e Carlo si tenevano a distanza, non si sfioravano e raramente si rivolgevano la parola. Leonora trascorreva le sue giornate con Alfonsino e i ferraresi, e si lamentava per lettera. Vedendo la situazione, l'Adinolfo e Staibano chiesero un giorno di essere ricevuti dal principe. Carlo stava allora rileggendo certe carte dei capitoli matrimoniali, in cui Cesare d'Este si impegnava a versare una dote di 50.000 scudi nelle casse del nostro feudo. Un anno dopo il matrimonio, Cesare, in una lettera in cui lamentava la disperata situazione del ducato, aveva chiesto una proroga di cinque anni. Il principe e il cognato si erano accordati, grazie alla mediazione di Alfonso II, per un pagamento rateale: ma Cesare era in ritardo perfino con il versamento delle prime rate. L'Adinolfo e Staibano lo trovarono dunque contrariato. Li ricevette brandendo le carte.

«Come possono, questi ferraresi, pretendere di mantenere un ducato se non sanno nemmeno rispettare dei semplici accordi di matrimonio?»

L'Adinolfo e Staibano si scambiarono un'occhiata che diceva che si erano pentiti di aver chiesto udienza.

«Eccellenza» disse l'Adinolfo, «sono certo che pagheranno. Cesare non è uomo da non onorare gli impegni. Inoltre, qui si tratta di sua sorella».

Carlo lasciò cadere le carte sul tavolo e fece un gesto di

sprezzo: «Oh, sua sorella» disse. «Avranno presto ben altro a cui pensare che alle parentele».

L'Adinolfo e Staibano avanzarono di un passo, e Carlo dovette notare una determinazione nei loro modi, perché domandò loro che cosa volessero da lui: «Ma fate in fretta» disse, «oggi mi sono messo a guardare questi documenti, e voglio scrivere a Ferrara».

«Principe» disse allora l'Adinolfo, «veniamo per una questione delicata, ma non vi faremo perdere troppo tempo». Ammiccò a una sedia, Carlo comprese e li invitò a sedersi.

«Non capisco di quale delicata situazione mi possano venire a parlare congiuntamente il mio amministratore e il mio medico» disse.

«È per via di donna Aurelia, Eccellenza» disse l'Adinolfo.

«Di donna Aurelia?» lo interruppe Carlo. «Non credo ci sia nulla da dire su di lei».

I due tacquero, lasciando un vuoto di suoni che Carlo, ricominciando a guardare le carte, non si curò di riempire.

Fu Staibano a riprendere il discorso: «È stata vista più volte uscire dal castello e inoltrarsi in paese» disse.

«Questo lo so» rispose Carlo, senza sollevare lo sguardo da una lettera di Cesare. «Gliene ho domandato i motivi, e mi ha risposto che recupera certi medicinali che don Michele le richiede».

«E questo vi basta?» chiese Staibano.

«È evidente che si tratta di medicinali, Staibano, che voi non possedete o che per qualche motivo non volete consegnare al prete. Dunque non vedo nulla di male nel fatto che Aurelia li vada a procurare altrove».

L'Adinolfo e il medico si guardarono di nuovo: «Ma non vi pare strano, principe, che venga mandata in paese una dama di compagnia anziché una serva?»

«Donna Aurelia è una persona fidata» disse Carlo. «Già a Ferrara, quando la conobbi, si dilettava con certi decotti con cui, per esempio, mi curò il mal di denti». Trafisse Staibano con uno sguardo che lo fece arrossire. Ma il medico aveva in serbo una sorpresa.

«Donna Aurelia, principe, quando esce di casa non va dal barbiere o da un chimista: va dritta alla casa di Polisandra Pezzella».

Carlo allargò le dita e lasciò che la lettera cadesse sul tavolo. «Come dite?»

«Castelvetro ve lo confermerà. L'abbiamo fatta seguire, ma del resto lei non tiene nascosta ai ferraresi questa sua frequentazione».

Il principe si alzò d'impeto, venne a cercarmi in fondo alla stanza, ma non mi parlò. Volle soltanto verificare che io fossi presente.

«Lo sapevi?» mi avrebbe chiesto poi, quando fummo rimasti da soli nello zembalo.

«Lo sospettavo» risposi.

«E da cosa ti veniva il sospetto?»

«Proprio da quello che ha detto Staibano: per prendere erbe e medicamenti è sufficiente mandare una serva».

«Tu pensi, Gioachino, che io mi sia portato nel letto una strega?»

«Non lo penso, padrone. Penso però che troppe persone, in questa casa, sanno combinare erbe e preparare pozioni: forse dovreste rispedire quanto prima a Ferrara don Michele, e convincere donna Leonora delle capacità di Staibano».

Così fu deciso. Don Michele tornò a Ferrara, da dove senza sosta inviava a Gesualdo prescrizioni e consigli e preghiere per Leonora, la quale fu costretta ad accettare che Staibano vegliasse sul suo corpo. Lo cercava, gli presentava le lettere del prete ferrarese e gli chiedeva di preparare le medicine così come stava scritto. Ma ella non era malata: era sola. Spesso sorbiva le sue minestre negli appartamenti, e Carlo aveva smesso di attenderla a tavola. Il colpo che aveva preso alla spalla da suo marito si era riassorbito da tempo, ma ciò che non si era assorbito era una certa paura che quella violenza minima le aveva messo in corpo. Guardava Carlo da una distanza che la diceva spaventata, scattava se ne sentiva la voce, e io so che, quando a corte si facevano le prove per le cantate scritte dal principe, ella si faceva tappare le orecchie da donna Anna, la quale aveva preparato dei tappi di cera e, mentre i suoni e le voci vagavano per il castello, le stava seduta di fronte e le teneva la mano finché le prove non erano finite. Solo allora la lasciava, le faceva segno che poteva stapparsi le orecchie e posava i tappi in una scatolina che ne conteneva molti, per far fronte alle emergenze.

«Sei sicura che quella voce non si senta più?» domandava Leonora prima di liberare i timpani. Donna Anna non parlava, annuiva soltanto con il capo, e Leonora si fidava e si liberava. Sono certo che Anna, donna sufficientemente colta, e che a Ferrara aveva fatto in tempo a sentire la voce di Lucrezia Bendidio, apprezzasse i madrigali e le canzoni d'occasione di Carlo Gesualdo, e che la voce di lui non le facesse paura. Così, forse, quelle ore in cui era costretta a stare seduta di fronte a Leonora non le pesavano troppo, e la lasciavano libera di ascoltare. Alfonsino, avvolto nei suoi grembiuli di velluto, strisciava loro attorno e, a volte, faceva capire di voler stare in braccio alla madre. Staibano, che lo visitava tutti i giorni, sosteneva con il principe che il piccolo fosse debole di costituzione: glielo dicevano le guance rosse d'un rosso però smorto e una tosse che ogni tanto lo prendeva senza che fosse stato esposto al freddo o al vento; questa tosse, quando arrivava, gli durava per giorni e lo prostrava. Staibano lo auscultava e sentiva un rantolo, che provava a cacciare con dei suffumigi e con certe pappe che il bimbo a volte rimetteva sulla coperta.

Sul finire di settembre dell'anno 1600, mentre a Roma il cardinale Alfonso teneva aperta la Porta Santa e a Modena Cesare, dopo la morte di Alfonso II e la devoluzione, governava un regno minore, dalla culla dove riposava Alfonsino emise un rantolo animale ed espettorò un muco giallastro e denso come bava di cavallo. Donna Anna, Aurelia, Leonora e la nutrice accorsero verso di lui e fu Aurelia a salvarlo, perché capì che il piccolo soffocava e lo sollevò prontamente mettendolo a testa in giù, in modo che le vie respiratorie si liberassero. Facendo dei versi spaventosi, egli le vomitò sugli scarpini la bava gialla che gli rimaneva in corpo, quindi, una volta liberato, poté finalmente piangere. Lo rimisero dritto, lo fecero sedere e corsero da Staibano. Il bambino aveva una febbre micidiale, scaldava al solo stargli vicino; ma lui tremava di freddo, e la paura che s'era preso durante l'espettorazione lo paralizzava. Venne anche Carlo, chiamato da Aurelia. Sulla soglia, comparve perfino Emanuele, che guardava il fratellastro mentre faceva fatica a respirare e taceva. Alfonsino fu adagiato sopra molti cuscini e coperto da molte coperte, e Staibano ordinò che si aprissero le finestre per cambiare l'aria. Cominciarono giorni di veglia e di cura.

Mi sbalordisce – e vista la mia età questo non dovrebbe succedere – pensare che io e Gesualdo abbiamo trascorso le nostre vite, così lontane nel tempo e tanto differenti nel loro sviluppo, immersi nei suoni, oserei dire nello stesso tipo di suono. Poco fa l'acqua della piscina si increspava perché si era alzato un vento leggero: sono rimasto a lungo a guardare quest'immagine sciocca e ovvia, prendendomi una pausa dopo la riscrittura delle prime nove battute di «Asciugate i begli occhi». Sento che qualcosa, a partire dalla decima battuta, deve accadere: una deviazione, forse, ma non ho ancora chiaro quale andamento dare a quella musica, alla mia musica. Gesualdo procede per frasi di tre più tre, ma ha poco senso, per me, mantenere questo schema per tutta la durata del madrigale: cerco una variazione e non ne trovo, al momento, nessuna che mi soddisfi. Rimusicare un brano non è farne un calco: è mettervi il proprio mestiere, trovare nella musica esistente dei pertugi, dei vuoti dove infilare la propria mano per rendere vicino a sé l'artefatto di qualcuno che, come nel mio caso, da oltre tre secoli non abita più il pianeta. In che cosa mi sento tanto affine a Gesualdo? È difficile dare una risposta: egli fu preso come un innovatore, un iconoclasta in musica, ma non lo è mai stato. È un originale senza dubbio, qualcuno che portò il genere del madrigale alla saturazione. Ma proprio per questo non è un innovatore, non porta il nuovo: egli si appoggia alla tradizione e ne slabbra di un poco i confini, portando allo spasimo certi cromatismi, inserendo fratture improvvise, sperimentando armonicamente. Organizza i Libri V e VI sulla pratica del durchkomponiert, ma niente di ciò che fa deve essere suonato nuovo alle orecchie di chi, tra i suoi contemporanei, era un ascoltatore esperto. Procede però per accumulo, mettendo a volte troppe soluzioni in una sola battuta: questo è stupefacente, e già barocco. Fa il nuovo, per così dire, affastellando tutti gli elementi della tradizione. In questo ci somigliamo: nel cercare qualcosa di mai udito attingendo a piene mani da ciò che è già stato udito.

A Londra sono stato avvicinato da un uomo, che mi ha detto di aver da poco acquistato su disco il mio «Threni» (non l'ha mai sentito dal vivo): «Lei si è messo a fare musica dodecafonica, Maestro» ha detto e, benché sorridesse, c'era, nella sua voce ma soprattutto nell'indice che mi puntava contro, quasi un tono di rimprovero. «L'ha rifuggita per decenni, e ora che anche Schönberg è finalmente morto, se ne impossessa». Che uomini stupidi girano a volte per gli ambienti musicali più raffinati. Se Schönberg fosse ancora vivo, la dodecafonia non sarebbe un modello con cui confrontarmi, al quale carpire dei segreti componendo. Credo di essere stato piuttosto scortese con l'uomo di Londra, ma era tempo di andare al banchetto e Vera, inoltre, era in una di quelle particolari disposizioni d'animo per cui è meglio ritirarsi presto in albergo.

È così difficile far capire che non esiste una creazione totalmente nuova, vale a dire che non appoggi su qualcosa che è già stato fatto prima di noi. Anche Picasso, a Parigi ormai quasi quattro decenni fa, ne soffriva. Diceva: «La maggior parte dei nostri colleghi» (e con quel "nostri" metteva insieme pittori, compositori, scrittori) «e dei critici sembra non essere in grado di capire che il motivo fondamentale dell'arte non è la creazione, ma il dialogo, o il conflitto, con chi è venuto prima di noi. Guardano i miei quadri e colgono citazioni, rimandi, ma è come se non li vedessero: davanti a una mia natura morta pensano che abbia voluto stravolgere il canone – quando invece la mia opera non è che l'evoluzione più ovvia di questo canone. Pensano che i miei quadri siano stati dipinti da Dio. No signori, non li ha dipinti Dio: li ho dipinti io».

Nella mia famiglia ci sono Rimskij-Korsakov, che è il padre dal quale, come è giusto che sia, ho finito per allontanarmi, Debussy, Strauss, Picasso, Dukas, Ibsen, Dostoevskij, Gor'kij prima che decidesse che vivere in Russia, qualunque Russia, fosse per lui più importante che scrivere grandi libri, Ravel, e poi Pergolesi, Monteverdi e molti altri. Da qualche tempo, in questa famiglia, c'è anche Gesualdo. È buffo scoprire di avere un padre alla soglia degli ottant'anni, ma in certi momenti mi sento più vicino a lui che a molti musicisti del mio tempo. (Forse questa cronaca ha su di me un'influenza esagerata: non sono mai stato granché interessato alle vicende biografiche altrui, né tantomeno ai motivi personali che hanno spinto altri musicisti a immaginare certi tipi di musica. Eppure leggo questa vicenda, questo romanzo, ponendomi di continuo domande sulla sua veridicità, confrontandomi con le idee che vi sono espresse, provando fastidio per la figura di Ignazio e, come sospetto che accadrà, per quella di Aurelia). Ieri sera, prima di coricarmi, ho riletto le pagine in cui lo zio Giulio convince Carlo a commettere l'omicidio. Vi sono in scena un vecchio truffaldino e gaudente (ma sono ingiusto: non conosco l'età di Giulio all'epoca dei fatti), e un giovane uomo costretto a essere principe mentre invece non vorrebbe che comporre musica e, forse, andare a caccia. Tirano contro il muro zoccoli di cavallo stufati – pratica popolaresca e non consona al loro lignaggio – e discutono tra ritrosie, odii sopiti, malumori, della morte della donna che il giovane uomo ama. Ebbene: egli, un principe, capisce di essere obbligato all'assassinio e vi si ingegna suo malgrado. Può un assassino, per quanto lo sia diventato controvoglia, essere un padre? Può essere qualcuno la cui biografia mi spinge non solo a commentare, a chiosare i fatti della sua vita, ma a cancellare continuamente soluzioni che sembrano inadatte per la decima battuta di un madrigale? Tra i miei padri ci sono epilettici, traditori della Russia, figure che hanno spinto le loro compagne a tentare il suicidio: ma nessuno, tranne Carlo Gesualdo, ha affondato il coltello nel petto della donna che amava. Nessuno ha dato mai la morte. Mi sovviene di quell'ampio gesto che fece l'uomo-uccello mentre, a Napoli, ci convinceva ad acquistare la cronaca: parlava di orrore e di bellezza, che convivono e si danno nutrimento l'un l'altra, e nel parlarne spalancava le sue lunghe braccia di spaventapasseri come fanno certi direttori pieni di retorica quando dirigono Wagner. Forse ha ragione chi sostiene che, se non avesse commesso l'omicidio di Maria, Carlo non avrebbe composto la musica che ci ha lasciato. Avrebbe composto, poiché egli lo sapeva fare, ma non sarebbe stato il musicista sbalorditivo che è: tutti i suoi libri sono successivi ai fatti di quella sera di piazza San Domenico, successivi alla fuga precipitosa verso il feudo di Gesualdo, e i suoi capolavori sono figli di questi anni cupi, di chiusura e pochi e faticosi viaggi, con una seconda moglie quasi prigioniera del castello e poca voglia di parlare. Che lui abbia avuto bisogno di questa morte e di questo dolore e questa colpa, per diventare chi era? La musica non può esprimere alcun sentimento: è soltanto una successione di slanci che convergono verso un punto definito di riposo, è l'ordine in cui i suoni vengono distribuiti secondo certi intervalli predeterminati. È opera di Apollo, non di Dioniso, ed è più vicina alla matematica che alla poesia: questo penso, e questo ho scritto e detto in più di un'occasione. Eppure quest'uomo cupo, pieno di angosce sciocche e di colpe terribili, sembra un essere tutto-impeto, tutto-sentimento: un Dioniso minore che non si pone il problema dell'esistenza di Apollo. Come ha potuto costruire queste meravigliose, e piccole, cattedrali perfette di suoni?

Alfonsino morì in una giornata straordinariamente fredda del mese di ottobre dell'anno 1600, dopo giorni in cui aveva smesso di mangiare e di bere e viveva chiuso dentro un sepolcro di coperte da dove, quando era cosciente, ci mandava uno sguardo lontano e indifferente. Leonora lo vegliava giorno e notte insieme alle sue dame, e teneva accanto al lettino un barattolo di zucchero di barbabietola in cui saltuariamente intingeva un dito bagnato: lo passava poi delicatamente sulle labbra secche del bambino, il quale, al contatto con quella dolcezza, si scrollava di dosso l'intontimento dentro cui viveva immerso e la leccava. Ma durava un attimo: egli tornava subito in quella lontananza che era un presagio di morte. Molte volte al giorno Staibano lo andava a visitare, e a ogni visita scrollava il capo. Pochi giorni prima che Alfonsino ci lasciasse, lo sentii dire all'Adinolfo: «Il suo male è superiore alla mia scienza». Vennero allora chiamati medici da Napoli e da Nola, che praticarono dei salassi al bambino applicandogli delle sanguisughe sul braccio: sentendosi succhiato, o forse percependo una presenza viscida sul braccio, Alfonsino aprì gli occhi per un istante, e quella fu l'ultima volta che li vedemmo. In seguito, visto che neanche i salassi sembrarono dare al paziente un po' di sollievo, i medici si confrontarono con Staibano, fecero delle ipotesi sul male e dissero che non lo conoscevano o non lo capivano. Carlo, esasperato ed eccitato, vagava per i corridoi del castello con passo pesante; incurante del fatto che vi fossero attorno al figlio soltanto donne entrava nella stanza dove il piccolo languiva: si avvicinava alla culla, osservava il volto di Alfonsino che si scavava e si macchiava di blu sopra gli archi degli zigomi e, senza dire una parola, usciva per ricominciare a camminare.

«Egli muore» si ripeteva, e lo ripeteva a me. Chiedeva udienza all'Adinolfo, e con lui pregava a lungo, si confessava perfino.

«Padre» diceva, e quelle erano le sole occasioni in cui non lo chiamava per nome, «egli muore, ma non può essere per una sua colpa, poiché è piccolo, è debole da sempre e non può aver commesso peccati. In Ferrara è stato battezzato, dunque egli è puro. Che cosa abbiamo fatto, noi, per meritarci questa punizione di Dio?»

L'Adinolfo gli metteva una mano sul capo, ed era quasi una carezza: «Noi non possiamo conoscere la volontà di Dio, principe, e i suoi piani ci sono spesso oscuri e contrari» diceva.

«Ma perché Egli se la deve prendere con i bambini?

Ditemi, padre: perché? Che cosa hanno fatto loro, che cosa ha fatto il mio Alfonsino per prendere su di sé tutto il dolore e la sofferenza e la malattia e la morte? Perché Dio non gli deve concedere il numero di anni che spetta alle persone buone, e lasciarlo vivere e diventare grande?»

L'Adinolfo non rispondeva, lasciava che il padrone mio si sfogasse e infine lo confortava con le parole dei preti.

Il giorno prima della morte del bambino, Aurelia fu vista uscire dal castello e dirigersi, intabarrata ma quasi correndo, verso la casa di Polisandra. Tornò poco dopo, portando una boccetta che non aveva nemmeno preso la briga di nascondere. Salì fino alla stanza dove Alfonsino moriva e, entrando, scambiò con Leonora un'occhiata che me le disse complici. Staibano era al capezzale del piccolo, e Carlo girava intorno al lettino.

«Che cos'è quella roba?» domandò, quando vide la piccola ampolla. «Dove l'hai presa?»

«Principe» rispose Aurelia. «La scienza di Staibano e di tutti i medici non è sufficiente a curare Alfonso» mentre lo diceva, guardava ora il medico ora donna Leonora. «Lasciate che io faccia questo tentativo estremo».

«Non ti permetterò di far bere a mio figlio la sbobba di quella strega!» urlò Carlo. A quell'urlo, Alfonsino si riscosse e sembrò per un secondo che volesse aprire gli occhi. Ma egli viveva ormai come nascosto da un muro, e non ci guardò. Staibano assisteva alla scena osservandosi ostinatamente la punta dei piedi: era il suo modo per vincere l'imbarazzo di trovarsi in mezzo a quella discussione e per non prendere parte alla decisione sulla pozione di Polisandra.

Fu Leonora a intervenire, prima che Carlo si scagliasse contro Aurelia e le strappasse di mano la boccetta: «Marito mio» disse, «lascia che provi. Lei non vuole certo il male di Alfonsino e non abbiamo più altri modi per curarlo».

Guardò Staibano con negli occhi una preghiera e un languore, in cui si leggeva un anticipo del pianto ininterrotto che l'avrebbe presa nelle settimane successive. Anche Carlo si rivolse a Staibano, che dovette sentire il peso di tutta quell'attesa, e disse piano: «Morirà, principe. Abbiamo fatto tutto ciò che era in nostro potere fare, e non è abbastanza. Non so che cosa contenga quell'ampolla, ma non potrà causargli più male di quanto egli già provi».

Leonora sollevò leggermente la testa di Alfonsino, si bagnò l'indice e lo intinse nello zucchero. Lo portò alle labbra del figlio che, a quel contatto, si aprirono lasciando uscire un fiato che mi parve già freddo. Adesso il piccolo poteva bere l'intruglio di Polisandra, e Aurelia gliene versò un'oncia nella bocca: sembrò quasi che gli piacesse, perché, al contrario di tutte le cose che gli erano state somministrate in quei giorni e che egli aveva rigettato sulle coperte, la pozione fu inghiottita. Lo riadagiarono sui cuscini, e Leonora chiese a tutti, fuorché all'Adinolfo, di uscire dalla camera, perché voleva vegliare sul figlio e pregare per lui. Appena fummo fuori, Aurelia corse verso Carlo e disse:

«Principe mio, fidatevi di me come vi fidaste quella prima notte a Ferrara».

Volle prendergli la mano, ma lui la rifiutò. Chiese al Bardotti e a Castelvetro di accendere dei ceri per tutto il castello e impose alla servitù una veglia di preghiera fino al mattino. Come ho detto, non servì: all'alba del giorno dopo, un urlo come di volpe rossa ci destò dalle preghiere e dal raccoglimento che ci eravamo imposti. Era la voce di Leonora che chiamava Alfonsino e che si straziava davanti alla culla. Corremmo verso la camera, e vi trovammo l'Adinolfo che tentava di tenerla ferma: spettinata, rossa in viso e con i tendini del collo tesi come corde, ella urlava il nome del figlio e inveiva contro l'abate che non le permetteva di toccarlo. Aveva le mani appiccicose di zucchero, e zucchero aveva l'Adinolfo sulla veste. Il barattolo era rovesciato per terra, ai piedi della culla. Staibano corse verso Alfonsino, e gli bastò un momento per capire: si voltò verso il principe con un'ombra sul viso, e non ebbe bisogno di parole.

Con Craft organizziamo una lunga tournée in America Latina per la prossima estate. Dopotutto, al sud sarà inverno, e stare lontano dalla cappa di calore che grava sulla California nei mesi estivi non può che essere di giovamento per la mia salute. A luglio torneremo a Santa Fe, in Nuovo Messico, e poi, da lì, ci sposteremo sempre più a sud: Messico, Perù, Cile, infine Argentina e Brasile. Craft mi ha detto che, secondo lui, il teatro Colón di Buenos Aires potrebbe essere un ottimo posto per la prima del «Monumentum». «No» ho risposto, «io voglio che sia a Venezia».

Nove anni più tardi Carlo chiamò a Gesualdo il pittore Balducci, che allora viveva a Napoli, e vagò a lungo con lui nella chiesa di Santa Maria delle Grazie. Parlavano fitto, e Carlo mi impediva di star loro accanto. Balducci occupò una stanza al piano basso del castello: si svegliava la mattina con le prime luci e si recava a piedi fino alla chiesa, da dove ritornava solo quando l'oscurità gli impediva di continuare il suo lavoro. A chi gli domandava perché non volesse usare una delle carrozze che erano a sua disposizione, o almeno una portantina nei giorni di pioggia, Balducci rispondeva che egli aveva bisogno di quella passeggiata tutto sommato breve, «Poiché vedete, anche se si tratta di un quadro su commissione, io ho bisogno di metterci dell'arte, e non si può mettere dell'arte se si è appena scesi da una carrozza. Si arriva sul luogo del lavoro troppo in fretta: camminando, invece, io m'avvicino al quadro mio con lentezza e meditabondo, e lo mastico, comincio a sentirlo nelle mani, e trovo soluzioni ai problemi quando ce ne sono».

L'altare maggiore della nostra piccola chiesa era stato a lungo nudo, e adesso Carlo aveva immaginato di abbellirlo con una grande tela penitenziale. Ho trovato, tra le carte del mio padrone, alcuni schizzi fatti con mano incerta, in cui prende forma, in modo scialbo e malfatto, dai tratti perfino infantili, la bozza della *Pala del Perdono* che Balducci eseguì seguendo le direttive del principe. Sono disegni di don Carlo: egli voleva un'opera penitenziale e insieme una corte celeste, e la disegnò per il pittore. Vi mise il Borromeo e Leonora, il Cristo e la Madonna, i santi Francesco, Michele, Domenico e Caterina. A lungo discusse con il Balducci, alla presenza dell'Adinolfo, perché il pittore era perplesso all'idea di aggiungere a questa corte anche la Maddalena.

«Si è pentita, e Cristo l'amava» disse Carlo. «Ella ha forse più diritto di chiunque altro di sedergli si accanto».

Nella Pala, Carlo Borromeo, che allora era già beato e sarebbe divenuto santo l'anno successivo, raccomanda Carlo a Cristo giudicante, che sta in alto insieme alla Madonna e all'arcangelo Michele. Sul lato destro c'è Leonora. Carlo è genuflesso, e guarda Cristo e i santi intercessori. Accanto a lui, in basso, tra le fiamme bruciano dei peccatori, ma è sciocco pensare, come qualcuno ha fatto da subito, che Carlo abbia voluto far rappresentare le anime di Maria e di Fabrizio prigioniere dell'Inferno. È sciocco perché, semplicemente, quello non è l'Inferno, ma il Purgatorio: lo dimostrano degli angeli che traggono al cielo alcune anime purificate. Ed è sciocco soprattutto perché Carlo non ebbe mai l'intenzione di punire anche nell'arte il torto che aveva subito. Tutti si pentono, in questa Pala, e chiedono perdono a Dio, e Dio nella sua magnificenza li accoglie e permette loro di salire fino al suo Regno. Tra gli angeli in basso vi è quasi un cherubino, un putto alato su cui l'arte di Balducci ha messo una luce bianca che è pari per chiarore soltanto a quella che butta dalla pancia del Cristo del pittore delle annegate. Il putto illumina la chiesa di Santa Maria e apre le braccia e le ali facendo coi piedi e la testa la forma di una piccola croce: egli sta sulla soglia del Paradiso, i piedini si perdono nelle fiamme purgatoriali, ma la sua testa e la sua anima appartengono già al Regno di Dio. Egli accoglie e benedice chi guarda, è il portinaio del Cielo. È Alfonsino, ma non gli somiglia molto, perché il Balducci non lo conobbe e non lo poté ritrarre fedelmente nonostante le molte ore che passò con il principe che glielo descriveva. Ciò che nel putto assomiglia ad Alfonsino il pittore lo ha preso da Carlo: egli, nella sua maestria, ha osservato il volto del padrone mio e lo ha reso infantile, gli ha dato guance tonde e labbra turgide, tenendo la linea del naso e delle sopracciglia dei Gesualdo. Mancano, a questo Alfonsino alato, i tratti estensi che pure il bambino aveva, e gli manca quella gracilità che lo contraddistinse e infine lo uccise. Ma il putto assomiglia, in modo del tutto involontario, anche a Ignazio bambino. Egli è luce dove Ignazio è tenebra, ma a lungo ho guardato i tratti del putto, sia nei disegni preparatori che nella Pala, e so di non commettere peccato se dico che egli è un Ignazio ben pasciuto e beato. Ha dunque, questo bambino dipinto (ma sono forse l'unico a vederli), dei tratti ferali e demoniaci che in certe giornate, sotto una certa luce, mi spaventano: egli è ritratto mentre accoglie e perdona, ma allo stesso tempo mi osserva e mi giudica. Molte volte, in questi anni, ho provato a fare luce con la fiaccola direttamente sul volto di Ignazio per cercarvi i tratti del putto: ma egli rifugge la luce, perché lo acceca e lo spaventa. Quando, con Staibano, l'abbiamo addormentato per disinfettare e ricucire la sua caviglia non sono riuscito a guardarlo bene, poiché la luce doveva essergli puntata sui piedi e perché, quando ho potuto illuminargli la testa, sono stato sedotto dalla forma dei suoi denti e mi sono stupidamente concentrato su quelli. Così mi chiedo, oggi, mentre so che Egli sbrana la porta e si ferisce nel budello, se, incontrandolo alla luce del sole in uno stato non bestiale, io lo saprei riconoscere, se saprei dire a Carlo: "Padrone, ecco il figlio che strappammo dal ventre di Maria mentre moriva, e che abbiamo allevato come un simbolo perché ci ricordasse, fino alla nostra morte, che abbiamo ucciso e scatenato dolore".

La morte di Alfonsino portò a Gesualdo Alessandro. Era stato Carlo ad avvisarlo, con una lettera breve, ma molto tempo passò prima che egli si mettesse in carrozza e raggiungesse il nostro feudo. Veniva da Roma per stare vicino alla sorella, ma ormai era cardinale, e i suoi numerosi impegni gli consentirono di fermarsi al castello soltanto cinque giorni. Quando arrivò, volle pregare sulla tomba del piccolo, ma l'aveva visto soltanto di sfuggita quando aveva poche settimane, in Ferrara, e non seppe trovare dentro gli occhi le lacrime per piangerlo. Pianse però la sorella, che dopo il lutto si era messa a letto e vi trascorreva la maggior parte delle sue giornate. Mangiava poco e, come aveva fatto Alfonsino prima di lei, rigettava quasi tutto ciò che ingeriva. Non aveva febbri però, e non si temeva per la sua vita. Solo, rifuggiva Carlo, e aveva trovato che il modo più efficace per stare lontano dal marito era vivere sdraiata. Staibano l'aveva visitata più volte, le aveva trovato un intasamento e le aveva prescritto latte d'asina e certe purghe che le avevano dato un sollievo a suo dire soltanto momentaneo. Saltuariamente, ella aveva delle crisi nervose che le squassavano le membra, e solo la presenza del fratello cardinale la calmò, anche se per poco tempo. Alessandro entrò nei suoi appartamenti e la trovò spersa tra i cuscini: era dimagrita, le vene le guizzavano sulle tempie come piccoli pesci marci, e da giorni rifiutava i servigi di Anna e Aurelia e non si pettinava. Vide il fratello sulla soglia, e lo accolse con una voce di un'ottava più alta.

«Alessandro, amico mio, dov'è il mio bambino, dove se n'è andato Alfonsino mio?»

Egli le camminò incontro, indossava la veste da viaggio, ma lo illuminavano anelli e crocifissi e le babbucce cardinalizie non facevano rumore sui pavimenti. Si sedette sull'alto letto, che cigolò, e lasciò che la sorella gli baciasse la mano.

«Dimmi, Alessandro, dove si trova, adesso, Alfonsino mio? Sta bene? È felice?»

Alessandro tacque a lungo. Le teneva le mani nelle mani e, credo, immaginava di passarle in questo modo la sovrana serenità che lo avvolgeva.

«Leonora, amore mio» disse poi, «Alfonsino è accanto a Dio proprio in questo momento, e guarda dall'alto la sua mamma che ancora gli vuole bene». Fece un gesto quasi teatrale che abbracciò tutta la stanza, poi inspirò forte e continuò, ma con un tono che si era fatto sommesso e complice: «Ascolta. Io riesco a sentirlo, il tuo bambino è qui con noi e ti veglia come tu hai vegliato lui. Lo senti?»

Lei non lo sentiva, o così disse.

«Sei debole, Leonora mia. Questa indisposizione che t'ha preso ti sfibra, e continuerà a farlo se non reagisci».

«Cosa posso fare?» domandò lei. Le loro mani erano di nuovo intrecciate e il cardinale le disintrecciò, frugò nella fascia che gli stringeva la vita e ne trasse un libriccino marrone, al quale fece una carezza prima di porgerlo alla sorella.

«È il libro delle preghiere che usavo in seminario» disse. Leonora prese il breviario e se lo mise in petto, guardando verso il fratello con un amore negli occhi.

«È un libro così prezioso per te» disse.

«Ora io ho molti modi per dialogare con Dio» rispose Alessandro, «e credo che questo libro sia più utile a te. Guarda» con delicatezza riprese il libriccino e lo sfogliò, mostrando alcune pagine a Leonora, «vi sono preghiere per ogni fase della nostra vita. Questo è per te il momento del dolore e della malattia. Quando soffriamo, è perché abbiamo peccato: c'è dell'impurità in noi, è questo che ci dice il nostro corpo attraverso i morbi che ci debilitano, e questa impurità va scacciata attraverso la sofferenza e la preghiera. Questo libro ti sarà utile tanto quanto i rimedi che i medici ti propongono: la preghiera lava via il male che striscia dentro il nostro corpo. Usalo, Leonora, consumalo come l'ho consumato io, fa' in modo che le pagine si impregnino del tuo sudore e del tuo amore, e spera in Dio».

Alessandro vide negli occhi del principe mio lo stesso dolore che allettava sua sorella, ma non ebbe per lui né parole di conforto né doni di salvezza. Carlo lo ricevette come si riceve un ospite di riguardo al quale non si ha molto da dire, ma trattò con lui un periodo di apprendistato e di studio presso la curia romana per Emanuele: su suggerimento dell'Adinolfo, infatti, il principe aveva pensato di allontanare il figlio da Gesualdo per qualche tempo. Alessandro accettò, più per dovere che per vocazione, e così il ragazzo, al quale non dispiaceva l'idea di vivere lontano dal padre e dalla matrigna, si preparò per seguire il cardinale.

Rimanemmo dunque soli, io con il mio padrone, Leonora con il suo breviario, e ci avviammo verso un'epoca, che sarebbe durata anni, di luce scarsa e di silenzio. In una notte di neve e vento, non so più dire l'anno, il legno di una finestra della camera dove io e il mio padrone dormivamo cedette e lasciò entrare un refolo d'aria gelida che mi svegliò. Mi tirai seduto, e vidi la figura bianca di Carlo che si alzava: sulle prime pensai che camminasse nel sonno, come aveva fatto molte volte negli anni, ma poi lo vidi che, uscito dalle coperte, apriva la porta che dà sulla stanzuccia di Castelvetro. Impastato di sonno e di freddo com'ero non capii le parole che il principe rivolse al servo, ma vidi Castelvetro in veste da notte e con un paio di calzettoni di lana ai piedi che, portando una candela, entrava nella nostra stanza. Egli si mise nel letto di Carlo e Carlo lo raggiunse, girandosi su un fianco. Anche Castelvetro si voltò, e adesso i due uomini si davano le schiene, ma il servo, su ordine del principe, gli si fece vicino, così che i loro corpi aderissero e si tenessero caldo. Per molte notti, anche dopo che la finestra fu riparata, Castelvetro condivise il letto del mio padrone. Aurelia bussava, a volte, e chiamava il principe sottovoce perché voleva entrare: allora Castelvetro si alzava, si affacciava alla porta e ricacciava la dama nelle sue stanze. Ma non dovete credere che Carlo e Aurelia smisero di incontrarsi o che nel letto del principe mio avvenissero abomini tra maschi: Castelvetro fece da stufa a Carlo in certe notti, e Aurelia lo scaldò in altre, ma non subito. Dopo la morte di Alfonsino, Carlo visse alcuni giorni nel sospetto che la dama avesse, se non ucciso il piccolo, almeno accelerato il processo della sua morte. È un fatto che il bimbo morì la notte successiva al tentativo di cura attraverso la pozione di Polisandra. Furono mandati dei servi a casa della vecchia janara: la prelevarono («Ma senza farle del male» aveva ordinato Carlo, «ella rimane una strega e non la voglio aver contro senza motivo»), la fecero salire sulla più brutta delle nostre portantine e la scortarono al castello. Chi faceva parte del seguito raccontò che Polisandra attraversò la città di Gesualdo con il petto gonfio e distribuendo sorrisi ai popolani che la vedevano passare; ella era allora già quasi cieca, e non vedeva i volti delle persone che si fermavano sulla via, ma ne sentiva le voci, e capiva il misto di curiosità e ammirazione con cui la guardavano sfilare: metteva in mostra per bene le mani che erano libere da catene o impedimenti, e mostrava dunque ai gesualdini che ella non andava al castello come prigioniera, ma come ospite. Dissero che riconobbe alcune voci tra quelle che la inseguivano, e salutò, mostrando di ricordare i nomi di tutti e spaccandosi in sorrisi privi di denti. Arrivò al castello e dovettero aiutarla a scendere dalla portantina: chi le diede la mano per scortarla si recò in seguito dall'Adinolfo chiedendogli di aiutarlo a purificarsi. Polisandra era avvolta in una veste nera da cui spuntavano le mani lunghe come becchi di corvi e il volto magro, rigato di rughe e sorprendentemente sereno. Fu condotta dal principe, che ella non aveva mai incontrato così da vicino, ma entrò nella stanza con un passo che era lento e malfermo soltanto per via dell'età e non per l'emozione. L'accompagnava il Bardotti, Carlo l'attendeva, e con lui attendevano l'Adinolfo, Staibano e donna Aurelia. Polisandra fu fatta accomodare su una poltrona, e ne accarezzò i braccioli con la stessa voluttà con cui si accarezza un cavallo che ci ha condotto incolumi fuori dalla battaglia. Io la guardavo da dietro la scranna su cui sedeva il mio padrone, e mi stupii sentendola parlare: mi stupii perché parlò per prima, senza aspettare che lo facesse il principe o l'abate segretario; la sua voce era sottile, di corvo come le sue mani.

«Da tutta la vita mi domando come siano le sale di questo castello, e ora che finalmente vi accedo, sono cieca» disse, poi si voltò, e mise i suoi occhi vuoti su Aurelia. Non la vide, ma in qualche modo la sentì e le sorrise.

«Siete ancora più bella dell'ultima volta che ci siamo incontrate» disse, ispirando con il naso come se, anziché vederla, potesse capire la bellezza respirandola.

Aurelia arrossì violentemente e tacque.

«Immagino che voi sappiate il motivo per cui siete stata convocata al castello» disse l'Adinolfo.

Ella voltò i buchi degli occhi sul segretario e rispose: «Non sono molti i motivi per cui io vengo invitata nelle case degli altri. Ma credo che questa sia una circostanza diversa».

Tacque, si mise in attesa.

«Non siete stata invitata» disse l'Adinolfo. Reggeva tra le mani un piccolo rosario ma non lo sgranava: lo usava soltanto per schermarsi di fronte alla strega. «Abbiamo delle domande da porvi in merito ai vostri rapporti con donna Aurelia e a certi intrugli che le avete fornito».

Polisandra ascoltò, poi si volse direttamente verso Carlo. «Principe» disse, «so che il vostro figlio più piccolo non è più di questa terra, e prego per lui perché sia nel Regno dei Cieli accanto a Cristo».

Nella sua bocca, il riferimento al Cristo suonò come una bestemmia.

«Non vogliamo le vostre preghiere» disse l'Adinolfo, stringendo i grani del rosario fino a farsi diventar bianche le nocche della mano destra. «Vogliamo che siate onesta con noi, e che rispondiate alle questioni che vi porremo».

«Ponetemele, dunque» disse la vecchia.

«Che cosa avete somministrato, per mano di donna Aurelia, al piccolo Alfonso?»

La vecchia si prese del tempo, che passò accarezzando i braccioli: «Donna Aurelia venne da me di corsa, tutta trafelata, e mi descrisse i sintomi del piccolo. Mi fu subito chiaro, principe, che molto difficilmente sarei riuscita a salvarlo. Preparai però un decotto di belladonna ed elleboro...»

«Elleboro?» la interruppe Staibano. «Avete usato l'elleboro?»

La vecchia si voltò verso il medico e, come se avesse capito chi si trovava di fronte, rispose: «Mi stupisce che la vostra scienza non conosca le proprietà curative di questa pianta. Se usato in dosi massicce, l'elleboro rende inquieto il cuore, ma estratti del suo fusto hanno un effetto calmante: in piccole dosi, l'elleboro è in grado di placare qualunque spasimo».

«Cos'altro?» disse Carlo.

«Avete dunque una voce, principe» rispose la vecchia.

«Cos'altro?» domandò di nuovo Carlo, come se non avesse fatto caso all'insolenza.

«Nella mia medicina» spiegò la vecchia, «che da anni cura i malati di Gesualdo, esistono sostanze immateriali che non entrano in nessuna boccetta». Si voltò verso l'Adinolfo e continuò: «In questo, padre, io e lei ci assomigliamo».

«Bestemmiate!» urlò Carlo, alzandosi dalla sua poltrona.

«Non bestemmio, principe» rispose Polisandra, sul cui viso non erano passati né paura né stupore. «Non ho fatto alcun male al vostro figliolo. Posso solo dirvi che, se aveste domandato il mio intervento alcuni giorni prima, forse oggi il piccolo Alfonso...»

«Mentite!» la interruppe di nuovo Staibano. «Io stesso, insieme ai medici di Nola e di Napoli, ho visitato il bambino, ed egli aveva un male che la medicina non può curare».

«Di che cosa mi si accusa, allora?» chiese Polisandra, e c'era, nella posa che assunse, un tono di beffa.

«Di nulla» rispose l'Adinolfo. «Come vedete, questo non è un processo, e non ci sono giudici. Ma voi sapete che il piccolo Alfonso è morto dopo aver bevuto il vostro decotto».

«Il piccolo Alfonso è morto anche dopo le cure dei vostri medici» disse la vecchia.

Carlo fece un cenno al Bardotti, che per tutto il tempo era rimasto in piedi in fondo alla stanza e teneva le braccia conserte. Egli si avvicinò alla scranna e Polisandra lo percepì. Dalla giacchetta, il Bardotti estrasse una piccola ampolla, la stessa che donna Aurelia aveva portato al capezzale di Alfonsino.

«Polisandra» disse il principe, «voi non potete vedere, ma qui davanti a voi, in questo momento, c'è l'infuso d'erbe che voi avete dato a donna Aurelia quel giorno. Alfonsino non ne ha bevuto che un sorso. Se è vero ciò che dite, se vi dobbiamo credere, bevete».

La vecchia allungò una mano di corvo verso il punto in cui credeva ci fosse la boccetta. Il Bardotti se ne accorse, prese l'ampolla, l'aprì e gliela porse. Un odore di bosco dopo il temporale ci entrò nei nasi. Senza nessun indugio, Polisandra bevve una lunga sorsata e si pulì le labbra con una manica della veste.

«Posso berne ancora, se lo desiderate» disse infine.

«Lo desidero» disse Carlo.

Polisandra bevve di nuovo, vuotò metà del contenuto e si ripulì. Allungò poi la mano con l'ampolla e il Bardotti la prese.

«Non ho ucciso vostro figlio, principe» disse la vecchia, «e donna Aurelia non è colpevole di nulla: ha tentato soltanto di salvarlo, ma era tardi».

Aurelia si nascose il volto tra le mani.

«Andatevene» disse Carlo a Polisandra, «domattina qualcuno verrà a trovarvi: vedremo se sarete viva e in grado di aprire la porta».

Il Bardotti la prese sotto un braccio e la fece alzare. In quel momento mi sporsi per osservarla che se ne andava, e lei mi vide. Puntò i suoi occhi ciechi sulla mia grossa testa deforme, e il becco di un dito mi indicò:

«Chi c'è là?» urlò.

Tutti si voltarono dalla mia parte, ma io mi ero già rifugiato dietro una tenda ed ero scomparso nel mio personale oblio.

«Che musica triste suonate, Maestro» mi ha detto Ol'ga questa mattina mentre mi portava il miele. Da tanti anni vive qui con noi, nella nostra casa, ed è la prima volta che si permette di commentare qualcosa che ha sentito attraverso la porta.

«Perché pensate che sia triste?» le ho chiesto. Ero in un'ottima disposizione d'animo, perché forse ho trovato una chiave per lavorare al «Monumentum».

Ol'ga ha appoggiato il vassoio con il vasetto sul tavolo e ha detto: «Non saprei. Di solito la vostra musica è viva: è molto difficile da ascoltare, per me, ma ha dentro un ritmo che mi mette allegria o mi spaventa. È raro che voi suoniate una musica che mette tristezza».

«Non voglio che siate triste, Ol'ga. Ma vedete, questa è una musica antica, e io sto cercando di portarla in questo secolo».

Ebbene, immagino: archi; poi: due oboi; due fagotti; quattro corni; due trombe; due tromboni; un trombone basso. Questa la piccola orchestra che erigerà il monumento, questa la qualità dei suoni. Ma non tutti insieme, o non subito: nel primo madrigale niente tromboni né trombe; nel secondo, niente corni né archi; nel terzo, per il gran finale, tutti. Risuonare Gesualdo a blocchi: questa è l'idea. Il primo madrigale è il basamento, il secondo le gambe, il terzo il busto e la testa di questo mio Dioniso da domare.

Studio alcune modificazioni ritmiche nei primi due madrigali; nel terzo, questo tipo di intervento mi sembra impossibile, a meno di non volersi dimenticare del tutto di Gesualdo e dunque fallire nella mia idea di traduzione. Se non posso movimentare «Beltà poi che t'assenti» con degli artifici ritmici, lo farò giocando con l'orchestra: tutto il «Monumen-

tum» sarà una danza singhiozzante, con l'orchestra divisa – no, immaginata – per gruppi: archi, ottoni, legni, ciascuno con la sua voce e il suo ruolo e il suo madrigale; il suono passerà da gruppo a gruppo, con l'ochetus a fare da artificio ritmico. Ecco: una musica saltabeccante, che continuamente cambia di suono, si rincorre, singhiozza.

Infine: una musica di questo tipo si deve poter coreografare. Dopo tre secoli e mezzo, qualcuno ballerà su questa musica che per Ol'ga è triste, e che invece sarà una festa di suoni.

6 settembre, allo spuntare del Sole

Polisandra sopravvisse e le porte della camera da letto di Carlo tornarono ad aprirsi per donna Aurelia. Ma le cose non furono come prima: c'era ormai nel padrone mio un'ombra che lo accompagnava, ed è questa malattia che lo ha portato, oggi, a chiudersi nello zembalo. Egli cominciò a lamentare dolori forti alla testa, e un rammollimento. «Una mollezza di membra e una lentezza di pensiero che non avevo mai avuto prima» diceva. «Niente mi fa voglia in questi giorni, Gioachino, nemmeno la musica».

Si lasciava andare su un divanetto e vi rimaneva per molto tempo; poi, quando un bisogno del corpo lo faceva alzare, si toccava il costato: «Ho un dolore che mi viene da qui» diceva.

Staibano lo visitò, e Carlo si lasciò osservare e palpare con la passività di un bambino.

«Dovete dirmi bene che cosa vi sentite» chiese il medico alla fine dei palpeggiamenti.

Carlo ordinò che tutti i servi uscissero dalla stanza, e rimanemmo solo noi tre.

«Un'atonia intestinale mi tormenta da giorni» disse

allora, «continuamente mi siedo sul bugliolo con l'idea di averne bisogno, e continuamente non succede nulla».

«Avete emicranie?»

«Non spesso. Ma quando arrivano sono forti come colpi d'archibugio».

Staibano spiegò che le due cose erano collegate, poiché tutto il nostro corpo è collegato: «Perdonate, principe, ma il ventre, quando è pieno e non si sa vuotare, si fa pesante» disse, «è come una sacca dentro cui abbiamo messo troppe cose: si tende, e duole. Quando il dolore diventa troppo grande, non trova spazio nella pancia e dunque comincia a vagare per il corpo, trovando posto nella schiena e nella testa».

Prescrisse al principe delle purghe, e comandò, sulla scorta del Du Laurens, una dieta a base di pesce, uova, carni bianche, minestre d'indivia, cicoria, luppolo, pimpinella, borragine e buglossa, e uva. Carlo mangiò quel che voleva il medico e bevve le tisane lassative: trovò giorni di sollievo, ma fu un sollievo soltanto del corpo; rimase pigro, malinconico e smorto.

Venne Aurelia e gli si buttò nel letto: egli le fece posto, rimanendo seduto tra i cuscini, ma non la guardò. Lei provò a farsi gatta, ma quello che ottenne fu un rifiuto gentile, fatto con un'aria calma che la offese.

«Avete le mani fredde» disse lei, «e freddo è il vostro corpo e il vostro desiderio». Se ne andò, e il principe rimase immobile mentre lei lo lasciava. Quando fu uscita, egli mi cercò dietro il paravento e mi attese, perché voleva parlare ma non sapeva come cominciare. Così cominciai io:

«Avete il diritto di richiamarla, se volete» dissi.

Egli fece con le mani un gesto come a dire "Lascia che se ne vada", e sentì freddo, perché si tirò la coperta fino al mento. «Temo Gioachino che questa mia indisposizione non sia soltanto del corpo: le bevande di Staibano e la sua dieta hanno sortito i loro effetti, e mi sento sollevato, ma qualcosa si è come rotto, e non so cosa».

«Presto vi rimetterete del tutto, e ricomincerete la vita di sempre».

Chiuse gli occhi, respirò. «Hai visto tu stesso di che colore era ciò che è uscito dal mio corpo oggi» disse. «E hai visto anche che qualcosa di piccolo e bianco vi si muoveva dentro».

«Staibano vi purga proprio perché tutte le impurità che riempiono la vostra pancia se ne finiscano nel bugliolo».

«Ma che cosa contiene, Gioachino, il nostro corpo? Quali immonde schifezze custodiamo dentro i nostri stomaci e negli intestini?»

«Non sono un medico, padrone, e non vi so rispondere. È però un bene, credo, che voi finalmente riusciate a liberarvene».

«Sai bene che non è così» rispose. Si alzò, ma faticosamente, e mandò a chiamare il medico e l'Adinolfo. Questi arrivarono e, senza bisogno che Carlo dicesse nulla, Staibano prese il bugliolo e vi guardò dentro. Represse un moto di ripulsa, e volle far luce: si avvicinò alla finestra, e si mise in direzione del sole.

«Bene, principe» disse poi, «le cure che vi ho prescritto prendono a funzionare».

Carlo lo guardò da dentro il letto, e disse: «Mentite e ne avete coscienza. La pappa nera che state guardando non esce da un corpo sano, e non è normale nemmeno che tante piccole teste tonde, forse frammenti del corpo di qualche creatura oscena che mi abita, vi si agitino dentro».

Staibano chiamò il Bardotti e gli consegnò il secchio perché lo svuotasse e lo pulisse. Parlò per un minuto con il servo dandoci le spalle e, mentre parlava, lo vidi che tirava velocemente fuori da una manica una foglia di menta e se la sfregava sotto il naso. Prima di girarsi la rimise via.

«Non vi ho mai detto, Eccellenza, che la vostra cura sarebbe durata un solo giorno: essa è un processo, e nessuno sa dire di quanto tempo avrete bisogno per rimettervi. Ma guardate: solo pochi giorni fa lamentavate dolori e atonia, e adesso, benché continuiate a essere debole, vi scaricate e la testa non vi fa più male».

Fece tre passi dentro la stanza e io sentii il profumo della menta.

«Ho dato disposizione al Bardotti perché procuri rose, viole e nenufari: profumeremo la vostra stanza e la camera dello zembalo, affinché viviate in un ambiente accogliente».

Poi si avvicinò a Carlo, chiese al principe di sollevare la camicia e lo tastò a lungo sul costato.

«Passeggiate» disse infine, «prendete aria e, se posso permettermi, suonate, svagatevi. Stare sereni è un buon rimedio contro il vostro male».

Uscito il medico, rimase il prete. Carlo aveva ancora la camicia mezza aperta, e sedeva come abbandonato sulla poltrona dove aveva ascoltato le prescrizioni di Staibano. L'Adinolfo gli si sedette accanto, gli prese le mani come mettendosi in attesa di una confessione. Ma le parole che disse furono tutte terrene.

«State molto meglio, principe, sono sicuro che vi rimetterete presto».

«Benedicimi, padre, poiché so che ciò che mi si muove nel corpo non è che un avviso di Dio, una penitenza che egli mi manda per fare in modo che io mi purifichi dai miei peccati».

«Se è davvero Dio che vi manda i vostri dolori, siete già benedetto, e da Qualcuno che sta molto più in alto di me» rispose l'Adinolfo. Questa risposta colpì il principe, che volle alzarsi e passeggiare per la camera. Aprì alcuni cassetti, ma come senza farci caso: vi guardò dentro, poi li richiuse. Erano i cassetti dove teneva le prove di versi che faceva e rifaceva.

«Tempo fa, padre, alla presenza di Maria ancora viva» disse, «cominciammo un discorso che io non conclusi se non tra me. Parlavamo, se ti ricordi, di un brutto pugno di versi che il Tasso aveva mandato perché li musicassi. Ricordi?»

L'Adinolfo strinse la fronte, trovò l'episodio nella memoria e chiese al principe di continuare.

«Ti dissi che Tasso aveva inviato dei versi falsi, artificiosi, in cui non si vedeva nulla del suo dolore di folle e di esiliato».

L'Adinolfo dovette ricordare appieno, e si illuminò.

«Quello che non ti dissi, e che è il motivo per cui io odiavo quei versi e spesso li rifiutavo, è che io, padre, ho invidiato messer Torquato fin da quando l'ho conosciuto». Sollevò l'indice della mano destra come a chiedere attenzione e continuò: «Non l'ho invidiato per la bellezza del suo poema e di certe altre sue composizioni, no: sono in grado di creare una bellezza che sta al pari della sua. Egli scrisse versi arditi, io compongo voci strabilianti: siamo pari. L'ho invidiato, padre, per il dolore che egli ha vissuto, per la mancanza d'amore, per la pena di vivere lontano da una città, Ferrara, che per me è stato tanto semplice conquistare e che mi è perfino venuta a noia».

«Non vi capisco, principe: come si può invidiare il Tasso, al quale nemmeno la morte ha dato pace?»

«Parlo della naturalezza con cui egli soffriva e che era in grado di rovesciare nei suoi versi migliori» continuò Carlo, come se non avesse ascoltato la domanda dell'Adinolfo. Si voltò, camminò a grandi passi verso l'abate segretario e si inginocchiò: «Questo male che io sento muoversi nella mia pancia, questo senso di spossatezza e questa malinconia che m'ha preso, padre, ecco, sono per me un segno, una benedizione. Anche io, ora, ho un dolore naturale che mi assale e mi spezza. Padre» piantò sull'Adinolfo uno sguardo bagnato ma fiero, e disse, con la foga di chi espettora in un colpo solo un grumo di catarro che si è tenuto nel corpo troppo a lungo, «la morte di Alfonsino è stata una tragedia, ma attraverso di essa Dio ha voluto mandarmi il nutrimento di un dolore naturale, potente, che mi squassa nel corpo ma, sono sicuro, mi permetterà di comporre come non ho composto mai». Spalancò gli occhi come se dal fondo delle sue viscere fosse partito un avviso: corse dietro la tenda dove stava il bugliolo e vi si chiuse dietro. Vennero certi rumori del corpo, ma anche un sospiro che ce lo disse in attesa. L'Adinolfo si avvicinò a lui, rimase da questa parte della tenda e disse:

«Quello che confessate, principe, è terribile, e io non credo di poterlo capire. Voi, ecco, vi dite felice della morte di vostro figlio».

Dalla tenda vennero un grugnito e un rumore di viscere: «No!» urlò Carlo, «Dio mi è testimone: tra tutti i delitti che ho commesso questo non c'è. Ma ti domando: si può essere fieri del proprio dolore? Si può provare un compiacimento nella tragedia? Rispondi».

L'Adinolfo taceva, e ostinatamente guardava lontano dalla tenda. Così Carlo continuò. «Maria, osservando il corpo di suo figlio straziato sulla croce, sentendolo morire invocando il Padre e vedendo il cielo oscurarsi, provò, secondo te, accanto alla disperazione, una piccola, oscena felicità – la soddisfazione che tutti adesso sapessero, senza ombra di dubbio, che il figlio che lei aveva allevato era davvero il figlio di Dio?»

Da questa parte della tenda, l'Adinolfo si rabbuiò. Divenne pallido e sembrò perfino più magro. Cercò la sedia con la foga di chi, finalmente, trova la via d'uscita da un budello nero dentro cui è rinchiuso e vi si lasciò cadere.

«Rispondi, padre» disse la voce di Carlo da sopra il bugliolo.

L'Adinolfo aveva estratto un piccolo crocifisso e lo baciava e mormorava qualcosa. Poi si riscosse, disse: «Principe, ciò che voi dite è terribile e la mia fede si rifiuta di ascoltarlo. Ma io sono anche un uomo, oltre che un sacerdote: se il sacerdote non vi capisce, l'uomo, invece, conosce gli abissi dentro cui tutti quanti ci dibattiamo».

Carlo scostò la tenda: era in piedi, la veste gli cadeva sulle gambe come se non se la fosse sollevata e la camicia, ora, era abbottonata. Guardò verso il prete e parve voler dire che il bugliolo, nonostante i rumori che avevamo sentito, era vuoto. Ma tacque.

«Volete che vi assolva?» domandò l'Adinolfo.

«Non ora. Vorrò la tua assoluzione quando anche il sacerdote che c'è in te avrà capito la mia pena e il mio sollievo. Per ora mi basta la tua comprensione di uomo». Si avvicinò al centro della stanza, batté i piedi sul tappeto: lì accanto c'era la mia scatola, piena di segni e disegni malfatti. Disse: «Non ho ancora quarant'anni, e la mia anima già mi guarda dal tappeto». L'Adinolfo non capì, ma io sì. Me ne rimasi in silenzio però, perché non era tempo. «Voglio che mi aiuti a capire una cosa, Adinolfo» continuò il principe, «che cosa mi sta chiedendo Dio? Che cosa vuole che io faccia per lui?»

Il prete distolse gli occhi dal tappeto, e li mise in un punto impreciso della stanza.

«Egli ci manda il dolore del corpo per dirci che stiamo peccando. Ma io non credo che Dio voglia punire in voi l'invidia, e nemmeno la fierezza e il compiacimento di cui mi avete parlato: forse vuole da voi qualcosa, una preghiera come nessun'altra, che sia figlia di questi sentimenti contraddittori e del pentimento, e che sia priva di quella lussuria del dolore che io ho sentito muoversi dentro le vostre parole».

Carlo rimase in silenzio, e io so che fu in quel momento che concepì l'idea delle *Sacrae Cantiones*, che lo impegnarono per gli anni successivi e che furono l'opera con cui egli riprese a comporre. Le scrisse come cura, come esercizio di espiazione, e forse è per questo che non le amò mai fino in fondo. Faceva parte di questo nuovo modo anche l'idea di respingere Aurelia: «Un principe ha diritto di stancarsi» gli dissi una mattina, mentre sedeva al liuto, dopo una notte in cui Aurelia era stata da noi e lui l'aveva accolta con noia, e l'aveva presa distrattamente, come se lei si trovasse fuori accordo. Egli componeva allora i mottetti del secondo libro delle *Sacrae Cantiones*, e aveva problemi con le linee del sextus e del basso di alcuni di essi: le scriveva e le buttava di continuo, poiché niente lo soddisfaceva.

«Vedi, Gioachino? È quel che ti dicevo: questo scopo che io mi sono prefisso ha dei limiti, e certe voci che non vengono sono qui per ricordarmeli. Io voglio mettere il *cantus firmus* dentro questo brano, e il *cantus firmus* mi si nega».

Nel corso degli anni, il corpo di gatta di donna Aurelia s'era fatto molle: i fianchi e il collo s'erano ingrossati, il petto non guardava più dritto il mio padrone e certe macchie bianche le erano venute sui piedi, che forse faticavano a reggere il peso delle nuove carni. Manteneva tuttavia una forma di donna e aveva ancora una bellezza che in certi momenti destava nel principe un desiderio improvviso e bestiale: allora egli la chiamava, le ordinava di mettersi nuda quand'ella era ancora sulla soglia, la accarezzava e, senza quasi togliersi i vestiti, la prendeva in piedi. Poi, sfogatosi, la congedava, ed ella se ne andava per il castello nascondendo sotto le sottane il corpo arrossato, pieno dei segni delle dita e della bocca del padrone mio. Ma egli non accettava più le sue visite improvvise, la sua offerta di sé, e a volte la scacciava in malo modo, soprattutto se lei si presentava mentre lui andava immaginando un canto.

«Di lei ormai, Gioachino, mi attraggono di più gli occhi che la pelle» mi diceva Carlo, «lo sguardo languido che mi mette addosso. Ma il suo corpo, il suo corpo non è ormai che un involucro, uno sfogatoio grasso dentro cui mi svuoto senza provare piacere».

«Mentite, padrone: voi quasi non la guardate in viso. Vi perdete dentro i suoi seni e nelle natiche. Ma è pur vero che non avete per lei le stesse attenzioni di un tempo».

«Sono certo che lei frequenti altri uomini, qui in Gesualdo: bottegai, cerusici, perfino qualche servo nel castello. Ed è per questo che ingrassa e si deturpa: accoglie nel proprio corpo il seme popolano che la fa molle, e mi ospita dopo che ha ospitato altri».

Venne un giorno in cui, all'improvviso, Carlo depose sul tappeto la chitarra spagnola, e lo fece con una violenza tale che gli uccellini di cristallo che essa conteneva si misero a cantare come se qualcuno li stesse strangolando. Il principe si alzò dalla poltrona, dove per molte ore aveva provato a completare un canto sacro, e chiamò Castelvetro: «Corri da donna Aurelia» ordinò. Quella venne e, come ormai era consuetudine, rimase ferma sulla soglia con uno sguardo dentro cui c'era una domanda.

«Spogliati» ordinò Carlo, ma lei non si mosse.

«Spogliati!» ripeté il principe.

«Principe» disse lei, e tacque. Ma egli già si slacciava la veste, ed ella capì che non le rimaneva molto tempo per dire ciò che le premeva. Così prese un respiro e cominciò: «Principe, da molto tempo io non sono per voi che uno sfogo».

Egli si apriva la camicia e scopriva già la pancia un po' molle, ma a quelle parole per un istante si fermò: «Che vuoi?» domandò. «Vivi nella mia casa e occupi il mio letto. È un onore che ti concedo, e tu devi essermene grata». La veste infine volò via, ed egli rimase quasi nudo, mentre donna Aurelia, di fronte a lui, stava ostinatamente chiusa dentro il suo corpetto. Avanzò però di un passo, e i suoi piedi non frusciarono sul tappeto come avevano fatto in una notte di Ferrara di qualche anno prima. Io la guardavo da dietro il paravento, e notai che, appesa alla fascia che le teneva stretta la vita, Aurelia portava una piccola sacca di cuoio.

«Pensavo che in voi, principe, ci fosse dell'amore per me» disse, ma, per evitare che Carlo reagisse, si allentò rapidamente il corpetto e scoprì i seni.

Carlo le corse incontro, urtò con il piede la chitarra spagnola e l'abbracciò dentro un nuovo urlo strozzato dei sei uccellini; lei si lasciò prendere e rovesciare sul letto, ma non si tolse la gonna: la sollevò, e si offerse al principe così, con il corpo mezzo nascosto e con una mano aggrappata alla cintura mentre, dal tappeto, la vibrazione delle corde e delle cannule di vetro produceva un suono privo di centro e di tono. Durò, questo suono, incredibilmente a lungo: forse fu suggestione, ma mi sembrò che si moltiplicasse e che continuasse a vibrare per tutto l'incontro tra il principe e la dama. Poi capii: egli puntava i piedi sul tappeto e spingeva facendo leva; così il tappeto non smetteva di muoversi e di far vibrare corde e uccelli, che cantarono il loro canto amorfo finché Carlo, esausto, si fermò e nascose il viso nel petto nudo di Aurelia. Fu allora che, da dov'ero, la vidi che con delicatezza, con circospezione, toglieva una mano che per tutto il tempo aveva tenuto vicino alla porta del suo corpo. La fece sfilare delicatamente tra il corpo suo e quello di Carlo, mentre lui le muggiva addosso un respiro affannato, e la teneva a coppa, come se in essa fosse raccolto un liquido prezioso che non doveva andare sprecato; l'avvicinò alla sacca di cuoio che le stava al fianco e sembrò rovesciarvi dentro qualcosa.

Carlo fece per sollevarsi, ma lei con l'altra mano gli prese la nuca e lo riportò dentro i seni dicendogli nell'orecchio una frase sconcia che io sentii perché il mio orecchio è l'orecchio di Carlo. Trasse allora la mano dalla sacca e con la punta delle dita fece il gesto di chi si asciuga il palmo; poi affondò la mano nelle pieghe della gonna che non s'era tolta ed essa sparì alla mia vista.

La sera stessa, affacciandomi al balconcino della galleria, vidi donna Aurelia che, approfittando del buio, usciva dal castello, si infilava per Gesualdo e prendeva la strada della casa di Polisandra.

Questa cronaca si fa sempre più gotica, sempre più romanzo: bestie antropomorfe che si liberano dalle catene, pozioni magiche, sospetti di stregoneria, malinconie incurabili. A chi potrei farla leggere? I problemi di vista del caro Aldous si sono ulteriormente aggravati nelle ultime settimane: egli legge, ma «con terribile fatica» – così lui, oggi, per telefono. All'Università di Chapel Hill, nella Carolina del Nord, c'è un ricercatore, il dottor Glenn (o Ben?) Watkins, che ha fatto alcune interessanti pubblicazioni sulla musica manierista, su Pomponio Nenna e su Gesualdo. Non ho letto niente di ciò che ha scritto, ma Vera ha trovato il suo nome e il suo indirizzo e mi invita a vincere la mia naturale ritrosia verso gli ambienti accademici e a provare a contattarlo. Lui, forse, potrebbe aiutarmi a capire se questa cronaca è davvero, come mi pare, un apocrifo. Intanto ho chiesto che mi siano inviati i suoi articoli.

A Sesta

Da alcuni giorni non scrivo di ciò che accade nello zembalo. Da dietro la porta, vengono ancora quei suoni urlati, informi, che occupano lo spazio nudo del teatro e mi sovrastano, e niente sembra voler cambiare. Ma poco fa, mentre facevo la mia quotidiana posta al principe, due cose mi son sembrate nuove: la prima l'ha sentita il naso, la seconda le orecchie. Viene, da dentro lo zembalo, un odore che non è di questi piani, ma che appartiene semmai alle cantine, o a là dove i servi svuotano i buglioli e buttano le frattaglie: è un odore che conosco bene perché, a volte, per recuperare il cibo per Ignazio, sono stato costretto a immergere le mani nella poltiglia di cose che il castello rigetta. Questo, dunque: dallo zembalo si sprigiona un odore di immondizia e di abbandono.

Adesso ciò che hanno udito le orecchie. Questa cosa è stata più difficile da individuare, tanto che non ne ho la certezza, ma soltanto un sospetto: sotto i suoni che Carlo continuamente produce come se fosse ormai preso da una foga o da una follia, un altro suono, umano e non di strumento, lieve, quasi del tutto coperto da questa cosa che non so se chiamare musica: è il respiro del principe, che in certi momenti si impenna come un cavallo imbizzarrito e mi lascia immaginare che egli, sperso nella sporcizia che produce ormai da quasi tre settimane senza che nessuno possa accedere alla sua stanza, fatichi ad agguantare l'aria che pure gira nello zembalo, e non respiri, e si produca in accessi simili a quello che ebbe quando, da giovane, tornando da Roma, passammo per la Mefite e ci sembrò per un'ora che egli morisse.

Ho messo l'orecchio contro la porta, ho provato ad ascoltare oltre il suono. A lungo non ho udito nulla che non fosse uno strumento, ma poi Carlo ha smesso per un istante di torturare le corde e deve aver gonfiato il petto per incamerare aria; ha quindi tossito una tosse lunga e secca che non l'ha lasciato libero per molti minuti e, sono sicuro, gli ha spaccato il petto. In certi momenti, tra un respiro e l'altro, tra una tosse e l'altra, Carlo si calmava, e quando era calmo imprecava e forse, dai colpi che sentivo, tirava pugni di rabbia contro qualcosa. Ma poi la tosse ricominciava, e con essa il respiro tagliato, irrespirabile. Ho bussato mettendo nel pugno tutta la mia forza, ma il rumore dei miei colpi si è perso dentro lo sconquasso del petto del principe mio, che non mi ha sentito, o ha finto di non sentire. L'ho chiamato: «Principe! Principe!», ma, preso com'ero dai fumi dell'immondizia che filtrano dalla soglia, il mio richiamo è finito in tosse, e per liberarmi di questa tosse ho sputato un grumo di catarro giallo dentro la gola del teatro e ho dovuto rassegnarmi a tacere.

Quotidianamente scendo nella cripta, ma ogni giorno mi fermo un metro prima, non mi avvicino all'ingresso della cella. Porto una torcia che vorrei tenere spenta, perché la luce che filtra sotto la porta eccita Ignazio, gli mette fuoco, e fa suonare il campanellino come sei uccellini di Murano. Questa luce, inoltre, mi annuncia, e forse mette in Ignazio la speranza che io gli stia portando il suo secchio con il pasto. Ma mi manca il coraggio di farlo: dovrei aprire la porta contro cui Egli batte e finirei per trovarmelo davanti, libero e famelico come una bestia. Non sono in grado di affrontarlo: la gamba breve, la mia statura, la testa pesante... la paura. Così sono giorni che Egli non mangia e, se ha finito l'acqua o ha rovesciato il secchio, non beve. Dall'ultimo scalino mi tendo e sollevo il braccio che porta il fuoco: cerco di illuminare i cardini della porta che lo ferma e già mi pare che una vite si sia allentata; a ogni colpo, la porta cigola come non ha mai fatto, e si muove. Dovrei trovare il coraggio di avvicinarmi e ripararla, ma non sono un fabbro, e c'è il rischio che, mentre la riparo, il cardine si indebolisca ulteriormente e liberi la via a Ignazio. Così rimango sullo scalino, lo ascolto, spero che la barriera di legno e ferro che mi divide da lui non ceda proprio mentre sono là sotto, indifeso e spaventato. Io busso alla porta del principe, Ignazio bussa alla porta della cella. Entrambi vogliamo diventare parte di un mondo che non ci riconosce e ci respinge.

A Nona

Pochi momenti restano da trascrivere, ma poco è anche il tempo che sento che rimane. Non mi metto fretta, ma tengo dei fogli da musica avvoltolati nelle tasche perché ogni attimo deve essere usato per prender nota di ciò che fu, e che è, prima che tutto sia compiuto. Una sera dell'anno del Signore 1607, non ricordo il mese né il giorno, scesi nelle cucine senza che avessi da riempire il secchio, e vi trovai donna Aurelia. Teneva le gambe leggermente divaricate e il busto curvo, come se avesse sentito la curiosità impellente di guardarsi l'ombelico. Mi dava le spalle, e stava in piedi vicino a un tavolo dove, su un vassoio, poggiava un bicchiere con dentro una bevanda rossa come succo di mirtillo o barbabietola. Si perlustrava, Aurelia, e si guardava attorno di continuo come se temesse l'arrivo improvviso di qualcuno. Ma era notte, e anch'io impiegai un po' a capire che teneva la gonna sollevata sul davanti, e che trafficava con le mani in un luogo che sta un po' più sotto dell'ombelico. Provai a girarle intorno, tenendomi a distanza, e quello che vidi mi piacerebbe poterlo non scrivere, e dirlo a voce, o non riferirlo del tutto, ma mi sono imposto di non tacere niente e dunque non tacerò: reggeva una fetta di pane cafone, e se l'appoggiava, no, l'intingeva, la spalmava sulla fessa, che teneva aperta con due dita dell'altra mano; faceva uno, due passaggi, poi si portava il pane al naso, ne usciva insoddisfatta, tornava a spalmare. Molte volte fece quel gesto, lì, sola, in piedi nelle cucine, finché fu contenta dell'odore che sentì dal pane e pose la fetta sul vassoio accanto al bicchiere.

Fu allora che si preoccupò: aveva sentito qualcosa, forse, perché si guardò attorno con l'aria di chi pensa di essere stato scoperto. Io non avevo fatto rumore, non respiravo quasi. Ma lei si drizzò, lasciò cadere la gonna sulle gambe, prese la candela e guardò negli angoli.

«Chi c'è?» domandò. «C'è qualcuno?»

Io rimanevo fermo, rincantucciato come una bestiola dietro al forno, e la guardavo dal basso che girava per le cucine seguendo il cerchio di luce della fiamma. Girava per lo spazio freddo e vuoto e ogni tanto, ogni due o tre passi, metteva gli occhi sul succo di mirtillo e il pane di fessa, come se l'attraversasse il sospetto che qualcuno si fosse nascosto per rubarglieli. Da molti anni, dalla giostra di quella sera in Ferrara, non ci guardavamo negli occhi: ella era sembrata, allora, potermi vedere mentre stavo seduto dietro di lei sul palchetto, ma in seguito, a Ferrara come a Gesualdo, non mi aveva visto mai. Oltre al principe, solo Staibano mi sapeva, e Polisandra mi aveva sospettato ma non visto. Così pensai che forse potevo alzarmi, levarmi dal forno, e avvicinarmi al bicchiere e al pane. E tuttavia pazientai, aspettai che si affacciasse, per continuare la sua perlustrazione, sul disimpegno che dalle cucine conduce all'uscita bassa del castello, dove i cuochi accolgono le provviste che la gente di Gesualdo porta al principe e a volte le stipano. Aurelia mi dava le spalle, così uscii dal mio antro: in un modo o nell'altro, se era in grado di percepirmi, prima o poi mi avrebbe comunque trovato. Mi avvicinai piano al tavolo, vi appoggiai il mento; il pane di fessa stava là, ma fu quello che avevo pensato fosse succo di mirtillo o barbabietola a distrarmi: mandava un odore forte, marcio, ed era denso, in fin dei conti poco (il bicchiere era mezzo vuoto), e conteneva certi filamenti solidi come la pelle che riveste gli spicchi d'arancia. Rimasi lì, intontito, perché mi sembrò di aver capito di cosa fosse composto quel succo. Ma lei si voltò, tornò dal disimpegno, e non disse nulla: solo, me la vidi davanti, alta, grossa, bella come una madonna decaduta, e con un ghigno che le metteva sulla faccia una gioia nera. Appoggiò la candela, prese il vassoio e lo tirò nel centro del tavolo, così che io non potessi arrivarci con le mie poche braccia. Poi si sedette, placida, le mani in grembo, e tacque. Coprì per un istante quel silenzio il raglio di un'asina, che venne con la sua sincope dai piedi della collina. Ascoltammo.

«Così dunque tu esisti. Io ti posso vedere» disse lei.

Tacqui. Continuò. «Da molti anni ti cerco, perché so di non essere folle e d'averti visto a Ferrara durante la giostra. Stavi seduto nel palchetto delle femmine, perché forse ti eri sbagliato o, forse, non hai sesso – e dunque li hai tutti. Dove ti sei nascosto, per tutto questo tempo?»

Veniva dalle sue mani, che non erano lontane dal mio volto, l'odore degli umori del suo corpo, mescolato a quello della cera della candela.

«Polisandra mi ha avvertito più volte:» disse ancora, «"Gira intorno al principe tuo un essere che soltanto lui può vedere. Io l'ho percepito: era con noi nella sala dove mi interrogarono. Guardati da lui: egli è guida e sfogo e dannazione dell'uomo tuo". Questo mi ha detto. E mi ha detto anche che, se avessi acconsentito a esercitarmi in certe sue pratiche, forse anch'io avrei potuto percepirti».

«Le pratiche di Polisandra non sono buone» risposi, «e chi le esercita si danna».

«Parli, dunque! E usi bene la lingua: per giudicare».

«State gettando su di voi una maledizione, abbandonandovi a quella donna» dissi, ammiccando al pane e al succo che aspettavano sul tavolo.

Di nuovo l'asina, giù dalla collina, buttò un raglio che ci sembrò un pianto.

«Dimmi il tuo nome» chiese. «Ora che ti ho visto, ho il diritto di saperlo».

«Gioachino» dissi.

«Gioachino? Può essere il nome di un santo, o di un diavolo. Quale delle due cose hai scelto di essere?»

«Non ho scelto: non mi è stato dato il modo». Tra i seni, appeso a una cordicina d'oro, le pendeva, a mo' di amuleto, un piccolo corno rosso. Si accorse che lo guardavo e non lo nascose.

«Sei sempre stato con lui?» domandò, «In ogni momento della sua vita tu l'hai accompagnato, vero?»

«No. Sono con lui da quando era ragazzo: mi trovò a Roma, quando pensava che suo padre l'avesse cacciato dal feudo per farlo prete. Subito divenne il mio padrone».

«Sei un demonio?»

«Sono suo amico, e fratello, e servo».

«Non ti credo: dove sei tu non c'è gioia. Da te promana una forza che è nera».

«Può essere la stessa forza che promana da voi, Aurelia» risposi. Con i polpastrelli cercò l'amuleto e lo toccò, e io approfittai di quel momento per domandare: «Che cosa preparavate con tanta segretezza qui, nelle cucine, a notte fonda?»

Guardò il succo e il pane, poi disse: «Se sei qui da molto tempo hai veduto tu stesso che cosa ho preparato».

«Ho visto come avete condito il pane, ma non che cosa avete messo nel bicchiere».

«Che cosa credi che sia?» domandò, e si fece forza per non sorridere. Quella forza e quell'atto di nascondimento mi offesero.

«Voi volete che il padrone pasteggi con i fluidi del vostro corpo, Aurelia. Sapete bene che si tratta di stregoneria e che, se verrete scoperta, anzi, quando verrete scoperta sarete punita».

Si rabbuiò, si fece seria in un istante, poi mi lanciò uno sguardo insieme fiero e furibondo. «E sarai tu, misera bestia, a denunciarmi? Tu, che vivi incistato nel corpo e nella mente di colui che chiami il tuo padrone?»

«Non sarò io. Forse non ce ne sarà bisogno: saranno le vostre stesse azioni che riveleranno a tutti che cosa siete diventata» risposi. Dal basso, di nuovo, l'asina mandò il suo verso, e ci sembrò che vi fosse custodita una segreta disperazione. Continuai: «Ditemi: avete raccolto, alcuni giorni fa, il seme del mio padrone in una sacca che tenevate appesa alla cintura. Che ne avete fatto?»

«Dunque tu ci osservi!» urlò.

«Io sono là dove lui è» risposi. «Che ne avete fatto, di quel seme?»

Si mise le mani sul plesso solare, come a bloccare un riflusso violento che l'aveva colta all'improvviso. Dovette sentirsi violata, perché quel tremito, che era di indignazione ma forse anche di paura e che le trillò nel petto, la squassò e la costrinse ad alzarsi e a fare alcuni passi. Andò avanti e indietro per un certo tempo, e la luce della candela me la disse pallida. Si asciugava continuamente le mani sulla gonna, ripetendosi sottovoce delle frasi che non colsi. Infine si decise: «Ne ho preparato un decotto, e l'ho bevuto» confessò, ma sottovoce, e con il tono lamentoso di una bambina. Mise le mani aperte davanti al petto, come a bloccare una mia risposta, e aggiunse: «Niente di ciò che vedi su questo tavolo è stregoneria per come tu la intendi. Niente serve a fare del male al principe». Aveva adesso nella voce qualcosa di fragile e di sottile, e mi colpirono i suoi occhi, che avevano preso quel languore che Carlo, mentendo, mi aveva descritto come l'unica fonte di desiderio che trovava in lei. Aurelia colse la mia esitazione, fece un passo verso di me, e si inginocchiò. Le vedevo la nuca di un biondo ormai invecchiato e, sotto, la forma schiacciata dei seni che premevano sul corpetto e sull'amuleto.

«Questo succo e questo pane intinto nel mio corpo sono degli strumenti d'amore» disse, e sembrava debole. «Credimi, Gioachino: sono pozioni e unguenti che mirano a fare in modo che egli consacri il suo corpo e la sua anima a me e soltanto a me. Egli mi respinge, ormai, mi vuole a singhiozzo, e io so che, presto, si stancherà e mi getterà via: io non voglio che questo accada. Gli farò bere questo succo e assaggiare questo pane: egli tornerà a desiderarmi come fece in quei giorni a Ferrara e negli anni che seguirono fino alla morte del povero Alfonsino».

Sollevò la testa, aveva le guance rosse di chi si vergogna ma, allo stesso tempo, è condotto da una passione che non può fermare; nei suoi grandi occhi neri vidi una lacrima, che le scivolò sul volto e le cadde sul seno che ora, nella concitazione e nell'umiliazione che s'era imposta, si sollevava e s'abbassava, si sollevava e s'abbassava. Mi feci vicino, adesso le nostre teste quasi si toccavano poiché lei continuava a stare in ginocchio.

«È per amore che io mi danno, Gioachino» mormorò. Mi prese i polsi con le sue mani bianche e grandi, e per un attimo li tenne così, sospesi e immobili sopra i seni che si agitavano come due cuccioli.

Da lontano venne ancora il raglio dell'asina, e quel suono ci straziò, ma straziandoci mise una soglia, oltre la quale lei volle andare benché, forse, sapesse che non sarebbe più tornata indietro.

Ho scritto a Mr Watkins una lunga e ingenua lettera in cui meno il can per l'aia, e intanto gli racconto le circostanze assolutamente straordinarie nelle quali sono venuto in possesso di questo scritto. Rileggendo la minuta, stento io stesso a credere a quanto ho scritto. Soprattutto, stento a credere di essere io la persona che ha composto la lettera: tutto sembra figlio di una fantasia, e il risultato è una sequela di stupidaggini e di sogni in cui racconto molto più di quanto vorrei e tratto il destinatario come se io e lui fossimo, nel nome di Gesualdo, dei fratelli che si devono delle confidenze. Scopro sulla mia pelle, dunque, che a quasi ottant'anni un uomo non solo può scoprire di avere un padre, ma anche di essere inconsapevole e candido come un bambino. Ma tant'è. La minuta è qui, la lettera è ormai spedita.

Nel frattempo, ho spezzato «Asciugate i begli occhi». Sono i due minuti più lunghi della mia carriera di compositore: ma adesso posso dire che si tratta a tutti gli effetti di un'opera di Stravinsky. È un movimento per archi, legni e ottoni: comincia come un pezzo di Gesualdo, continua e finisce come se all'improvviso il principe fosse stato catapultato in questo secolo. Componendo, mi sono sorpreso a domandarmi che cosa penserebbe Carlo se potesse ascoltare anche un solo minuto di questo suo madrigale fatto salire sul vapore della modernità: lo amerebbe? Ma soprattutto: lo riconoscerebbe come suo? Suoniamo strumenti talmente diversi, per qualità e suono, da quelli che si usavano anche solo due secoli fa, che mi viene da chiedermi se un musicista secentesco, o settecentesco, riconoscerebbe come musica quei suoni che oggi proponiamo (e non provo nemmeno ad alludere alla musica seriale!), se capirebbe non tanto la bellezza, quanto la necessità delle variazioni, dei ritardi e delle dissonanze che ho dovuto inserire nella parte ritmica e nel timbro affinché «Asciugate i begli occhi» potesse diventare un'opera novecentesca. Credo questo: Carlo era un musicista sufficientemente radicale per poter comprendere i nuovi suoni; allo stesso tempo, era sufficientemente principe per storcere il naso da vanti a questo omaggio fatto da lontano. Ma non si compone per far piacere a qualcuno: questo lo sapeva bene anche lui.

«Ma tu cagion di quella» sarà invece una questione di legni: avrà per così dire meno solennità del primo madrigale, e anche meno variazioni. È un momento di riposo, concepito affinché l'orecchio si prepari al suono concertante dell'ultimo madrigale.

7 settembre, sabato

Carlo sedeva al buio delle tende, teneva le mani ferme sulle ginocchia e sembrava non guardare nulla. Mi feci vicino e mi sembrò più magro, perché la penombra in cui si era rintanato gli scavava la faccia. Non gli domandai nulla, perché non volevo che egli domandasse qualcosa a me. Così mi sedetti di fronte a lui, e solo dopo molto silenzio sentii provenire dalla sua parte una voce fioca, bianca, con la quale mi ordinava di avvicinarmi. L'uno di fronte all'altro, io in piedi ed egli seduto, eravamo quasi alti uguali, ed era la seconda volta, per me, che guardavo qualcuno direttamente negli occhi; ma i suoi erano così diversi da quelli disperati e fondi di donna Aurelia: si spaccavano in decine di venature rosse, e si erano fatti piccoli perché la pelle che li circondava era tirata e dura; uscivano, quasi, dalle orbite, e osservandoli si capiva la fatica che egli faceva per tenerli aperti e guardare. Non disse nulla (forse si era vergognato, sentendola, di quella sua voce fattasi sottile), ma mi cinse la testa con le sue lunghe mani di musico: mi afferrò proprio la fronte, con i pollici premuti sopra le mie arcate sopraccigliari e le altre dita che m'imprigionavano la nuca e le orecchie. Strinse con quanta forza la sua debolezza gli consentiva, premendomi sul cranio come se lo volesse spaccare e volesse entrare dentro il mio cervello. Opposi una resistenza immobile irrigidendo il collo, e pensai che quel piccolo supplizio sarebbe durato poco. Non fu così: egli mi cinse e mi strinse tanto a lungo che a un certo punto non seppi più trattenermi, lasciai partire un verso, e feci un passo indietro per sottrarmi; ma egli strinse ancora più forte, mi tirò vicino mentre dai miei capelli adesso uscivano gocce di sudore. Disse, ma piano, quasi con tenerezza:

«Non ti allontanare, Gioachino».

Sistemò meglio i pollici sulla mia fronte, e per farlo allentò la presa per un secondo in cui mi parve di ricevere una grazia. Ma poi riprese, e disse: «È qui, è in questo punto della mia testa. Lo senti? Da qui viene un dolore che non si placa e che mi tormenta. Che cosa c'è, Gioachino, in questo punto della nostra testa? Chi vi dorme, anzi, chi si è svegliato e mi batte dall'interno? Provo un dolore così forte e continuo che mi fa desiderare di far soffrire un altro essere umano colpendolo precisamente nel medesimo punto della fronte».

Rimasi immobile come aveva ordinato, ma dissi: «Principe, farmi del male non vi farà passare il dolore che provate: esso non si può trasferire su qualcun altro. Si può passare, al massimo, un dolore dell'anima, ma i dolori del corpo sono troppo privati per essere condivisi».

«Invece, sciocco, sento che attraverso le mie braccia un po' di questo dolore si trasferisce a te. Tu sudi schifosamente, e vuoi scappare lontano: ma il mio dolore ti raggiunge. Chiudi gli occhi, lasciati prendere».

Li chiusi, presi un respiro lungo e profondo, e rimasi dov'ero, anzi: mi avvicinai di un passo al padrone mio. Infine mi liberò. Quando tolse le mani dalla mia testa io, per un attimo, barcollai come se mi avessero slegato da un palo contro il quale avevo finito per adagiarmi.

«Vattene, ora» disse. «Non ho bisogno di te. Lascia le tende chiuse e non tornare fino a sera».

Dal centro della mia fronte, adesso, si irradiava un fastidio che mi avvolgeva il cranio come se il dolore possedesse delle zampe di ragno. Mi asciugai i capelli con la manica e feci per ubbidire, ma mi richiamò.

«Porta via le cose che vedi là sopra, sul settimino».

Arrivavo a fatica in cima al mobile, e solo mettendomi in punta di piedi e allungandomi tutto. Ma non feci cadere il vassoio che egli aveva appoggiato. Vi trovai il poculo con il succo di mirtillo e il pane di fessa: Carlo ne aveva mangiato e bevuto, ma non li aveva finiti. Uscii dalla stanza e mi fermai al di là della soglia. Nessuno passava a quell'ora per i corridoi: così presi il pane e lo portai alla bocca; aveva un sapore diverso rispetto a quello che avevo sentito durante la notte. Aurelia l'aveva drogato e reso quasi gradevole con certe spezie. Ne mangiai un boccone e lo rimisi sul vassoio. Volli bere allora il succo: ma Aurelia aveva corrotto anch'esso aggiungendovi del vino di Taurasi.

Per molti giorni Carlo mi volle nella sua camera e mi schiacciò la testa. Staibano andava e veniva anche di notte, chiamato dal principe: dava diete, purghe, praticava salassi. Era tornata l'atonia intestinale, e il mal di testa in certi momenti gli faceva stringere talmente forte il cranio mio da farmi pensare che il cervello mi sarebbe zampillato dalle orecchie e dal naso. Ma il mio cervello rimase dov'era, così come il dolore di Carlo e il suo rammollimento: egli non componeva, non andava a caccia, delegava all'Adinolfo certe questioni del feudo e non si interessava a Leonora, che languiva, isterica come un'asina, nella sua ala del castello. Don Michele Neri si era ripresentato a Gesualdo, e scriveva a Modena lettere imploranti ma ferme, in cui scongiurava Cesare di riprendersi la sorella, perché, diceva, era affetta da «una specie di malinconia detta dai medici minarchia ipocondriaca, come da mestizia, pianto, dolori di stomaco, inappetenza, veglia, e un'intemperie calda del fegato che la brucia». E anche: «A vedere la roba che le esce dallo stomaco è un languore e quel poco che mangia, che è niente, tutto si converte in cattivo umore». Si fecero venire per la principessa consorte medici da Napoli a cinquanta scudi al giorno, e fu chiamato perfino padre Mastrillo, che riprendeva così contatto con la nostra famiglia dopo molti anni in cui era andato sviluppando, così si diceva a Napoli, la capacità di scacciare il demonio dai corpi. Carlo acconsentì a farlo venire a Gesualdo a patto di non doverlo incontrare. Rimase chiuso nello zembalo per due giorni e due notti, mentre quello riempiva l'ala di Leonora di fumi e incensi, e pregava fino a rovinarsi la lingua.

Così, un certo traffico di preti e medici congestionava il castello. Ma c'erano un ordine e una logica: chi veniva da fuori era per Leonora, mentre l'Adinolfo e Staibano erano per Carlo. Aurelia si districava dentro questo traffico, badando soprattutto a evitare Mastrillo e Staibano: il primo perché esorcista, il secondo perché medico di Carlo. Arrivava con i suoi preparati contraffatti da vino e spezie quando era certa che il principe fosse solo: entrava piano, mi cercava e mi trovava ma tirava dritto, andava da Carlo.

«Queste mie cure, principe, vi aiuteranno» diceva. «Staibano può soltanto pulirvi il corpo dai vostri mali; io vi posso dare vigore. Fidatevi come vi fidaste a Ferrara».

Carlo, intontito dai suoi mali ma forse anche indifferente, trangugiava i succhi e masticava il pane di fessa. A volte Aurelia gli si sdraiava accanto, lo coccolava e coccolandolo mi cercava dietro il paravento, senza più provar vergogna per la mia presenza: Guarda che cosa faremo ora, mi diceva il suo sguardo, Guarda pure: egli è tornato mio, non mi caccia più e nemmeno mi prende di malavoglia.

Craft mi ha portato una foto, vecchia di tre anni, in cui io e lui siamo ritratti seduti a un tavolino della terrazza dell'Hotel Bauer Grunwald di Venezia. Alle nostre spalle, la cupola di Santa Maria della Salute e Punta della Dogana. Stiamo discutendo di qualcosa che si trova scritto sopra dei larghi fogli, e io, tenendo in mano gli occhiali, indico un punto preciso di quella che, con ogni probabilità, è la partitura annotata del «Canticum Sacrum». Alla mia destra, Alessandro Piovesan tiene tra le dita una sigaretta spenta e ascolta con attenzione. Mi ero fatto cambiare camera, perché quella che mi avevano assegnato dava sul Canal Grande e, la mattina presto, il rumore delle barche e dei battelli che vi transitavano mi disturbava il sonno. Non ricordo chi ci abbia scattato quella foto. Forse Vera. Siamo tutti e tre molto eleganti. Craft ha scritto al Festival di Musica Contemporanea che anche quest'anno tornerò volentieri a Venezia (è ormai l'appuntamento fisso di tutti i miei settembri ed è qualcosa che, dalla fine della primavera, aspetto quasi con trepidazione): ha però annunciato che la condizione perché io diriga qualcosa in città è che mi consentano di suonare il mio monumento a Gesualdo.

Ma Carlo non migliorava, o migliorava poco: il suo umor nero, la sua controvoglia si erano fatti duri, difficili da estirpare. Staibano controllava quotidianamente il bugliolo, e quotidianamente interrogava il principe sui suoi dolori. Poi prendeva da una tasca i suoi strumenti, chiedeva a Carlo di distendere il braccio sopra un cuscino, e praticava una piccola incisione. Diceva: «Vedete? Il vostro sangue è ancora molto scuro, ma già vi si notano dei piccoli bagliori, uno scolorimento rispetto alla scorsa volta:

questo è molto positivo, Eccellenza, poiché dice che i vostri umori neri vi stanno finalmente abbandonando».

Una mattina, mentre ripeteva questa sua frase senza che Carlo quasi lo stesse a sentire, Staibano si voltò e vide, sul settimino, il vassoio che quella notte ci eravamo dimenticati di portar via: vi poggiavano una mezza fetta di pane di fessa e il poculo, che durante la notte Carlo aveva finito di vuotare. Aurelia era stata da noi, l'aveva nutrito e solo con le prime luci dell'alba era scivolata fuori dal letto ed era tornata nelle sue stanze.

«Che cosa tenete, principe» chiese Staibano, «sopra quel vassoio?»

Egli stava facendo sgorgare le ultime gocce di sangue fuori dal braccio di Carlo e non poteva muoversi; il principe, da par suo, era stravaccato in poltrona, con il braccio in offerta e gli occhi chiusi: non rispose. Si lasciava curare da Staibano mettendosi in uno stato di abbandono, e accadeva a volte che, durante i salassi, si addormentasse o cadesse in una sorta di rapimento che lo inebetiva. Si riprendeva soltanto quando il medico, finita la cura, lo medicava. Staibano fece cenno a Castelvetro, che vegliava in piedi, di prendere il vassoio e di portarglielo. Mise poi via i suoi strumenti, prese un panno imbevuto d'acqua fredda e aceto e vi avvolse il braccio di Carlo, premendo coi pollici sul punto dove aveva praticato il taglio. A quel piccolo bruciore, Carlo aprì gli occhi, ma era ancora perduto nel suo incantamento sanitario, così ci fu il tempo, per Staibano, di mettere gli occhi sul pane e sul vino che Castelvetro gli porgeva.

«Che roba è questa?» disse il medico, chinandosi per quanto poteva verso gli intrugli di Aurelia. Annusò il pane di fessa, e non ci capì: le spezie coprivano l'odore di donna; ma poi guardò dentro il bicchiere: ne veniva un olezzo di vino, ma anche d'altro, e fu la consistenza di quel liquido a mandarlo in allarme. Sbrogliò il braccio ferito del padrone mio, lo tamponò, cominciò ad avvolgerlo in una garza su cui subito comparve una piccola macchia rossa. Carlo si era ormai riscosso, vide subito il vassoio vicino al naso del medico e gli mise addosso uno sguardo animale.

«Di cosa vi nutrite?» domandò Staibano. «Queste non sono cose che fanno parte della vostra dieta per come ve l'ho prescritta». Aveva il tono perentorio con cui, in più di un'occasione, si era rivolto a me.

Carlo taceva ancora, mentre il medico finiva la medicazione e chiedeva a Castelvetro di correre a chiamare l'Adinolfo.

«Principe, ditemi da dove vengono questi intrugli che vi trovo in camera» insisté. «Chi ve li procura?»

La porta si aprì, e dietro Castelvetro veniva di corsa l'Adinolfo, messo in allarme dalla fretta con cui era stato mandato a chiamare. Vide subito che il principe era cosciente e rallentò il passo. Si avvicinò, notò subito il vassoio e tacque.

«Egli non parlerà ancora per un minuto» disse Staibano riferendosi a Carlo. Allungò il vassoio e lo porse all'abate segretario. «Si nutre di questo» disse.

All'Adinolfo bastò un'occhiata per capire. Con una mano allontanò il pane di fessa e il bicchiere e si segnò. Poi si chinò verso Carlo che lo guardava, e sulla cui fronte cominciava a comparire l'ombra nera di un'angoscia.

«Principe» domandò l'Adinolfo, ma con dolcezza, «chi vi manda questi poculi amatori e questi intrugli? Sapete di cosa si tratta?»

Carlo mi cercò dentro la stanza, ma io me ne stavo in disparte affinché Staibano, abituato a mettere il naso nell'altrove, non mi notasse.

«Guardatemi, Carlo» disse ancora l'Adinolfo, prendendosi la confidenza del nome proprio. «Chiunque vi ha mandato questo pane e questo vino vuole il vostro male: sono pozioni stregonesche, che maledicono e portano alla morte chi ne fa uso. Svegliatevi, rispondete. Chi ve li prepara? Chi ve li fa inghiottire?»

Staibano aveva terminato la medicazione, e lasciò libero il braccio di Carlo. Questi se lo portò alla fronte, si diede uno schiaffo, ma leggero, poi guardò il medico e il prete come se venisse da un altro mondo, un mondo in cui regna l'innocenza. Aprì lentamente le labbra, chiese a poca voce dell'acqua e poi, avendo bevuto, disse ciò che tutti già sapevano: «Lei».

Quello stesso giorno donna Aurelia e Polisandra Pezzella venivano condotte nelle cantine, dove da sempre esiste una stanza piccola e umida in cui nessuno, prima di loro, era stato mai condotto. Le scortarono alcuni armigeri, e l'Adinolfo, e Staibano, che conosceva l'arte di mettere qualcuno alla corda, perché l'aveva provata su di me durante gli anni in cui si credeva che le mie braccia e le mie gambe avessero un difetto che poteva essere corretto con la trazione e con il dolore. Il trattamento fu breve per entrambe: l'una, del resto, era una vecchia, e l'altra era soltanto una dama. Confessarono di aver preparato il pane e il succo, e di aver fatto su Carlo alcune fatture che miravano a lasciarlo tra le braccia di Aurelia. Polisandra, tra lamenti che quasi le morirono la voce e le levarono l'albagia che aveva mostrato qualche anno prima, durante la debole inchiesta cui era stata sottoposta, negò che queste sue stregonerie avrebbero potuto portare Carlo alla morte, ma esitò un po' troppo a lungo quando l'Adinolfo le domandò se fossero alla base dell'indisposizione del principe. Furono rinchiuse insieme, e molto ci volle perché Polisandra riuscisse ad attraversare il budello: la sua schiena, diceva, non le permetteva di abbassarsi, e le slogature della corda l'avevano stortata per sempre. Una guardia volle spingerla, e rischiò di farla cadere, così l'Adinolfo lo fermò, dicendo con voce bassa, ma che la vecchia janara senza dubbio distinse, che non bisognava mettere fretta a chi compie un viaggio da cui con ogni probabilità non tornerà indietro. Aurelia, invece, si chinò con la dignità e la fierezza di una nobildonna e, prima di gattonare dentro la cella, benché anche lei avesse il volto segnato dal dolore che aveva provato alla corda, volle voltarsi e guardarci tutti: teneva sulla bocca qualcosa da dire, ma mi vide nell'ombra che aspettavo, e la inghiottì.

Stravolto da tutto quell'andirivieni di persone, dalle urla delle due fattucchiere che erano filtrate dalla camera della corda e, forse, dalla sua atavica fame, Ignazio accompagnò quella giornata con ululati acutissimi che mi fecero molli le gambe, e per tutto il tempo dell'interrogatorio e della messa in clausura della strega e della sua apprendista, io ascoltai, più che le parole delle due donne, il tintinnio del suo campanello, che disperatamente batteva contro l'osso e contro le pareti della cripta.

Pochi giorni dopo questi fatti venne, sul tema di una nenia per bambini, un canto sciocco che all'inizio mi sembrò lontano:

Gioachino apri questa porta
E lascia uscir la vecchia torta

E poi, ancora, ma con un'altra voce, più vicina e più femmina:

Libera la dama dal budello
Ne avrai sollazzo per l'uccello

Così mi tentavano, da dentro quella loro cella che condividevano, ogni volta che capivano, forse per via della luce della fiaccola che passava nell'anticamera e filtrava sotto la loro porta, o semplicemente perché erano streghe e dunque mi percepivano, che io ero sceso nelle cantine. Per arrivare alla cripta di Ignazio, dovevo passare accanto alla piccola porta chiodata che le serrava nel loro budello. Ma fin da sopra la scala le sentivo agitarsi dentro la cella: forse Aurelia, che era giovane, capendo che arrivavo si infilava nel tubo di pietra umida e appoggiava l'orecchio al legno, o cercava, nel buio, una fessura da cui indovinarmi. Così io scendevo gli ultimi gradini ed ero atteso, il mio nome veniva scandito dalle due voci e mi mettevo paura: provatevi voi, a scendere in una cantina con in mano una sola piccola fiaccola e un secchio di frattaglie e sentire la voce debole ma insistente di due condannate che chiamano il vostro nome. Passavo davanti alla loro porta e *Gioachino!, Gioachino!*, sentivo; illuminavo il chiavistello, la barra, e rimanevo immobile, pieno di presagi, ad ascoltare il suono del mio nome. Non parlavo, ma il mio respiro e la luce del mio fuoco mi rivelavano: esse sapevano che io ero là, al di là della soglia, in attesa. *Gioachino!*, ripetevano, e per i primi giorni non dissero nient'altro. In fondo, nella parte più buia dei sotterranei, anche Ignazio mi sentiva: me lo diceva il suo campanello. Così io, solo, mi trovavo in balia di suoni che mi terrorizzavano e mi mettevano una fretta nelle gambe. Quattro anni durò questa commedia, ma non rimase sempre uguale: da subito, anzi, Aurelia e Polisandra s'inventarono rime, e filastrocche, e finte nenie per irretirmi e farmi parlare:

Al voler tuo sarò sommessa
Ne avrai in premio molta fessa

Per te buona è la magia
Perché tua è l'anima mia

Queste sono alcune delle rime, sciocche e mal composte, che mi ricordo. In certi casi, sono certo di aver sentito le due donne perfino ridere mentre le recitavano, come se la loro prigionia fosse un gioco, e fosse un gioco l'implorazione che, benché nascosta dentro questi scherzi, ogni tanto la loro voce, soprattutto la voce di donna Aurelia, tradiva. Impazzivano, forse, sotto la volta bassa e nera del loro carcere, e quel loro impazzimento non era né l'isteria di donna Leonora né l'umore blando di don Carlo: era un riso che le travolgeva, le regrediva fino a farle bambine, le metteva fuor di ragione. Correvo da Ignazio, gli buttavo il secchio con il bastone e lo riprendevo senza nemmeno controllare se avesse finito il suo pasto. Poi correvo di nuovo, salivo le scale senza preoccuparmi di fare rumore, prendevo la via delle cucine e, da lì, mi buttavo nel giardino meridionale, dove l'aria, fredda o calda che fosse, carica di sole o di pioggia, mi liberava dalla paura e dalla suggestione.

Non so dire se si accorsero di Ignazio fin dai primi giorni: di certo dovettero chiedersi perché io scendessi di continuo là sotto. O forse donna Leonora, nei tempi in cui era in salute, si era confidata con Aurelia, e le aveva raccontato delle discese nelle cantine di cui accusava il principe suo marito anziché me. Ma una mattina, scendendo, non le sentii: non mi chiamavano e non avevano rime né risa. Procedetti davanti alla loro cella con passo leggero, tenendo la fiaccola nella mano lontana dalla porta. Anche Ignazio era tranquillo: forse, non sentendo le loro voci, era rimasto accucciato. Per la prima volta dopo molto tempo, lasciai che il figlio che non volemmo vuotasse la secchia senza fretta. Ma poi tornai, dovetti ripassare davanti alle due donne, e fu la voce di Aurelia quella che sentii: mi chiamò, ma il tono del richiamo era diverso rispetto al solito. Non rideva, non faceva rime oscene né storte: sembrava l'Aurelia dei primi anni, con la grazia mariana che ci aveva fatti innamorare e una calma dentro la voce che la diceva saggia.

«Gioachino» disse, «Gioachino ti sento: so che sei lì. Avvicinati, Gioachino, mettiti accanto alla porta e stammi ad ascoltare».

La luce della torcia le disse che le ubbidivo. Mi appoggiai al muro, che era bagnato e m'impregnò la camicia; posai la secchia nettata e rimasi in ascolto, con il fuoco tra le mani: guardavo dentro il buio del sotterraneo e lo sciacquio dell'acqua di pozzo che qualcuno, dalla corte, prelevava, fu per qualche secondo l'unico suono che riempì quel vuoto.

«Ora è calmo» cominciò Aurelia, «ma tutta la notte si è agitato e ci ha tenute sveglie: tirava la catena e faceva suonare un campanello».

Non risposi, ma lei sapeva che ascoltavo.

«Ogni volta che sente la voce di Polisandra Egli si esaspera, batte contro i muri e, siamo certe, si ferisce. Io non lo sentivo, non ho sentito nulla per molti giorni – che forse, qua sotto, sono settimane o mesi. Ma poi Polisandra me l'ha fatto conoscere, mi ha spiegato come posso sentire quell'essere che si muove e si agita non lontano da qui». Si fermò, non mi sentiva e le venne il dubbio che l'avessi lasciata sola con la fiaccola. «Muovi la fiamma» disse, «se non mi vuoi parlare. Almeno saprò che ci sei».

Sollevai il braccio, la luce si spostò e le disse che ero rimasto.

«Chi è quell'essere, Gioachino? E soprattutto: esiste? Esiste nella carne come io esisto o è qualcosa d'altro che sta dentro questa specie di incubo che tutti noi stiamo sognando?»

Di nuovo mossi la luce: avevo deciso che non le avrei parlato e non parlai.

«Io devo sapere, Gioachino: non è peccato rivolgere la parola a chi per una notte ti è stata amica» disse. Ostinatamente tacqui e pensai che sì, invece, era peccato. In lontananza venne, ma leggero leggero, il ronfo di Polisandra: Ignazio l'aveva tenuta sveglia durante la notte, e ora riposava.

«Polisandra dorme, Gioachino» ricominciò. «Fatti vicino: ho da dirti una cosa che posso soltanto sussurrare».

Mi mossi, mi appoggiai alla porta che non scricchiolò, così lei non fu sicura che fossi davvero attaccato all'altra parte del legno.

«Se il tuo orecchio è contro la porta» disse allora, «bussa, ma leggero, sul legno e io lo capirò».

Bussai: ero lì e le avrei dato ascolto. Mi parlò piano, sottovoce, e non capii tutto ciò che mi diceva, ma capii che voleva mettermi un avviso nell'orecchio: «Polisandra dice che non sa chi sia quella creatura che si dibatte e ci tiene sveglie; non sa nemmeno se sia umana o no: per scoprirlo, dovrebbe vederla, ma sa che è impossibile. Però, Gioachino, ascolta: dice che è una creatura portatrice di lutto, che è nata nella morte e vissuta nella tenebra» sussurrava adesso, soffiava piano le parole fuori di bocca. «Io non so che cosa questo possa significare, ma ella è una strega, e la sento che ride e si bea quando quella cosa che tieni prigioniera qui sotto va fuori di sé e si fa violenta, e si picchia, e fa versi d'animale. Guardati da quella creatura, Gioachino, perché ciò che fa felice una strega non è buono per gli uomini».

Quando Aurelia concluse il suo avvertimento, ribussai piano sul legno – ed era il mio modo di salutarla e forse di ringraziarla. Me ne tornai su per le scale, lasciandola nel suo buio con Polisandra che russava e Ignazio che forse si leccava via dalle mani i rimasugli di cibo e sangue che aveva ingerito. Finsi di dimenticare l'ammonimento di Aurelia, anzi: volli metterlo nell'oblio, perché l'avviso di una strega vale quasi una maledizione. Me ne ricordo ora, che ho altre paure e che né la dama di Ferrara né la janara mi possono più fare male: vi ho pensato spesso in questi giorni di fine, mentre osservavo traballare i cardini della porta che chiude Ignazio e sento in lui, folle di digiuno e per questo famelico e forte, una ferocia e una volontà che non gli ho conosciuto mai. Da molti anni Aurelia e Polisandra non occupano più quella cella, e nessun'altra: le trovammo immobili sulla pietra un mattino, dopo una notte della metà di maggio del 1607 in cui la luce tonda della luna aveva illuminato Gesualdo quasi a giorno, e la voce di Ignazio mi aveva esacerbato togliendomi il sonno. Le due donne erano rimaste in silenzio, come se per loro quella fosse una notte normale: e invece vi erano morte, forse nello stesso momento, senza sussulti. Mi sono chiesto, e mi chiedo, se avevano trovato il modo di prepararsi un veleno estraendo succhi mortali dal companatico che i servi portavano loro, o se la magia di Polisandra era in grado di dare la morte quando essa lo voleva. Furono condotte lontano, in una terra non consacrata sulle rive della Mefite, dove le bolle roventi del lago le consumarono in poche ore.

Mi pare però a volte, ancora oggi, quando scendo e resto fermo sulle scale ad ascoltare tutto il dolore e la rabbia e la fame di Ignazio, di sentire un bisbiglio venire dal budello dove Aurelia, quel giorno, stava chinata e a suo modo mi voleva bene da dietro la porta; ma la porta è spalancata, il budello conduce dentro una cella dove, da sei anni, nessuno abita più, e questo bisbiglio che sento non è che suggestione, una malia che mi prende e che mi fa buttare la luce sulla gola aperta della cella come se, all'improvviso, due coppie di mani con artigli e due rostri potessero all'improvviso uscire da lì e ghermirmi, maledicendomi e trascinandomi dentro quel buco nero per sempre.

Così perdo tempo, per un momento mi dimentico di Ignazio, di quella bestia confusa e forsennata che mi è parente e di cui ho paura, sì, ho paura: ho paura se esiste e io esisto, perché mi può far del male, e me lo farà, e sarà perfino giusto, poiché dopotutto, se è vero che per tutti questi lunghissimi anni gli sono stato madre e padre, sono stato per lui anche il più crudele dei carcerieri, colui che non gli ha fatto vedere mai la luce, che non gli ha rivolto mai la parola e che l'ha toccato soltanto per esplorarlo quando dormiva, inebetito dai fumi di Staibano. Sono, ai suoi occhi mezzi ciechi, tutto il mondo: lo sono nel poco bene e nel molto male.

Scendo ancora un gradino, ne manca soltanto uno perché raggiunga il pavimento. C'è nell'aria una fibra nuova, un movimento di corpuscoli e di materia, una vibrazione che viene da un suono e da un moto, e all'improvviso capisco. Sollevo il braccio con la fiaccola come per compiere ancora una volta questo rituale sciocco, butto la luce dentro l'atrio delle cantine. Ecco: tutte le porte sono aperte, quella delle streghe e, in fondo, quella di Ignazio, che finalmente, in qualche punto della notte, è riuscito a scardinare il chiavistello e perfino a sradicare un chiodo dal muro. È fuori, è qui. Lo cerco, è cieco e forse non mi ha ancora visto, ma con la gamba breve comincio a salire un gradino, e poi un altro, mettendo in ombra porzioni sempre più larghe di pavimento. Eccolo: è ancora lontano, mi dà le spalle; è in ginocchio, con il petto contro una parete che non gli appartiene, e perciò non la riconosce. Tiene le braccia aperte lungo il muro, come un Cristo crocifisso ma grottesco, muove le mani e cerca una confidenza con queste superfici nuove. La luce arriva male fino a lui, mi permette soltanto di intuire i suoi movimenti, e senza dubbio non lo riscalda, non mi tradisce. Salgo di un altro gradino, ora non lo vedo, lo indovino mentre, appiccicato al muro, prova ad alzarsi sulle gambe, fa un passo di lato, ruota la testa su cui, forse, c'è una macchia nera che è una crosta:

Egli si è liberato dal budello a colpi di unghie, e denti, e cranio, e ne porta i segni. Sta camminando sulle ginocchia, non si stacca dal muro perché non si sente sicuro, ma è evidente che cammina, percorre il perimetro di questo antro aggrappandosi con tutti gli arti alle pareti. Forse ha intuito la mia luce, o il movimento che il fuoco fa mentre io lentamente risalgo, mi allontano da lui. Finalmente si solleva, è un movimento buffo che fa risuonare il campanello per la prima volta e lo mette in piedi, magro e sporco. Rimane fermo alcuni minuti, ha capito che non è più in ginocchio: fa un verso che, forse, nel suo linguaggio è una risata o un moto di soddisfazione, ma che nel mio è un lamento animale, un fischio deforme che mi gela; non si stacca dal muro, prova prima un piede poi l'altro, fa alcuni passi di lato, si avvicina, salgo ancora un po'. All'improvviso si volta, butta i suoi occhi ciechi nella mia direzione, abbasso di colpo la fiaccola, anche se so che il movimento della luce gli dirà che c'è qualcuno, qui sotto, con lui. Poi rialzo subito il braccio: nel buio, Egli ha mugolato, e questo suono me lo sono sentito vicino, addosso. Era di nuovo una malia, un incantamento, ma nella mia agitazione ho emesso un piccolo grido trattenuto che l'ha messo in allarme. Adesso guarda nella mia direzione, capisce che c'è qualcuno, mi intuisce, mi sa. Fa altri passi contro il muro, non siamo più così lontani, il mio verso imbecille gli ha dato una direzione, una meta. Ignazio, va tutto bene, sono io, vorrei dire, ma non va tutto bene, la gamba breve mi cede sotto il peso della paura che m'è presa, e non c'è ritorno da questa liberazione che è avvenuta oggi qui, nelle cantine. Così salgo ancora, sono vicino alla porta, e per vedere dove si trova Ignazio devo chinarmi un po', e abbassare la torcia fino ai piedi. Il fuoco mi scalda la faccia, mi brucia un po' le ciglia, Ignazio adesso è più sicuro, sta sempre aggrappato al muro ma ha fatto in un solo colpo quei cinque o sei passi che l'hanno portato a ridosso della scala. Non è più tempo, per me, di stare qua sotto a osservarlo, apro la porta con delicatezza, con attenzione, metto un piede al piano delle cucine, rimango sulla soglia e lo cerco. Dov'è? Eccolo: ha abbandonato il muro, ha trovato le scale, tasta il primo e il secondo gradino con le mani, si abbassa, annusa l'ultimo odore che vi si è depositato – il mio. Poi solleva la testa e punta gli occhi ciechi dritti nel fuoco. Ci guardiamo, io vedo lui, lui non vede me: mi indovina però. Sulle scale, può andare a quattro zampe, che è il modo di andare che meglio conosce: lo capisce in fretta, e il campanello che trilla impazzito mi dice che in un attimo è in cima alla scala, attratto dal fuoco e dal mio odore. Ma io ho chiuso la porta, sono dentro al castello: lo sento che batte contro lo stipite, si fa male perché non se l'aspettava. Ho guadagnato del tempo, poco, con la torcia ancora tra le mani mi metto a correre più veloce che posso, ma è tutto una zoppia e un mancamento questo mio fuggire, e la fiamma continua a bruciarmi le ciglia perché si prende l'aria della corsa che la muove impazzita, ma non importa, sento Ignazio, che ormai è un esperto di porte, che batte contro la serratura giù da basso, mi infilo nel caracò che porta al teatro che da troppo tempo non usiamo, Ignazio batte, io corro, arranco, attraverso la platea vuota come una cella e mi butto contro la porta dello zembalo, da cui adesso non escono suoni ma soltanto l'odore marcio di questi ultimi giorni. Busso, chiamo il principe Carlo che forse non mi sente ma che so vivo, se sono vivo io è vivo anche lui, busso, imploro, poi decido di non attendere che una voce da dentro venga a darmi il permesso e faccio la cosa più semplice, quella che non ho mai osato fare in queste giornate di veglia e appostamenti: abbasso la maniglia, un principe non ha bisogno di chiudersi a chiave se non vuole vedere nessuno, la porta si apre, mi butta addosso l'odore ignobile di questi venti giorni di fine, è ormai l'alba dell'8 settembre 1613, sono di nuovo al cospetto del principe mio, con la fiaccola ancora accesa tra le mani, sono dove ho passato tutta la vita mia, o quasi tutta, o i suoi momenti più sublimi e più terribili, "Eccomi" dico, "ce l'ho fatta, principe, sono qui, sono finalmente tornato qui accanto a voi per non lasciarvi più da solo, mai più, mai più".

Parte terza

Musica reservata

8 settembre, sempre

«Spegni quel fuoco, Gioachino: m'acceca» risponde, ma piano, una voce che sembra provenire da un mondo che mi è ignoto e mi spaventa, ma dentro il quale m'accuccio come la piccola bestia che sono stato e non sarò. Lo zembalo si riempie del fumo che io, insieme al fuoco, porto, e questo fuoco e questo fumo, con il loro odore e la loro purezza, bonificano l'aria, che è di resina e appiccica come il succo delle bacche di vischio. Intorno: cataste di rifiuti, sporcizia, carte da musica appallottolate e gettate lontano senza riguardo, scritte e poi cancellate, strappate, riprese e ripensate e poi buttate di nuovo, libri squadernati, inchiostrati; fazzoletti, stracci fatti da camicie ingombri di sangue e muco, vesti buttate sui divani a nascondere, forse, altre vergogne meno nominabili e pure da mettere in conto; sull'angolo, vicino al leggio, un lichene si è formato per via della poca areazione e si spalma sulla parete prendendo la forma di una schiena di rana, ma l'animale non gracida e non respira: sta soltanto fermo come un monito, forse una metafora; delle calze smesse, abbandonate sui tappeti; su un tavolo, un vaso sbreccato, da cui l'acqua di un fiore morto ha finito di colare e ha messo muffa sulla tovaglia bianca, che ora sembra un enorme pezzo di formaggio privo di volume; alcuni bicchieri rotti, altri capovolti; e poi, per terra, per tutta la terra a disposizione strumenti rovesciati, chitarre prive di corde, liuti presi a calci e dunque con la cassa ora sfondata, ora soltanto offesa, un flauto infilato come una freccia nella tavola armonica del clavicembalo, macchie di colore sulla tappezzeria. Questo, all'inizio, e poi altro: la mia scatola rubata alla celletta e buttata in un angolo; i vetri di una finestra accecati da fogli da musica risparmiati all'olocausto, ma usati come tende; e dunque buio, completo in certi angoli, solo penombra là dove una poca luce riesce a battere, a infilarsi in quella sconnessione modesta ma totale, e a rendere la volta della stanza una sorta di caverna, benedetta dal sole nella parte alta, sprofondata nella notte all'altezza degli occhi; il sacro sandalo del Borromeo, unico oggetto tenuto in cura, tolto dalla teca e posato sul settimino, proprio là dove un tempo stava il vassoio di Aurelia, come a voler mondare il mobile dagli incantamenti; infine l'umanissima, viscida bava che trasuda da un corpo sporco e che tramortisce il respiro, lo fiacca rimpicciolendo quasi la stanza, facendo dell'aria una questione di solidi, un grumo di materia dentro il quale ci si muove a unghiate e dal quale si vorrebbe fuggire come da un'apnea.

Questo, insieme all'implorazione di cui ho detto, mi ha accolto non appena sono entrato nello zembalo. Ne ho fatto un elenco veloce e mal scritto, seduto ai piedi del divanetto del padrone mio, scartocciando il manoscritto di un mottetto che non conosco e scrivendo tra le note. Lo infilerò sotto la scatola, dove tengo gli altri fogli di questa cronaca, non appena sarà tempo. Carlo mi ha parlato dal divanetto, dove giace nascosto sotto un cumulo di coperte che gli fa da sepolcro, ma poi ha taciuto. Mi sono arrampicato da lui, scavalcando liuti e cose in abbandono, e mi sembrava dormisse: me lo diceva il respiro regolare e basso, e gli occhi, che erano chiusi. Sono salito, l'ho guardato, mi sono preso paura: Carlo riposava dentro il volto di un cristo anoressico, con le guance infossate e le labbra sparite dentro la bocca, come se la fame che si era imposto l'avesse portato a inghiottirle; le indovinavo dietro una barba rada eppure lunga, disordinatamente distribuita sotto il naso che si era trasformato in un lungo becco, giallo di pena. Non si raggiungono certi abissi impunemente: da essi so bene che non si ritorna.

«Padrone, padrone» ho detto, «sono qui, sono io».

Si è mosso male, e poco, ha aperto gli occhi e ha detto, con una voce piccola: «E dimmi, hai spento il fuoco?»

«L'ho soffocato col cappuccio».

Si è toccato all'altezza del cuore, muovendo una mano che non sembrava più aver dita, ma corde: «Anch'io lo sto spegnendo» ha detto. E poi, con una forza del tutto imprevedibile: «Ma non ora, non subito: ho delle cose da mostrarti, prima».

Ha provato a sollevare la schiena dal divanetto, ma lo sforzo gli ha portato un attacco di tosse che l'ha stremato e l'ha fatto ricadere tra i cuscini. Adesso arpionava l'aria, spalancando la bocca secca e rantolando. Non sono rimasto a guardare: gli ho appoggiato le mani sulle scapole e l'ho messo seduto. In uno straccio che aveva all'altezza dei piedi ho raccolto un grumo di catarro che, senza avvisare, ha sputato all'improvviso: ma io, ecco, l'avevo già visto rantolare altre volte, e mi sono fatto trovare pronto. Faceva sera (tutto questo accadeva ieri sera, e io mi stupisco nel pensare che è soltanto ventiquattr'ore che mi trovo qui dentro, prigioniero di questo antro e di questi odori). Da fuori, oltre la carta da musica usata come tendaggio, hanno presto cominciato ad arrivare voci. Mi sono alzato, levandomi dal divanetto dove Carlo, dopo l'accesso, era tornato a sdraiarsi e, scollando un angolo basso della carta da musica, ho guardato attraverso i vetri per quanto la mia bassezza mi consentisse: il popolo di Gesualdo, in silenzio e con ordine, si radunava ai piedi del castello. Me lo dicevano decine di piccole aureole di fuoco, sorrette da torce e fiaccole, che facevano di quegli uomini e di quelle donne tante enormi lucciole venute per salutare il loro principe. S'ammassavano sulla salita che porta qui, ma tenevano una distanza rispettosa; tra loro ho visto le pance gonfie di alcuni cappuccini, ma subito mi sono perso guardando per un po' nella valle che ci stava ai piedi, cercando di indovinare la forma di Villamaina e Torella dei Lombardi, e perfino Calitri, che è tanto lontana da qui.

«Che succede, Gioachino? Che cos'è questo brusio che si sente venire?»

Mi sono voltato, ho riappiccicato la carta da musica al vetro e ho detto: «Non è nulla, principe, è solo il vento che si alza». E poi, avvicinandomi: «Vi sentite meglio?»

«Guardami, Gioachino» ha risposto lui, ma con un soffio, «e non mi prendere in giro».

È rimasto in silenzio per un minuto. Io stavo ai piedi del divanetto, come un cane fedele. Ha chiuso gli occhi e li ha riaperti molte volte, ed erano occhi che sembravano appartenere a un secondo volto, sempre suo, ma più interno e più spento.

«Ho freddo» ha detto infine. «Vieni qui con me».

Mi sono arrampicato di nuovo sul divanetto, ho messo il mio corpo contro il suo corpo e così siamo rimasti a lungo, mentre mi pareva che le luci delle fiaccole, giù sulla salita, si moltiplicassero e ci portassero perfino un po' di calore.

«Ricordi, Gioachino, che cosa mi disse Emanuele l'ultima volta che ci incontrammo?»

Lo ricordavo, ma ho mentito: ho detto no.

«Mi ha detto: "Avete ucciso mia madre, l'avete fatto quando ero ancora in fasce. Siete un vile. Non mi avete dato la possibilità di difenderla da voi"». Si è passato la lingua secca sulle labbra: «Sono parole che un figlio può dire al padre?»

«No, principe».

Mi sono fatto più vicino, perché non mi vedesse il volto e non scoprisse che mentivo di nuovo.

«Tutto ciò che io ho avuto intorno è morto» ha proseguito: «è morta la mia prima moglie, e per mano mia, e io l'amavo; la seconda è forse impazzita, dunque è come se fosse morta; è morto il mio primo figlio, e l'ultima parola che gli ho sentito pronunciare è stata d'odio; è morto il secondo e sono morti i parenti di cui mi fidavo; mi hanno visitato streghe, e demoni, e chimisti, e sacerdoti. A dispetto di tutto questo, io avrei voluto soltanto poter cacciare e comporre, Gioachino: cacciare e comporre. Perché non mi è stato concesso, e la mia vita è stata un attraversamento di lutti e maledizioni?»

«È stata la volontà di Dio, padrone».

«Parli come l'Adinolfo, Gioachino, ma tu non sei un prete. Sei un essere deforme, e dovresti comportarti come tale. Perché ti fingi saggio?»

Mi sono voltato, le nostre schiene si sono toccate, i nostri cuori, prigionieri delle loro gabbie, dopo un minuto battevano con lo stesso ritmo.

«Dio mi ha voluto punire per il dolore che ho inflitto: questo penso» ha continuato, ma la sua voce era spenta, molle, e lui, forse reso placido dal mio piccolo palpito, l'ha lasciata dormire.

Così mi sono alzato, ho vagato un po' per lo zembalo.

Di nuovo l'acqua della piscina si è increspata, nonostante ci fosse poco vento. Avevo le finestre aperte, ero sdraiato sul divano della «stanza da musica» e mi riposavo prima di com-

pletare «Ma tu cagion di quella». Si è sentito distintamente (e non può trattarsi di un sogno, dato che non dormivo, né di un'immaginazione, poiché non ero in quel limbo di sensazioni che sta tra la veglia e il sonno, ma ero ben sveglio e ripensavo a un timbro forse troppo audace che avevo impresso tra la dodicesima e la quindicesima battuta del madrigale) uno sciabordio, come se qualcuno, con una certa circospezione, stesse nuotando. Mi sono alzato, mi sono avvicinato alla finestra, ma senza uscire sul terrazzo: pensavo, confesso, che fosse di nuovo venuta a farmi visita la mia amica scimmia, di cui non ho saputo più nulla. Invece in giardino non c'era nessuno: l'acqua era placida, e nessuna creatura vi si muoveva all'interno. Sono uscito, mi sono appoggiato alla balaustra; dal piano di sotto veniva una musica di pianoforte, ma debolmente, perché Craft suona con la sordina per non disturbare il mio lavoro. Ho fumato una sigaretta sentendo salire dagli arti inferiori una leggera inquietudine, un formicolio che non è sintomo di un male che mi prende, ma di uno stato d'animo agitato. Allora sono rientrato, dal mobile bar ho preso un bicchierino del mio scotch e, quando mi sono voltato per guardare di nuovo verso la piscina, ecco, per un istante, un istante solo, ho avuto l'illusione che la sagoma di uomo, un essere alto e dinoccolato, passeggiasse lungo il bordo della vasca e guardasse verso la mia finestra. Naturalmente, non era così, ma per quell'istante ho pensato che, da Napoli, qualcuno avesse finalmente trovato la forza per tornare nel suo Paese.

*(Ricordo di aver avuto solo un'altra volta, nella mia vita, la sensazione di essere osservato mentre componevo, e sono passati molti anni – una vita intera: lavoravo allora ai «*Deux Poèmes de Paul Verlaine*», e sognai una marionetta che si muoveva forsennatamente, disturbando con un'irriverente cascata di arpeggi di pianoforte un'orchestra, la quale rispondeva con una fanfara. Ne veniva una lotta tra pianoforte e orche-*

stra, una vera e propria rissa, che si chiudeva con la sconfitta della marionetta che, alla fine del sogno, giaceva a terra esausta. Tenni a mente questo sogno, che raccontai a Djagilev: su di esso, sul sogno, costruii il terzo quadro del «Petruška». In più di un'occasione, componendo i quadri di quel balletto, ebbi la visione periferica della marionetta, che naturalmente non possedevo, e dovetti interrompere il lavoro. Ma ero molto giovane, allora, e quell'agitazione era figlia, forse, dell'euforia per essermi da poco trasferito, insieme a Kat'ka, a Parigi).

Fuori, diretti dai cappuccini, i gesualdini avevano cominciato una preghiera che ci arrivava lenta e sommessa, come se la loro contrizione li avesse messi sotto una coperta. Ma non sono andato alla finestra: sono andato alla porta. L'ho aperta un po', con lentezza perché i cardini non cigolassero, ho messo il naso nel pertugio e non ho visto nulla: tutta la grande volta del teatro era foderata di buio, e a lungo non sono riuscito a distinguere nulla. Poi, dopo un po', ecco, la sagoma bianca e cieca di Ignazio era là: si muoveva piano, spaventata dalla platea vuota in cui il rumore dei suoi piedi risuonava sul legno del pavimento, e sbalordita, forse, dal fatto che le sue mani non trovassero pareti nude e bagnate, ma tendaggi, e drappi, e mura lisce, più delicate delle sue stesse dita nodose e offese. Egli era appena entrato, forse aveva impiegato molto tempo a risalire per il caracò: è una forma, del resto, che non conosce, e probabilmente si è ferito sul ferro della ringhiera. Mi dava la schiena, era in fondo, lontano, ma prima o poi avrebbe percorso tutto il perimetro del teatro e avrebbe trovato questa porta. Così l'ho richiusa, la schiena di Ignazio è scomparsa, per qualche ora ancora inghiottita dalle tenebre. Carlo, messo in allarme dai miei movimenti, era tornato ad aprire gli occhi e mi guardava.

«Sento suoni» ha detto, e io non sapevo se si riferisse all'Ave Maria che adesso, come un movimento sotterraneo, saliva dalle bocche dei gesualdini, oppure se intendesse qualcos'altro.

Accanto a me, su una seggetta, i due volumi dei Libri V e VI, unti e insudiciati, giacevano sotto un cumulo di stracci. Li ho presi, li ho estratti dal mucchio senza far cadere nulla, ed egli mi ha osservato in silenzio mentre lo facevo.

«Avete sempre sentito suoni» ho detto. «Sempre. A volte perfino io ho pensato di non essere per voi che un suono, un accompagnamento».

Si è aperto quasi in un sorriso. Si è fatto portare i libri, li ho posati sul divanetto e lì sono rimasti senza che li aprisse.

«Gioachino» ha chiesto però, «dimmi: tu hai mai amato la mia musica?»

«Lo sapete, padrone: si ama soltanto ciò che si capisce».

Ma lui non mi ha ascoltato. Ha detto: «Io ho cercato di mettere mondi dentro questi suoni, e controsuoni, che ho fatto. Dimmi: ci sono riuscito?»

Amen, si è sentito venire dal basso, ma forse io soltanto me ne sono accorto, perché il principe ha continuato a osservare i frontespizi dei suoi libri con una malinconia negli occhi che era quasi una languidezza.

«Questi mondi che io ho cercato, Gioachino, ricordi?, sono anche figli tuoi: tu mi facesti leggere libri che non si potevano leggere, e dentro questi libri si dicevano meraviglie, il mondo era più complesso di come io lo immaginavo e lo sapevo, era santo ed eretico insieme, era fluido e mutevole, era bello e feroce. Così ha provato a essere la musica mia, Gioachino: armonica e dissonante, e cupa, e festevole, e melanconica, e sacra. Ma tutti questi svolazzi, amico mio, oggi non mi sembrano che ornamenti, ghirlande appese in un giorno di festa e poi dimenticate: se togli le arditezze, io non ho composto una musica più grande di un Luzzasco o di un Nenna. L'ho soltanto vestita meglio, e resa difficile: ma rispetta le regole di questo mondo. È una musica colpevole, Gioachino: pensa ad altri mondi, ma sa soltanto ornare questo».

«Non vi capisco, padrone. Perché dite che è colpevole? Di cosa è colpevole?»

«Oh, forse di nulla: del resto, non è che musica. Io sono colpevole: volevo una musica mai ascoltata prima, che non avesse toni, che vagasse nell'infinito e nell'indistinto. Invece apro questi libri» (nel dirlo apriva il sesto), «e vi trovo comunque della bellezza; ma gratto» (con l'unghia lunga dell'indice ha fatto il gesto), «tolgo certe sovrabbondanze di suoni e ciò che trovo non è che contrappunto e condotta delle parti. Di questo sono colpevole: di aver voluto mondi e di non aver creato che quello che c'era già».

«Vi accusate di delitti che non avete commesso, principe» ho detto, ma senza sapere bene perché.

Egli mi ha ascoltato, stavolta, perché ha scosso la testa, che ormai era poca, e sola.

«Io mi accuso di aver capito solo ora, che è tardi, qualcosa che avrei dovuto capire molti anni fa».

Ha allungato una mano, l'ha infilata sotto i cuscini. Vi ha rovistato un po': ne è uscito con un grumo di fogli gialli, fittamente scritti, che teneva chiusi dentro il pugno come se fossero da buttare.

«Tieni, leggi» ha detto.

Li ho dispiegati sul divanetto, mettendoli in fila. Non erano molti, portavano la sua calligrafia svolazzante, in cui però si vedeva un'incertezza, una mano poco ferma. Ho letto.

ci sarà un mare di latte, un mare ampio quanto quello di Napoli, ma bianco, e noi vi nuoteremo dentro, anche coloro che non hanno mai imparato a nuotare vi nuoteranno, anche gli annegati, un mare infinito e denso come materia dentro cui ci muoveremo noi tutti senza avere una direzione, senza saperla, eppure tutti andremo dalla stessa parte, dentro questo nostro mare non ci stancheremo, la nostra vita sarà questa, nuoteremo, forse felici (ma mi basta sereni), e capiremo presto che questo continente bianco è Dio, è Dio che ci accoglie dentro il suo caldo abbraccio sempiterno perché saremo nel giusto, perché tutto sarà giusto

E ancora:

ci saranno voci, tutte le voci radunate come dentro un enorme orecchio che sarà mio e sarà di tutti, ci addormenteremo dentro un orecchio dentro cui risuoneranno le schiere degli uomini che hanno abitato la Terra prima di noi, la voce dei milioni dei miliardi di esseri che hanno calcato il pianeta, Orfeo e Willaert e Orlando di Lasso e Marenzio e i lattai, i liutai, i fabbri, i maniscalchi, i cerusici, le dame del canto, i pianti dei bambini vivi e quelli delle madri dei bambini morti, i sommovimenti terresti e quelli degli stormi astrali, le maree e le slavine e le eruzioni, il battito degli zoccoli dei cavalli, gli urli delle partorienti, il suono di un bicchiere che cade, il rimbombo di un'archibugiata, gli abbai dei cani i miagolii dei gatti i nitriti i garriti i ragli i grugniti i muggiti i sibili le ronze, le masticazioni, le defecazioni, i circhi, i canti sacri, le crocifissioni le litanie le preghiere i lamenti degli ammalati e quelli degli ammaliati, le grida di gioia, di piacere, l'urlo degli animali scannati e quello degli uomini, i parti, tutto, tutto risuonerà dentro quest'enorme orecchio divino dentro cui non riposeremo, in pace, tutto

E ancora:

si cade in un pozzo, si continua a cadere, si ripercorre la propria vita al contrario e si chiede perdono mentre si incontrano le persone che hanno avuto una parte nella vita nostra, anche coloro che abbiamo incontrato per un solo momento, coloro che non abbiamo veduto ma che ci hanno pensato, e della cui vita abbiamo occupato una piccola porzione di spazio, di tempo, ci si confessa e si chiede perdono, ma lo si dona, anche, perché tutti si cade, tutti si scende, tutti ci si incontra e tutti si chiede scusa, mia madre, il padre mio, Luigi fratello, Emanuele e Alfonsino figli amati, Giulio, Carlo di Milano, Maria Maria Maria Maria

E ancora:

lo si vede, Dio?, lo si incontra? Sì lo si incontra come mare o come sole o come parola o come suono a seconda di cosa si è stati nella vita: acqua, sole, parola o suono. Gli si parla?, gli si possono fare domande o è soltanto Lui che può chiedere e domandare e giudicare? Io spero che Egli sia anche qualcuno che ascolta, che finalmente risponde, che ci dedica uno spicchio del Suo tempo infinito – che cosa chiederò, io, a Dio?, che cosa Gli risponderò?

Mi sono fermato, ho smesso di leggere. C'erano, nei fogli, altre decine di questi scritti, tutti in disordine, pieni di cancellature e ripensamenti. Li aveva composti qui, nello zembalo, dove si era rinchiuso dopo la morte di Emanuele. Non ho capito subito di che cosa si trattasse, ma poi: erano immaginazioni brevi, fugaci, dell'altro mondo.

«Perché avete scritto questi fogli, padrone?» ho domandato.

«Come esercizio, Gioachino, come preparazione».

(Sono esercizi di morte, ecco cosa sono questi brutti appunti. Ed eccoli qui, Carlo e Gioachino, insieme forse per l'ultima volta, mentre quell'altro si avvicina ed è logico che entrerà dove loro, in fondo, da sempre lo aspettano). Trovo che l'attacco di «Beltà poi che t'assenti» abbia preso una forma vagamente classicheggiante, ma questa classicità non è, in fondo, una colpa: deriva dalla musica da cui provo a cavare qualcosa di articolato e mio, e che in questo terzo madrigale è piuttosto ferma. Non mi chiedo, adesso, mentre in questo terzo quadro tutti gli strumenti si radunano e suonano, se a Carlo questa mia traduzione piacerebbe; mi chiedo piuttosto se, posto di fronte allo stravolgimento della musica che egli ha immaginato e scritto, sosterrebbe ancora che la musica è limitata, e i suoni sono pochi. Forse non si riconoscerebbe, si perderebbe in certi passaggi, si domanderebbe quale sia il senso del vestito nuovo che gli sto cucendo addosso. La musica è finita, ma questa sua finitezza contiene continenti, e noi non ne abbiamo percorso che un tratto, che non so se definire breve. Senza dubbio, dal suo punto di vista ho preso il suo suono, che è fatto di voci, e l'ho levato per metterci il mio: se guardo il mio «Monumentum» con gli occhi di Carlo (con quelli che penso possano essere gli occhi di Carlo), ho costruito dei madrigali senza suono, e lui probabilmente li considererebbe monocordi.

Da domani e per una decina di giorni, New York: il Festival al Town Hall capita, per una volta, nel momento sbagliato, perché mi costringe a lasciare momentaneamente incompiuto il mio monumento. Frau Weber e suo marito si trovano in città già da alcuni giorni: mi hanno telefonato questa mattina – nonostante sappiano che alla mattina non si telefona a casa Stravinsky, perché sono al lavoro – per dirmi che manderanno un'auto all'aeroporto per prelevarci. Margit sembrava emozionata all'idea, come ha detto, che «ormai ci siamo». Padroneggia i «Movements» che suo marito le ha dedicato con una certa maestria e, se non fosse che questo concerto interrompe il mio lavoro, sarei completamente felice di dirigerlo.

La notte scendeva, fuori proseguiva la veglia dei gesualdini. Com'è possibile, mi sono chiesto, che essi sappiano che questo può essere l'ultimo giorno del principe Carlo? Mi sono accostato alla tenda di fogli, ho di nuovo guardato quelle decine di teste chine, incendiate dalle fiaccole e dalla preghiera. Tra di loro ho visto muoversi il Bardotti, e poi l'Adinolfo, che pregava accanto ai cappuccini e facendolo si mescolava al popolo.

«Quando sarete davanti a Dio» ho detto, «voi gli presenterete la musica vostra. È soprattutto questo ciò che avete fatto, ciò che siete stato».

Mi ha messo addosso uno sguardo sorpreso, ma non per il concetto che aveva ascoltato: perché avevo coniugato i verbi al passato.

«È buio» ho detto ancora, «lasciate che accenda un lume».

«E cosa dirà, Dio, della mia musica?» ha domandato anziché rispondere, ma subito l'ha colto un breve, ma brutale, attacco di tosse che l'ha sconfitto. A lungo è rimasto immobile, storto come la pancia di una chitarra, e io ho visto, dalla camicia che si apriva e lo lasciava nudo, la gabbia delle coste che sembrava una smisurata mano d'ossa che gli ghermiva il petto. Si è ripreso, ma con fatica, mi ha buttato addosso gli occhi di chi ha capito qualcosa di terribile e già guarda, o pensa di farlo, dentro il continente bianco.

«Da troppo tempo non mangiate, padrone» ho detto allora, per mettere un suono in quel silenzio.

«Da giorni il mio corpo rifiuta anche l'acqua» ha risposto. «Mi bagno le labbra e la ributto nella brocca insieme a un liquido pastoso e verde».

«Lasciate che venga Staibano a visitarvi».

«Staibano è venuto alcuni giorni fa, quando mi portarono il testamento perché lo approvassi. L'ho approvato, e poi gli ho chiesto di rimanere. Ma ciò che ho letto nel suo sguardo mentre mi visitava è stato più che sufficiente per capire. Ascolta» ha detto poi, «viene ancora quel suono sommesso, sembra una preghiera, o un canto collettivo cantato sottovoce».

«Il popolo di Gesualdo è preoccupato per voi: vigila sulla vostra agonia dalla salita del castello» ho ammesso.

«Il popolo non è mai preoccupato per chi lo amministra. È preoccupato semmai dell'ignoto a cui va incontro quando non ci sono eredi maschi».

Un raschio, lontano eppure ben distinguibile, è venuto dal teatro. Sono tornato alla porta, di nuovo l'ho aperta, ma con meno coraggio della prima volta. La luce della fiamma che avevo acceso nello zembalo mi ha richiesto più tempo per abituarmi al buio là fuori, e senza dubbio ha messo una meta a Ignazio, che stava ancora aggrappato alla parete opposta alla nostra, la esplorava col naso, con le unghie, con i pochi denti: Egli però si è fermato quando il fiotto di luce ha messo una linea gialla nella platea; ha fatto per voltarsi, e il suo campanello mi ha raccontato la velocità con cui si muoveva. Ho richiuso velocemente.

«Che guardi di continuo là fuori?» ha domandato Carlo, con un filo di voce e lentamente.

«Nulla, principe» ho risposto, «controllo soltanto se qualcuno si fa vicino allo zembalo».

Egli era seduto, adesso, sul bordo del divanetto. I suoi piedi nudi s'erano fatti lunghi e penzolavano giù dal materasso come due impiccati. "Muore" ho pensato. "Dovrei potermi affacciare alla finestra e dirlo ai frati, alla schiera dei servi, agli amici, a Dio, al popolo tutto. Ma non lo farò: non si annuncia la morte di qualcuno quando è ancora vivo".

Ma sono stanco. Sento un peso che non so bene dove localizzare, ma che pure esiste e grava. Penso a Carlo sonnambulo dopo la morte di Maria, penso al suo respiro mozzato, ai suoi dolori, ai suoi freddi: tutto è riassunto qui, ora, nell'immagine di questo vecchio di nemmeno cinquant'anni che mi guarda da dentro un corpo consumato, gli occhi acquosi e bianchi, la fame e la sete che lo divorano; eppure egli sembra tranquillo, a suo modo sereno, o è soltanto troppo affaticato per poter reggere il peso del suo tormento, e dunque rimane immobile, indifferente all'apparenza. Ma anch'io ho dolori, e stanchezze, e uno strano sentimento che mi fiacca. Mi appoggio al clavicembalo, la mia testa è alta quanto la cassa e vi si adatta. Dovrei odiare Carlo Gesualdo con ogni singolo occhio, labbro, dito, pelo del mio corpo: perché se lui muore, io muoio, ed egli da troppo tempo si perde in quest'inedia che dice incurabile; invece non lo odio, perché anch'io sono vecchio, e sono stanco, e i vecchi non sanno odiare la gamba che non permette più loro di fare lunghe camminate, o lo stomaco che s'affatica e non digerisce più certe pietanze. Ecco: Carlo è per me questa gamba che non cammina e questo stomaco che non digerisce, è mio, siamo stati insieme, insieme abbiamo camminato e digerito e ora che tutto è arrivato alla fine, forse, c'è perfino qualcosa di giusto in questo smacco e in questa attesa.

«Che ne sarà del mio regno?» lo sento che dice. «Dio mi punisce. Mi ha punito con certe morti e con questa mia perenne indisposizione, ma lo fa anche con certe nascite sbagliate: darà femmine finché non sarà certo che questo feudo, e gli altri, cadranno nelle mani di qualcuno che non porta il gran cognome».

«C'è vostra moglie, principe».

«Leonora? Non vede l'ora di scrollarsi di dosso il nome dei Gesualdo, e questi posti che odia e che l'ammalano. Se guarirà, ma è certo che guarirà quando si sarà liberata di me, dovrà adempiere i suoi doveri testamentari; ma finiti questi, sono certo, tornerà al nord per risposarsi o per chiudersi in un convento».

Il campanello di Ignazio ha suonato a lungo il suo suono sottile, bambinesco. Carlo se n'è accorto: era rimasto con i piedi impiccati ma si è riscosso.

«Senti?» ha detto. «È il suono di un campanello, ma non è lo stesso suono con cui chiamo Castelvetro o il Bardotti: è più profondo, meno squillante. I campanelli suonano in la, questo no: è in bemolle, ha dentro quel suo tintinnio una malinconia che lo abbassa».

Si è spostato, rimanendo seduto sul divanetto si è avvicinato al clavicembalo e vi ha messo sopra le dita, lunghe e sottili come archetti. Solo ora le ho potute guardare: lungo le nocche e sui polpastrelli erano segnate da piccoli tagli e ferite non tamponate; alcune verruche e calli stavano in posizioni strane, ossia non sulla punta delle dita, dove è normale che siano per chi suona liuti e chitarre, ma nel centro, a volte sulla base e sui palmi. Carlo ha passato queste mani offese sulla tastiera, ma non ha pigiato i tasti. Ha detto:

«Dio mi è testimone, Gioachino, che ci ho provato: in questi giorni di solitudine e dolore ci ho provato. Ascolta».

Si è sollevato le maniche della camicia scoprendo i polsi magri, ma non ha posato le dita sui tasti: le ha infilate piuttosto dentro la cassa del clavicembalo, dove come ho detto stava poggiato, di traverso, il flauto, e i sei uccellini di Murano, strappati dal ventre della chitarra spagnola, avevano fatto nido. Ha cominciato a battere sulle corde, infischiandosene dei plettri ma anzi, facendo delle sue dita delle lamelle che ora tiravano, ora colpivano queste corde esauste, su cui da venti giorni, dalla notizia della morte di Emanuele, Carlo ferendosi provava i suoi nuovi suoni. Il flauto non suonava: era una leva che fungeva da tirante e che gonfiava la massa di corde portandola a picchiare contro le pance di vetro degli uccellini. E gli uccellini cantavano, mettevano la loro voce dentro questo strazio di suoni: venne una musica sghemba, rovinata, del tutto priva di un centro, in cui si mescolavano i colpi delle dita – che davano un battito irregolare mentre le ferite si aprivano e qualche goccia di sangue cadeva nella cassa –, il lamento informe delle corde e il canto modulato degli uccelli. Carlo non cantava, non aveva più voce e si era occupato in queste ultime settimane soltanto di cercare una nuova musica, che ora mi si offriva sotto forma di questa pappa sonora indigesta, di questo madrigale senza voce e senza suono che continuamente si modificava, iniziava per un accordo e subito lo abbandonava, entrava in un tono e poi lo abbandonava, ma senza cercare il contrasto, semplicemente andando laddove l'istinto del suonatore lo portava e «Ecco» diceva Carlo senza interrompere questa sua disorganizzazione, «ascolta, Gioachino, eccoli i mondi che per tutta la vita non ho trovato: essi si mischiano in forma di suoni, si rincorrono, si contraddicono, sono grandi come l'universo, e variano, il verticale diventa orizzontale e poi torna verticale, la profondità si fa superficie e poi di nuovo abisso, e tutto si regge sul canto inconcepibile di queste bestiole di vetro, che cantano la loro nenia senza conoscere l'armonia che io sottendo. Capisci, Gioachino?, capisci? Tutto entra in questa musica, perché niente sembra veicolarla. Capisci?»

Infine l'eco delle corde straziate su cui s'accaniva faceva un tappeto sonoro che io ho riconosciuto: era quel suono di lupo, quell'ululato stonato che ho già sentito altre volte durante queste tre settimane. Ecco cos'era: sembrava un canto di dolore e pena e invece era l'idea di un nuovo suono, storto e brutto, prodotto facendo del male alle corde e alle mani.

Carlo sembrava risvegliarsi, sotto quei colpi: forse era il dolore che provava alle mani, forse era davvero quest'idea di nuovi suoni che lo vivificava. Colpiva e suonava come un forsennato, spremendo le sue ultime forze e fuori, sulla salita, si faceva intanto silenzio perché, credo, dalla finestra chiusa e accecata dello zembalo comunque il suono filtrava, si può bloccare ogni cosa ma non il suono per quanto sgradevole esso sia. Così, immagino, l'Adinolfo, il Bardotti, i frati, tutti, adesso guardavano verso la camera dove il padrone mio si consumava in quest'ultimo concerto atonale e si domandavano, penso, che cosa stesse capitando al principe, quale nuova, sorprendente energia lo governasse e quale folle progetto musicale egli stesse perseguendo.

«Questa musica, Gioachino, è scritta» ha detto Carlo, ma senza smettere di colpire le corde. «Sta in quei cartocci che tu pensi siano da buttare: non lo sono. Sono le brutte copie del mio settimo libro, e da qualche parte, in una carta, ho già ordinato che Carlini le recuperi, le riordini con l'aiuto di Scipione Stella e le doni al mondo. Bisogna soltanto che l'Adinolfo aggiunga questa postilla al testamento».

Ma io mi ero ormai sdraiato sul divanetto, con la testa sul cuscino e i piedi lasciati molli a penzolare nel vuoto.

«Mi ascolti, Gioachino?»

«Vi ascolto, padrone, ma una stanchezza strana, profonda, mi ha preso. Lasciatemi qui per un istante».

«Vattene dal divano mio» ha detto invece Carlo, e a fatica ho distinto questo comando dentro la catastrofe di suoni. «Hai la tua scatola, per riposare».

Eppure in alcuni punti egli sembra aver voluto scollinare quella prigione che la limitatezza di suoni del suo tempo gli aveva costruito attorno. Questa musica informe che egli esegue, dice, è scritta – ma non ve ne sono tracce nella storia della musica. Ciò che il principe suona, ferendosi, è impossibile da comprendere: le parole di chi ha scritto questa cronaca non bastano per farsi un'idea. Ci sono rumori, strappi, disarmonie, storture, uccellini che cantano e, immagino, molte sciocchezze. Bisogna dare atto a chi ha scritto queste pagine che ha provato a mettere in scena un tentativo di andare oltre ciò che il suono del tempo consentiva. Ma ciò che mi interessa è che, in questa pratica finale, se mai è esistita, Carlo Gesualdo si contraddice: sostiene che in questo mondo non ci siano suoni sufficienti ma, alla fine, arriva a immaginarne di nuovi (così lui) e per produrli è disposto perfino a ferirsi.

In questo secolo, noi abbiamo creato con la disarmonia, ma non è che una parvenza: anche la musica più radicale si muove dentro limiti che sono imposti, è costretta in una gabbia dalla quale non si fugge, anzi, dentro cui è necessario e perfino bello essere prigionieri. Forse, se Carlo ascoltasse questo piccolo «Monumentum» che gli dedico, penserebbe che l'orizzonte dei suoni si è fatto più largo, come egli stesso auspicava.

(Più tardi) La prima dei «Movements» è andata più che bene: Frau Weber era raggiante nel suo completo nero, l'orchestra (nessuna orchestra può eseguire più di cinque battute dei «Movements» senza perdersi, se non ha una guida ferma: e io lo sono stato) ha suonato impeccabilmente. Oggi sui giornali qualcuno ha perfino colto gli echi weberiani nella tessitura dei cinque movimenti, ma ha anche scritto che Webern questo tipo di musica lo faceva cinquant'anni fa. Come si può essere così acuti e così sciocchi nella stessa frase? I pezzi che compongono i «Movements» sono ben più vecchi di cinquant'anni. Hanno colto, nella mia musica, il Webern sbagliato. A fine concerto, Herr Weber mi ha però regalato un

momento di autentico stupore, quando mi ha avvicinato e, dopo essersi complimentato in modo piuttosto generico (benché si vedesse che era felice), mi ha detto, in tedesco: «Mio caro Igor Fëdorovič, solo questa sera, dopo aver ascoltato un concerto che pensavo ormai di conoscere benissimo, ho capito il suo gioco: lei ha messo Webern dentro una musica commissionata dai Weber. È un grande regalo, questo che lei ci ha fatto». Ci siamo stretti la mano come due amici.

Da domani a casa, a Los Angeles, per chiudere il mio Gesualdo.

Lentamente, come se portassi sulla schiena il peso di un enorme carapace, sono scivolato giù dal divanetto, e piano, mentre le pareti giravano su se stesse come umiliate dalla musica, mi sono trascinato alla scatola. È da qui che scrivo ora: mentre Carlo continua a mostrarmi come sarà il suo settimo libro gli leggo sul volto una congestione, un eccitamento che me lo dice prossimo alla follia.

«Bisogna rendere eterni questi suoni, per questo li ho messi su carta» mi pare dica, ma tutto rimbomba, e dentro questo rimbombo, adesso, viene un colpo, un colpo che non è delle mani di Carlo ma di un corpo che si avventa, o forse cade, contro la porta. Eccolo, ci ha trovati, ha finito di tastare il perimetro del teatro e capisce, forse, che la superficie della porta è di un materiale diverso da quella delle pareti e dunque l'annusa, la tasta, la morde anche. Lo guida il suono, ed Egli risponde: tira un verso, poi un secondo, e non so dire se siano in tono con il canto degli uccellini di Murano. Ma c'è: Ignazio è qui, ed è la voce che Carlo non ha ancora pensato di inserire in questi suoi nuovi madrigali deformi. Viene per cantare, penso. Poi dico: no, viene per vendicarsi della fame, dell'abbandono, del dolore. Viene per conoscere i suoi due padri, quello che l'ha respinto e quello che l'ha incarcerato e reso bestia.

Mi accuccio, e so di farlo per viltà: quando Egli capirà come funziona la maniglia ed entrerà a far parte di questo disastro di note, di corpi e cose che siamo diventati, non voglio che sia io la prima figura su cui poserà i suoi occhi ciechi. Mi sdraio: Carlo è il padre, io non posso dire di essere figlio; sono stato padre anch'io, in un certo senso, ma soprattutto sono stato servo, e compagno, e ombra. Egli, Ignazio, è figlio: mi rimane a ben vedere solo la parte dello spirito, ma non so se meritarmela. Può lo spirito abitare un corpo deforme? Non è chiaro.

Ancora poche frasi, mentre la vista si annebbia e le forze calano e l'udito (sia benedetta la sordità!) si trasforma, la testa si fa guscio, mi racchiude, allontana il madrigale senza suono che Carlo, le mani piene di sangue fino agli avambracci (così mi pare), non smette di suonare come se fosse un canto funebre. Che sia io il primo dei tre a doversene andare? E, se così dovrà essere, cosa farà Carlo solo davanti a Ignazio? In chi cercherà consiglio? E Ignazio? Lo riconoscerà come padre o sarà solo la bestia che ne strazierà le carni? La penna mi cade, la riprendo. Voglio stare vigile ancora un poco, prima di dormire: così questa Trinità blasfema e triste che siamo presto si ritroverà unita qui, nello zembalo, nel suo momento supremo e condividerà tutto il bene e tutto il male di cui si è resa responsabile e lo rimetterà, forse, a Dio. Carlo si volta, stacca per un istante le mani dalle corde, si rivolge a me, mi sta dicendo qualcosa che non so, spinge sulle gambe smagrite e fiacche e si stacca dal clavicembalo, si avvicina, c'è sul suo volto un'espressione di dubbio, forse di paura, e una domanda.

Ora

Gioachino, finalmente, dorme. Finalmente c'è pace. Il suo respiro, se ancora è un respiro, è sottile, appena percettibile. Arrivano battiti dalla porta, rumore d'unghielli e tintinnii di campanelli: chi vuole entrare si annuncia con gli stessi suoni della peste. Che venga. Io sono qui, aspetto, come faccio da venti giorni e forse da anni.

Allungo il braccio, il clavicembalo lo inghiotte. Tormento per un'ultima volta le sue corde stanche e ferite. Esse ancora mi obbediscono e risuonano, e con loro risuonano gli uccelli. Di nuovo colui che è oltre la porta, se mai esiste e che Gioachino chiamava Ignazio, si mette a cantare: accompagna questi suoni, o non suoni, con una voce roca, animale, e fischi lunghi e tormentati di lupo.

Li ascolto.

Exegi monumentum. La mia piccola opera è compiuta. «Beltà poi che t'assenti» è fatto, fatto è questo monumento che mai avrei detto sarebbe stato tanto difficile completare. Come già con le sue case, Carlo Gesualdo non mi ha aperto la porta: per entrare nella sua musica, ho dovuto scardinarla, romperla, infinitamente variarla prima di trovare una forma e un suono per la mia traduzione. Ma, infine, ce l'ho fatta. È arrivato febbraio, tempo di telegrafare a Venezia.

«Ho eretto un monumento non da mano creato,
non sparirà sotto le foglie il sentiero che lì conduce,
con la fiera testa s'innalzerà
sopra la colonna d'Alessandro».

L'uccello di fuoco
Una lettera

Mr Igor Stravinsky
1260 N. Wetherly Drive
West Hollywood
Los Angeles, CA 90069
USA

Napoli, febbraio 1960

Ill.mo Mr Stravinsky,

Lei non può immaginare la sorpresa e l'emozione che mi ha dato ricevere la Sua lettera e la storia che vi era acclusa! Come vede, Le scrivo dall'Italia, dove mi trovo per un periodo di studio. Ho portato con me la «Cronaca» e la Sua lettera – che sono state, devo dire, le mie letture più frequenti di queste settimane.

Ma vado con ordine, sperando di non annoiarLa e di non dire sciocchezze.

I miei studi, fin dai tempi del dottorato, hanno a che vedere con la musica barocca e rinascimentale. Non Le so dire quanto mi ha sorpreso leggere, nella Sua lettera e nelle chiose che Lei fa al testo, le parti in cui ragiona sul passaggio tra le epoche: ciò che Lei scrive riflette il motivo per cui io mi interesso a determinati periodi e determinate figure. Per esempio, in questi mesi sono a Napoli perché sto facendo delle ricerche su Sigismondo d'India – contemporaneo del nostro principe e a lui decisamente inferiore in tutto. Anzi: è evidente che, soprattutto nella tessitura di certi madrigali, egli sia qualcosa di più di un debitore di Gesualdo, come del resto di Monteverdi e di Marenzio. Sto cercando di capire se i due, Sigismondo e Carlo, si siano mai incontrati: sospetto di sì, poiché d'India trascorse sicuramente un periodo a Napoli nel momento in cui Gesualdo aveva qui la sua corte. Era praticamente impossibile che un musicista venuto da fuori non vi capitasse. Ma queste per il momento non sono che congetture: Le confesso, però, che ho letto questa cronaca anche con la speranza di trovarvi un accenno utile alla mia ricerca. Non è accaduto: il racconto di Gioachino, del resto, è un racconto tutto interiore, che non nomina molti personaggi che pure sono stati presenti nella vita quotidiana di Gesualdo. Sorvola, per esempio, sul fatto che, in seguito alla fuga da Napoli, Isabella, sorella di Carlo, visse con lui al castello insieme alle figlie Porzia e Beatrice. Non cita nemmeno la sorte di un'altra Beatrice: la figlia che Maria aveva avuto dal matrimonio con Federico Carafa e che nel 1588 fu data in sposa giovanissima (qualcuno dice a soli dodici anni) a Marco Antonio Carafa. Ebbene, questa Beatrice morì poco dopo le nozze: certe fonti dicono di vaiolo, altre, invece, forse più maliziosamente scrivono che, durante la prima notte in compagnia del marito, «le si ruppe una vena nel petto». Qualunque fine abbia fatto quella povera ragazza, una cosa è certa: il dolore per questa perdita (Maria aveva vissuto a lungo sola con lei in Sicilia in seguito alla morte del secondo marito) è una delle cause della fregola, come si dice, della d'Avalos, che forse si cercò degli amanti per punire l'indifferenza di Carlo davanti alla morte della figlia di primo letto. Sto di nuovo facendo delle congetture, e so bene che non si giudica un'opera, qualunque sia la sua natura, per ciò che non riporta. Però, chi ha scritto questa cronaca torna, in vari momenti, sul tema della verità, e sostiene che si accolla la responsabilità di queste pagine per raccontare finalmente come sono andate certe cose della vita di Carlo: il fatto che vengano taciuti fatti ed episodi di così grande importanza come la morte di Beatrice può far nascere i primi dubbi circa la piena attendibilità di questo scritto.

So bene, me lo scrive Lei stesso, che non Le interessano troppo le svolte nella biografia di Gesualdo, dunque non farò altri accenni a momenti della vita di Carlo per come sono descritti in questa cronaca. A Gesualdo ho dedicato alcuni anni di studio e so che continuerò a farlo probabilmente per il resto della mia vita. La domanda, forse ingenua, che mi pongo, è: questa cronaca di Gioachino Ardytti ha la dignità per finire nella mia bibliografia? Qui cominciano i problemi: non lo so. Ho molti dubbi che Le vorrei esporre, visto che mi pare di capire che uno dei motivi per cui Lei mi ha inviato il pacco è che L'aiuti a capire se si tratta di una cronaca vera, o di un apocrifo, o addirittura di un falso.

Intanto: è la prima volta che trovo questo nome, Ardytti, nel mio percorso di studi. Nei prossimi giorni farò qualche ricerca un po' più approfondita e ho già chiesto informazioni sull'accesso all'ufficio anagrafe del comune di Napoli. Spero abbiano l'archivio storico dei nati nel napoletano, o che mi sappiano dire dove trovarlo: voglio provare a scendere, se mai sarà possibile, lungo l'albero genealogico di Gioachino. So che esiste, nell'Italia meridionale, una variante del cognome Ardytti, scritta senza la /y/ ma con la /i/: ebbene, Arditti, scritto in questo modo, è un cognome sefardita. Si sa che la città di Gesualdo e i suoi dintorni, a partire dalla fine del XV *secolo, fu una delle mete verso cui fuggirono gruppi di ebrei della diaspora siciliana e spagnola. Forse, nell'ipotesi che Gioachino sia veramente esistito (Le dirò: la cosa mi pare insostenibile), egli fu un discendente di questi ebrei in fuga: ma in questo caso non si capisce come sia possibile che egli, negli anni Settanta del* XVI *secolo, fosse ospite di un collegio gesuita romano. Mi pare un'evidente assurdità. Questo suo cognome, però, è una traccia che, da studioso, non posso evitare di prendere in esame: finirà che non scoprirò nulla, e che avrò perduto una giornata in un archivio polveroso tallonato da impiegati sospettosi e, come si dice qui, sfasteriusi. E sia.*

Non sono un letterato, ma credo che Lei colga nel segno quando sembra sostenere, nei Suoi meravigliosi appunti, che Gioachino dev'essere la proiezione di qualcun altro. Questa cronaca è infedele a certi fatti, indugia su certe riflessioni e fa una drammaturgia di certi momenti che ritiene importanti. Nessuna cronaca secentesca lavora sui personaggi e sul linguaggio come fa lo scritto di Gioachino. Se mi fermassi a queste riflessioni, Le direi semplicemente che si tratta di un falso, nell'ipotesi migliore di un apocrifo e, come si dice, archivierei il caso. Le cose, tuttavia, non sono così semplici: ogni volta che mi trovo davanti a un apocrifo o a un falso (e Lei sa benissimo, Mr Stravinsky, che anche il mondo musicale ne è pieno) ho come primo dovere quello di domandarmi il motivo per cui è stato realizzato; in secondo luogo, devo discernere ciò che è vero, originale, da ciò che non lo è. Ebbene: il primo di questi due doveri, rimanendo a un livello superficiale, lo assolve Gioachino stesso: chiunque abbia scritto questa cronaca l'ha fatto per "ristabilire la verità": Carlo Gesualdo non fu il mostro che la storia fin qui ha tramandato ma, come si dice, un uomo tormentato (oggi diremmo depresso), geniale e talmente compreso nel proprio tempo e nel proprio ruolo da accettare di uccidere la donna che amava. Sono arrivato alle stesse conclusioni nei miei studi e nelle mie riflessioni. Per quanto riguarda il secondo dovere, è evidente che Gioachino, o chi per lui, racconti soltanto una parte dei fatti e, soprattutto, inventi di sana pianta molti episodi, a cominciare da tutta la faccenda di colui che da un certo punto in poi viene chiamato Ignazio: qui siamo chiaramente fuori dalla cronaca e dentro il fantastico tout court. Credo che i miei colleghi del Dipartimento di Letteratura Inglese e Americana, là a Chapel Hill, definirebbero il buon Gioachino un narratore inattendibile o qualcosa del genere. C'è un certo gusto gotico nelle parti ambientate nella cripta che mi ha fatto pensare di trovarmi di fronte a un apocrifo ottocentesco. Ma qui arrivano i problemi: nella cronaca sono espresse delle opinioni molto particolareggiate che ora vengono messe in bocca a Gioachino, ora a Carlo, ora perfino all'Adinolfo: ma, faccia attenzione, vengono tutte da degli scritti di Carlo Gesualdo che sono stati studiati solo recentissimamente. L'esempio più lampante l'ho trovato nelle pagine in cui si descrive la «Pala del perdono»: il quadro del Balducci è stato a lungo considerato (anzi: qualcuno lo considera ancora) un'ulteriore ed estrema vendetta nei confronti di Maria e Fabrizio che, si dice, vengono ritratti ai piedi di Carlo avvolti dalle fiamme dell'Inferno. Si immagini: da tre secoli la maggior parte delle persone pensa che l'altare di Santa Maria delle Grazie sia decorato con un dipinto che raffigura l'odio e la vendetta. Non è così! La descrizione degli intenti del quadro per come la fa Gioachino non la si trova in nessun documento, con l'eccezione, appunto, di certe carte di Carlo rinvenute solo recentemente. Dunque, chi ha scritto quella pagina (e, di riflesso, tutte le altre):

– è vivo ed è a conoscenza di questi documenti (e sulla base di questi ha velocissimamente scritto la sua cronaca apocrifa);
– si è inventato tutto, risultando in moltissimi passaggi sorprendentemente consonante con ciò che Carlo pensava;
– era vivo all'epoca di Carlo e lo conobbe e parlò con lui;

o forse, come le ultime righe del testo sembrano suggerire, era perfino lui.

C'è una quarta ipotesi, che è senza dubbio frutto di una suggestione: vede, sono stato così a lungo in compagnia delle vostre voci, la Sua e quella di Gioachino, che hanno finito per risuonarmi nella testa, e in certi momenti si sono perfino sovrapposte come se fossero una sola. Per molte sere, sono andato immaginandomi il grande Igor Stravinsky che, per entrare nella musica di Carlo Gesualdo, si mescola con lui, diventa lui e lo riscrive. È sicuramente una stupidaggine, che spero non diminuirà la stima che Lei nutre nei miei confronti: ma troppo era il fascino di immaginarLa trascorrere l'inverno diviso tra il pianoforte, dove componeva il «Monumentum», e la macchina da scrivere, dove provava a entrare nella testa di un musico di cui voleva comporre una traduzione. Mi perdonerà l'ingenuità, ma mi sembrava giusto renderLa partecipe di questa mia fantasia.

Quello che spero, Mr Stravinsky, è che questo nostro scambio sia l'inizio di un confronto che ci porterà non dico all'amicizia (non oso sperare tanto), ma a un rapporto che, chissà?, in futuro potrà anche far convergere le nostre strade e farci incontrare. Naturalmente Le scriverò non appena e se avrò notizie dall'ufficio anagrafe o dalle altre ricerche che intendo avviare, ma io penso che questo strano ritrovamento che Lei e Craft avete fatto abbia già prodotto un miracolo: mi riferisco ovviamente al suo «Monumentum». Non c'è onore più grande che veder nascere un'opera, ma nelle sue note succede qualcosa di ancora più grande: c'è in scena il mondo che la precede e che la avvolge. Ho provato a immaginare il suo «Monumentum» centinaia di volte dopo averne letto (e stia pur certo che non ne ho fatto parola con nessuno). Non ne ho cavato altro che scimmiottature da musicologo, e già pregusto il momento in cui Igor Stravinsky donerà al mondo la sua idea di Gesualdo. Ho letto e riletto i passi in cui Lei dice che fare musica vuol dire a volte riscrivere, immaginare di nuovo. È esattamente così: bisogna dialogare coi padri, dar loro un linguaggio nuovo che ce li renda vicini. Niente mi leva dalla testa che il Suo lavoro su quei tre madrigali sia la trasposizione di ciò che l'autore di questa cronaca, chiunque egli sia, ha fatto con la vita e l'opera di Carlo Gesualdo.

Gesualdo riposa da secoli sotto una cenere che solo pochi hanno tentato di soffiar via. Nessuno di questi pochi (io mi metto molto umilmente nell'elenco) ha davvero saputo ridare un'anima a questo genio fuori moda, che ha però immaginato, ben prima di molti altri, delle strade che la musica ha atteso secoli per percorrere. Invidio coloro che ancora non sanno, che non si aspettano ciò che, sono certo, tra pochi mesi accadrà a Venezia, e che vagano per il mondo con orecchie impreparate.

Io, però, sono pronto.

Con gratitudine e ammirazione,
Glenn E. Watkins

Ringraziamenti

Giuseppe Mastrominico, che più di chiunque altro conosce e ama il principe Carlo e lavora affinché la sua memoria si mantenga, si rinnovi e si pulisca. Giuseppe è il nume tutelare di questo libro, e le fantasie, le invenzioni, le arditezze e le inesattezze che vi avete trovato sono mie; Raffaele Pietropaolo, che da qualche anno è tornato a Gesualdo dove gestisce il B&B Zembalo, crocevia di gesualdiani; gli amici della Gesualdo edizioni e della Stamperia del principe Gesualdo; Alessandra Sarchi e Federica Manzon, che hanno letto con la penna rossa in mano; Marco Vigevani, Claire Sabatié-Garat e Mariavittoria Puccetti, alla Italian Literary Agency; Giovanni Biswas, Alberto Allegrezza e Michele Vannelli, che hanno sottratto tempo alla musica per rispondere alle mie domande di profano; Daniela Murgia e Paolo Ramacciotti che, a Firenze, mi hanno permesso di assistere a una prova del loro ensemble Diadema Consort, dove ho potuto farmi un'idea concreta di come nasce l'impasto delle voci di certa musica rinascimentale; Duccio Mannucci, che fa il cartografo e, dunque, sa indicare la strada; Andrea Bajani, che ha visto una cosa che io non riuscivo a vedere; infine, come sempre, Laura, mia prima lettrice.

Indice

Matteo Cellini

I segreti delle nuvole

Disegni di Valerio Berruti

Fa' attenzione a ciò che sto per dire: le nuvole non sono quello che pensi. O almeno non sono soltanto quello che pensi. Sopra le nuvole è pieno di bambini, pienissimo. È pieno di bambini che aspettano di essere chiamati alla vita, che aspettano di nascere. Come in comode, soffici, bianchissime, sale d'attesa. Non stupirti, ci sei stato anche tu anche se l'hai dimenticato. Ci siamo stati tutti. Nessuno ricorda di esserci stato, di essersi affacciato, da lassù, e di avere tifato perché i propri possibili genitori si incontrassero, si conoscessero, si innamorassero e decidessero di metterlo al mondo. Ma è successo, altrimenti non saresti qui, non staresti leggendo queste righe.

I segreti delle nuvole racconta la storia di Tommaso e della famiglia Sili. Tra le nuvole e la piccola cittadina di Urbania, tra il cielo e le verdi colline delle Marche. Racconta la vita dolce e spericolata di questo bambino prima di nascere, a diecimila metri dal suolo, e quella che l'aspetta, in una famiglia felice come tante, infelice come tante. Racconta l'attesa, insieme a migliaia di altri bambini, e poi la discesa sulla terra.
Questo libro è una fiaba che fa ridere e commuove. Ha la fantasia e l'universalità del Piccolo Principe e un linguaggio che sa toccare il cuore. Ha la magia delle immagini di Valerio Berruti.
Insieme, parole e immagini, raccontano i piccoli abitanti delle nuvole – i loro segreti – che rincorrono senza tregua desideri irraggiungibili, che si esaltano e disperano e disperandosi rovesciano sulla terra pioggia e grandine.
E quando ridono è perché laggiù, quaggiù, due persone si sono innamorate.

Bollati Boringhieri

Varianti

Mary B. Tolusso

L'esercizio del distacco

Romanzo

Questo romanzo ha una storia breve, ma che non lascia mai il lettore. E una volta chiuso, l'eco resta a lungo. Sono in tre: Emma, David e la protagonista. Vivono in un collegio a pochi passi da un confine immerso nei boschi e nel vento. Fuori c'è una Trieste segreta, mai nominata. Lontani dai propri genitori, i ragazzi crescono educati all'ordine e al controllo delle passioni. Il loro è un triangolo elettivo: un'amicizia più facile con l'esuberante Emma, una seducente competizione con David, il ragazzo dal cuore appuntito. I tre si amano con lo slancio incondizionato dell'adolescenza e con il terrore di abbandonarsi all'amore vero.
Finché crescono tra le mura protette della scuola la vita scorre disarmante tra lo studio, lo sport e le passeggiate nei viali del parco. Non s'interrogano troppo sul loro futuro, né sul perché la loro educazione sia concepita per fronteggiare destini interminabili. Non immaginano che le loro vite, un tempo così intrecciate, si divideranno. Anni dopo a legarli rimane solo una fotografia e il mistero delle loro esistenze. Della grande amicizia con Emma, dell'amore per David e della passione per Nicolas, il giovane anarchico incontrato oltreconfine, non è rimasto quasi nulla. Eppure non si può fare a meno di inseguire quel tempo perduto, chiedendosi: a cosa erano destinati loro?
L'esercizio del distacco è prima di tutto una grande storia d'amore scritta in una prosa unica, malinconica e intrisa di poesia. Un romanzo visionario che mette in scena il più terribile dei desideri umani, quello che ci spinge a sognare un'esistenza più lunga, un amore eterno.

Bollati Boringhieri

Varianti

Joe Mungo Reed

Magnifici perdenti

Romanzo

Sol e Liz sono sposati, e innamorati. Sol è innamorato di Liz, e Liz di Sol, ma Sol è anche innamorato della sua professione di ciclista, e Liz del proprio lavoro di genetista. Sol, il cui motto è «Per noi la vita è ciclismo, il ciclismo la vita», corre al Tour de France come gregario di Fabrice, non per vincere, ma per far vincere la squadra. Liz definisce lo scopo del proprio lavoro «Capire a cosa serve un gene in un pesce», e capisce bene anche Sol perché è interessata alle dinamiche di gruppo, molto simili alle leggi biologiche. Entrambi comprendono il senso del loro successo anonimo a beneficio di altri, e si sostengono a vicenda, ma devono difendersi dal contesto che li circonda: per Katherine, la madre di Liz, e per Rafael, il direttore sportivo, se non si vince si fallisce.
Seguiamo i ciclisti nella routine giornaliera, spesso comica, e nelle situazioni agonistiche, spesso difficili, nel bene e nel male, fino al traguardo finale, catartico. Le difficoltà e le divergenze cominciano quando il cinico Rafael invita a mezza voce Sol e gli altri corridori e ricorrere a qualche trucchetto di «innocuo» doping. Sol vorrebbe rifiutare, ma Liz, sempre pronta ad agire con entusiasmo e dedizione, decide che la proposta va accettata. Non solo, si offre come «corriere» dietro lauto compenso, seguendo la corsa in automobile e trasportando le sostanze vietate, coperta dalla presenza del piccolissimo Barry, figlio suo e di Sol.
Naturalmente dove ci sono anabolizzanti e sacche di sangue per trasfusioni, ci sono anche guai, e infatti il dramma non manca. Ma Reed riesce a equilibrare il tono della scrittura in modo da alleggerirne i risvolti tragici, concentrandosi sul suo scopo ultimo, quello di raccontare una corsa in salita per raggiungere una meta che non è la vittoria. E la metafora corre insieme ai ciclisti e all'automobile di Liz per tutta la narrazione, senza mai inceppparla, senza che il lettore quasi se ne accorga.

Bollati Boringhieri

Questo libro è stampato col sole

Azienda carbon-free